U0906080

浙江历史人文读本

主　编　张伟斌
执行主编　陈　野

金声玉振

王宇　等著

浙江古籍出版社
浙江出版联合集团

《浙江历史人文读本》编撰指导委员会

《浙江历史人文读本》编辑委员会

序　言

中共浙江省委书记
浙江省人大常委会主任　夏宝龙

浙江是中国古代文明的发祥地之一，素有“文物之邦”之称，历史悠久，文化灿烂。数千年绵延不绝的历史积淀，构筑起悠久厚重的历史文化传统，汇聚成我们今天取之不尽、用之不竭的智慧宝库。浙江人民传续至今的爱国情怀、求真理念、务实本质、开拓精神、顽强意志、勤勉品性，是中华民族优秀品质的有机因子；浙江社会曾经承受的自然灾祸、战火硝烟、内忧外患，是中国人民沧桑磨难的共同记忆；浙江大地不屈不挠的卓绝抗争、革故鼎新、砥砺奋进，是民族伟业不朽华章的璀璨篇幅。

读史可以明智，知古方能鉴今。历史是一个民族和一个国家形成、发展及其盛衰兴亡的真实记录，是前人各种知识、经验和智慧的总汇。读一点历史，汲取人类积淀的思想精华，可以帮助我们清心明智；学一点历史，掌握社会发展的基本规律，可以帮助我们明辨方向；用一点历史，回顾中华文明的灿烂辉煌，可以激发我们共筑共圆中华民族伟大复兴“中国梦”的豪情壮志。对领导干部来说，读历史、用历史显得尤为重要。前贤先烈的品德情操、多难兴邦的执著奋斗、治国理政的经验教训，值得我们认真学习、深入思索，以之为镜、资治辅政。正因如此，习近平总书记多次强调领导干部要读点历史。他指出："领导干部不管处在哪个层次和岗位，都应该读点历史，通过学习历史不断深化对人类社会发展规律、社会主义建设规律和共产党执政规律的认识，不断丰富自己的历史知识，这样才能使自己的眼界和胸襟大为开阔，认识能力和精神境界大为提高，使自己的领导工作水平不断得以提升。"

历史文化只有走近今天、走向大众，才能更好地传承和弘扬。浙江省社会科学院作为我省从事哲学社会科学研究的综合机构，组织编写"浙江历史人文读本"丛书，是推动浙江历史大众化、普及化的探索和创新，是建设文化强省的实际举措。该丛书八个分册，系统梳理、精心选取了浙江历史上有重大意义、重要成就、突出影响、鲜明特色的精华材质，内容翔实丰富，具生动性又不失真实性，具通俗性又不失学术性，是活化浙江历史的精品力作，是了解浙江人文的"百科全书"。希望大家抽出时间来看一看这套丛书，爱历史、学历史、知历史、用历史，在共筑共圆"中国梦"的征程中，留下我们无愧于先人、造福于后世的浓墨重彩。

2013 年 4 月 2 日于杭州

导言：构建公众视野中的历史世界

历史是曾经鲜活的生命、已然过往的生活、陶炼积淀的业绩，是纷繁的思绪、驳杂的心境、丰富的情感。它们随时间的流逝，翻落进文明的深处，累生而成一个我们谓之为“传统”的世界。在那里，思想的绿树常青，智慧如繁花盛开，气象万千，人文璀璨，厚重而灿烂。

然而，对于这样一个已成往昔的世界，如果我们不回首，便不得见。因为它在我们匆匆前行的身影后面，绚烂之极，归于平淡；它在远离我们当下人生的时间彼岸，兀自静默，莫能与语。

回望历史，是一种人性的光辉，因为它是对先人的礼敬；是一种博大的胸怀，因为它是对文化的包容；是一种理性的力量，因为它是对规律的揭示；是一种勇敢的担当，因为我们探究来路的目的，是为了更加坚定地走向未来。

因此，我们愿意站在今天的浙江，做一个历史的眺望者，穿梭万年的时空，打量这块土地上连绵不绝、波澜壮阔的前尘往事；做一个历史的梳理者，秉持理性的烛火，将沉落于往昔世界的影像重投于时间的光影之墙；做一个历史的思考者，博学审问、慎思明辨，探寻其与当下社会的关联；更重要的是，做一个历史的传播者，让历史走出尘封的书海和学者的案头，走向社会大众，让来自历史的智慧，充实心灵的世界，照亮今天的生活。

一、浙江大地承载着深厚的历史传统和光辉的文化精神

2006 年，时任中共浙江省委书记习近平在为《浙江文化研究工程成果文库》所作总序中指出 ：“千百年来，浙江人民积淀和传承了一个底蕴深厚的文化传统。这种文化传统的独特性，正在于它令人惊叹的富于创造力的智慧和力量。”浙江历史的变迁和文化传统的形成，并非同一文化要素的简单累加和重复，而是在其精进图强的历史步伐中，通过开拓创新的创造活动得以实现，并因此自然地生发出十分鲜明的勇于开新造大、敢为天下先的文化价值取向，且已成为浙江文化传统中最具地域特色的精义。如果我们深入地去探究，可以看到如下种种鲜明的文化特征。

1. 在浙江的文化精神中，充溢着捍卫主权、反抗侵略的爱国主题

“夫越乃报仇雪耻之乡。”在浙江历史上，爱国主义是浙江文化的生命线，捍卫主权、反抗侵略、抵御外侮是浙江人民的优秀传统。在爱国主义价值观的哺育下，爱国英雄们在国族危难、大厦将倾之时，有的挺身而出，最终以身殉国；有的在重重困难之中，不放弃信念和理想，知其不可而为之。陆游“位卑未敢忘忧国”；于谦为了力挽狂澜于既倒，不惜牺牲一己的仕途乃至生命 ；抗倭名将戚继光在浙江招募和训练“戚家军”，在台州九战九捷，平定倭患。近代浙江人民在反封建反侵略斗争中前赴后继，可歌可泣。鸦片战争中壮烈

殉国的“定海三总兵”彪炳千秋;“鉴湖女侠”秋瑾“夜夜龙泉壁上鸣”的诗句，激励了无数中华儿女以天下兴亡为己任；嘉兴南湖上的红船，刘英、张秋人、俞秀松、宣中华等革命烈士的舍生取义，更彰显了在中国共产党领导中国人民开展的谋取民族独立、国家解放、人民幸福的革命斗争中浙江儿女的光辉业绩。这些浙江先贤刚健有为、坚贞不屈的崇高气节，谱写了中华民族爱国主义正气歌中的华彩乐章。

2. 在浙江的文化精神中，蕴含着求真务实、经世致用的本质内核

求真务实是浙江文化的本质内核,它贯穿于浙江历史发展的每一个时期，深刻影响着当代浙江人的行为模式和思维方式。求真务实蕴涵着科学求真。越王剑、通济堰、捍海塘、秘色瓷、印刷术、钱江桥，都是浙江科技史上的光辉成就；毕昇、杨辉、李之藻、李善兰、茅以升，都是浙江科技史上的著名人物。其中，最为人所称道的，当推北宋沈括及其《梦溪笔谈》。英国学者李约瑟将沈括称为“中国整部科学史中最卓越的人物”,《梦溪笔谈》则是中国科学史的里程碑。求真务实蕴涵着思想求真。东汉王充对当时散布虚妄迷信的谶纬之学、虚论惑众的经学之风的严厉批判和抨击，明代王阳明对理性自由和人性解放的要求,晚清章太炎“学所以经世,固非空言著述”的主张，无一不是浙江文化精神中“追求真理”“实事求是”本质内核的体现。

经世意识在浙江文化中有突出的表现。例如以陈亮为代表的永康学派，反对朱陆空谈义理和心性，提出修实政、行实德、建实功、改革社会、变弱致强的主张；近代佛学大师太虚、印顺回溯佛法本源，积极推进佛教革新。

这种独特的一脉相承的经世致用思想，体现了传统知识分子以思想、学术、知识认识改造世界的不懈努力和价值关怀，是浙江对中国文化的独特贡献。

3. 在浙江的文化精神中，聚合着义利双行、达观通变的商业伦理

义利文化观是浙江历史文化精神的一大特色。宋代以叶适为代表的永嘉事功学派倡导“义利双行”，用道德伦理引导对现实功利的追求，用现实功利检验主体对价值观、道德信仰理解的有效性。“义”与“利”由此成为辩证统一的有机体。在这种“义”“利”文化观的熏陶下，浙江人及其商业活动，用经营生产造福社会；同时又以“道义”规范经营生产行为，保持了悠久的“讲信修睦”的传统，哺育出许多誉满海内的老字号、老品牌。

“义利双行”的商业伦理观念，给浙江人带来了达观通变的经济发展理念和市场行为。宋元以后盛行浙地的长途贩运，使浙江成为当时全国客商趋之若鹜的货物集散地，增进了区域之间的经济交流，扩大了商品流通，促进了商人货币资本的大规模积累。明代中叶以后，雇用大量工人的手工作坊与手工工厂在浙江普遍出现，促进了市镇自由劳动力市场的形成。它们虽不足以定论为资本主义的萌芽，但无疑是对传统生产关系的变革，是对我国长期处于封闭状态的传统自然经济具有历史意义的重大突破。

4. 在浙江的文化精神中，闪烁着批判自觉、创新开拓的理性智慧

浙江是历史上盛产具有创新精神的思想大师之地。我们可以毫不夸张地说，浙江文化的思想创新，多次起到了“导夫先路”的先锋作用。陈亮、叶

适的事功之学，王阳明的心学，黄宗羲的政治学说，章学诚的“六经皆史”之论，龚自珍的变革启蒙思想等等，都是浙江文化富于创新性的表现。被誉为“清初三大思想家”之一的黄宗羲，猛烈批判和否定整个封建君主专制制度，破天荒地喊出了“为天下之大害者，君而已矣”的口号，提出了用“天下之法”代替君主“一家之法”的法律平等思想、“人各得自私自利”“贵不在朝廷，贱不在草莽”的人权平等原则以及近似近代议会民主的政治理想。在明清之际的中国，可谓空谷足音。其大无畏的批判精神和创造性的思想贡献，成为清末维新志士的思想法宝，也是现代革命者用以反对、批判封建专制制度的精神武器，启迪和影响了浙江的近代化进程。

作为新文学运动的奠基人和五四新文化运动的主将，鲁迅敢于直面惨淡的人生，对吃人的封建礼教和制度作猛烈地揭露和批判，进行不屈不挠的斗争；勇于以社会批评和文明批评为己任，以一生精力和独立人格进行充满韧性的奋斗和努力，为浙江文化传统增添不屈的风骨、独立的人格、批判的精神和自辟新路的理念与勇气。他不仅为中国文化开拓了新路，也为家乡人民留下了一份创新进取的宝贵思想财富。

5. 在浙江的文化精神中，融铸着兼容并蓄、自强自立的个性品格

凭借濒临大海的地理优势，浙江文化在持续的中外文化交流中逐渐成熟，培养出兼容并蓄的海洋个性。我国古代早期对外交流以贸易为主，浙江生产的茶叶、丝绸、青瓷等物品成为文化向外输出的物质载体，进而带动人与文化的交流，既引导了外部世界对中国文化的认知，也是浙江文化自我更新、

自我丰富的重要途径。马可·波罗、利马窦、卫匡国、马戛尔尼等西人纷纷来到浙江，天台山佛教文化、径山茶文化、温州华侨、留日学生群体等等，都是浙江文化走出去的典型。

兼容并蓄并不意味着主体性的缺失，自强自立同样是浙江的品格。自然资源稀缺的压力，让浙江人具有强烈的危机意识，肯定个体的独立、欲望与利益，崇拜竞争拼搏、不等不靠、自我奋斗的精神。发轫于南宋、鼎盛于清乾隆年间的“龙游商帮”，凭借不畏艰难、自强自立的精神，“多向天涯海角，远行商贾”，人称“无远弗届，遍地龙游”，为浙西南的经济崛起作出了巨大贡献。这种“虽千万人吾往矣”的“拼劲”、一往无前的“冲劲”、无孔不入的“钻劲”，与中国传统文化的个体“义务”本位、儒家文化的“温良恭俭让”、老庄哲学的“夫唯不争，是以不去”等等主流思想，有着极大的区别，是对中国文化传统的一种很好的补充与丰富。

6. 在浙江的文化精神中，体现着澄怀观道、现实关切的审美情操

浙江是一块洋溢着文学才情、艺术灵性的土地，王羲之、骆宾王、赵孟頫、黄公望、徐渭、吴昌硕、郁达夫等等，都是在中国文学艺术史上具有熠熠光彩的著名人物。他们在诗词、书法、绘画、小说、戏剧、建筑、工艺、文艺理论等各个领域，都撰有开一代新风的里程碑式作品，百代标程，至今传颂。

中国文艺传统讲究“文以载道”。综合起来看，这个“道”，既有儒家美学讲求的仁、爱、礼、义，“善美一体”的伦理德性之道，也有道家追求虚

静简远的任顺自然之道、玄学任性率真的个性放逸之道，还有现实生活层面对时代潮流、社会变革、世道人心、国计民生的人文关切之道。浙江的文学艺术很好地体现了中国文艺独特之“道”的各个方面。王羲之等魏晋士人洒脱旷达的艺术境界，黄公望等文人画家的山水情怀，龚自珍《己亥杂诗》对制度的批判、国运的担忧、思想的启蒙，抗战文艺的蓬勃兴旺，兰溪诸葛八卦村、浦江郑氏义门、俞源太极星象村等古村落的建筑形制，都向我们展示了浙江文化艺术的深厚内涵。她既在哲学思辨的境界里升华，澄怀观道，为中国文艺传统提炼和奉献了众多具有中国特色的美学概念、范式、结构形式、表现手法，又在现实生活的沃土中扎根，观照现实，直面人生。

7. 在浙江的文化精神中，孕育着天人合一、人我共生的人文情怀

浙江文化既能够“登山则情满于山，观海则意溢于海”，与和风细雨的大自然和谐相处；同时也极善回应来自大自然的挑战，在变动的自然环境中成长。浙江漫长的海岸线及其潮汐侵蚀之下的变化、破坏性热带风暴的侵袭，都是大自然发出的挑战。对此，浙江人同样以“天人合一,万物一体”的整体关怀，通过各种努力与方式，追求人与自然的和谐。

为了降伏不羁的大自然，浙江人民修建了庞大、复杂的水利系统，孕育了发达的水利文化。如果说大禹疏导治水是追求与自然和谐意识的萌动与最初实践，西湖的开发则是浙江人民在发展中改造自然、在改造中保护自然的典范。西湖经钱镠、李泌、苏轼、白居易、杨孟瑛、阮元等人的疏浚治理，呈现出旖旎秀丽的韵致，以其精致和谐的人文风情，构筑成人间天堂的特色。

河姆渡原始艺术中精美神秘的“鸟日同体”纹饰，良渚文化中繁缛威严的神人兽面纹，都体现了浙江人热爱自然、赞美自然和融入自然的美好情愫。

8. 在浙江的文化精神中，彰显着知行合一、事上磨炼的哲学思维

思想学术丰富深刻的浙江，必然具有自己独特的哲学思维。这就是王阳明的哲学观点。“知行合一”强调知即是行、行即是知。人不仅要对自己的行动负责，而且要为自己的思维活动负责。正确认知的最终确立，须得以付诸实践检验为终点。“致良知”认为个体的“知”只有通过与社会事物的复杂关系的展开，体验情绪的冲击、思维的跳跃，通过实践检验其“致良知”的进展与效果，也即“事上磨炼”，才是真“良知”。由此，方能从道德范畴的“修身”出发，逐步实现“齐家、治国、平天下”的社会理想。

“知行合一”是浙江文化在哲学层面上的思考，因此也是最高、最抽象、最具有概括力的思考。浙江文化的其他内涵，都与“知行合一”这个核心命题存在着密切的逻辑联系。

二、浙江人民具有鲜明的历史意识和高度的文化自觉

中国疆域辽阔，在长久的历史岁月和特定的地域范围里，形成了众多具有地域特色的文化小传统，以别具一格的文化样态、特征和成就，为包罗万象、气度恢弘的中华文明奉献着日新月异的源头活水。因此，从区域历史文化入手，梳理文化现象、提炼文化精神、反思文化弊端、传承文化基因，可以清晰地把握到中华民族精神历史运动的脉搏。浙江文化具有丰富的表达形

式、鲜明的思维层次、完整的逻辑结构，是具体而微的中国文化。我们梳理浙江的历史传统和文化精神，正是深入了解中国文化、研究中国文化、发展中国文化、创新中国文化的有效途径。

从 1999 年至今，在全省范围组织开展的关于浙江历史文化和精神的梳理提炼，一直贯穿于浙江人民的文化生活中。

1999 年，经过 20 余年的改革开放，浙江社会经济迅猛发展，总量和人均产值均列全国第四位。浙江并未满足于取得的发展成就，而是积极探索取得这种成就的深层原因，总结出“走遍千山万水，吃尽千辛万苦，说尽千言万语，想尽千方百计”的创业精神。2000 年，时任中共浙江省委书记张德江提出“研究浙江现象，总结浙江经验，提炼浙江精神”的要求。省委认真总结经验，认为浙江快速发展的原因，就在于其悠久的历史和灿烂的文化及其与当今时代发展的有机结合，提炼出了“自强不息、坚韧不拔、勇于创新、讲求实效”的浙江精神。这是 20 世纪八九十年代浙江人民精神面貌的生动体现、浙江经济发展的真实写照和浙江经验的高度概括。

2005 年，省委高度重视总结提炼新时期的浙江精神。根据时任省委书记习近平关于“深入研究浙江现象、充实完善浙江经验、丰富发展浙江精神”的指示精神，经过“与时俱进的浙江精神”的调查研究，正式公布了新时期浙江精神内涵的具体表述——“求真务实、诚信和谐、开放图强”。习近平同志发表了署名文章《与时俱进的浙江精神》，高度评价了改革开放以来浙江创造的宝贵精神财富，肯定了“自强不息、坚韧不拔、勇于创新、讲求实效”

的浙江精神，同时着眼未来，立足发展，对“与时俱进的浙江精神”做了深刻阐述。“求真务实、诚信和谐、开放图强”的浙江精神，既是对历史的总结与传承，更是对现实发展的鞭策、对未来发展的引领，也是对浙江人民的智慧、活力和创造精神的鼓励和激发。

2011 年 10 月，时任省委书记赵洪祝指出，浙江经济社会持续健康发展背后的“文化密码”“文化基因”，就是“与时俱进的浙江精神”，因此要大力弘扬和提升以“创业创新”为核心的“浙江精神”，为全面建设小康社会提供重要支撑。2012 年 2 月，浙江省开展“我们的价值观”大讨论，提炼出“务实”“守信”“崇学”“向善”四个核心词，确定为当代浙江人共同价值观的表述语，写进了浙江省第十三次党代会报告。这既是对“与时俱进的浙江精神”的继承和坚守，也在新形势和新挑战下赋予其全新含义，更是为构建面向未来的共同价值观所作的前瞻性布局。

习近平同志指出：“具有历史文化素养，最重要的是要具有历史意识和文化自觉，即想问题、作决策要有历史眼光，能够从以往的历史中汲取经验和智慧，自觉按照历史规律和历史发展的辩证法办事。”（习近平同志在中央党校 2011 年秋季学期开学典礼上的讲话：《领导干部要读点历史》，2011 年 9 月 1 日新华网）自 1999 年以来，浙江对历史传统的分析反思、对浙江精神的探寻深化，既是浙江人民历史实践和理论智慧的结晶，更体现了浙江人民高度的历史意识和文化自觉。

三、浙江学者勇于承担传播优秀历史文化传统的崇高职责

习近平同志《领导干部要读点历史》的讲话，既是对领导干部的要求，也向我们人文社会科学工作者，特别是历史学研究者提出了期望，指明了历史学服务社会、与现实生活相结合的方向。这就是：承担起传播优秀历史文化传统的崇高职责，构建一个公众视野中的历史世界。《浙江历史人文读本》（以下简称《读本》）就是我们按照《领导干部要读点历史》的要求，经过一年精心筹划、反复研讨、认真撰写而得的研究成果。通过编写《读本》，我们对优秀历史文化传统的当代大众传播，有了一些实践体会和理性思考。

1. 构建公众视野中的历史世界，需要认识面向大众传播历史文化的重要意义

清代浙江籍著名学者龚自珍曾经说过："欲知大道，必先为史。灭人之国，必先去其史；隳人之枋，败人之纲纪，必先去其史；绝人之材，湮塞人之教，必先去其史；夷人之祖宗，必先去其史。"（《古史钩沉论》）简明深刻地点明了历史具有终极意义的价值。

专家学者为普通读者撰写通俗读本，在西方学术界是一个传统。比如英国哲学家、社会学理论家杰瑞米·史坦葛仑博士主持的"小书大思想"丛书，包括《话说哲学》《哲学家的想法》和《伟大的思想家 A–Z》等系统普及读物；英国 DK 图书公司出版的"目击者文化指南"丛书，由牛津大学、伦敦大学等学校的专家执笔，对哲学、艺术、音乐等进行了大众化传播；英国皇家哲

学研究所开办有面向大众的期刊《思考》，等等。

近年来，逐渐兴起于美国的公共历史学，更是对史学大众化的学理探究和提升。在中国，历史知识的公共传播，一直得到提倡和实践。著名学者钱穆有“不知一国之史则不配作一国之国民”之论，当代学者黄仁宇则欲以历史书写树国民之历史性格。就浙江而言，“社科普及周”“人文大讲堂”，都是影响面大、成效显著的行动。但总体来说，史学大众化尚未成为学者内在的自觉行为，尚未形成蓬勃的气象和畅达的工作格局。求专、求精、求高深的学术观念和学术评价体制，一定程度上制约了人文社会科学的大众化。

人文社会科学研究的根本目的在于推动社会进步。因此，参与社会实践，是发展人文社会科学研究的源头活水；关注现实问题，是深化人文社会科学研究的重要途径。作为从事历史研究的学者，我们都有一种虔敬的“古典情怀”，大多究心于历史文化方面的研究，较少关注当代发展。在《读本》编写过程中，我们通过对领导干部、社会大众、网络媒体和社会生活的访问座谈、沟通交流、查阅学习、观察思考，深切地感受到了浙江大地上生气勃勃、创意无限的现实创造，她是社会不断向前发展的根本动力、文化传统生生不息的源头活水、人类美好生活愿望的实现途径；深切地感受到了社会、大众十分迫切的对精神文化生活的需求、对丰富精神世界的渴望，由此深感面向时代、关注社会、推动进步，同样是我们的职责所在。我们不但要做传统的学问，同样也要心怀敬意地为浙江的当代文化发展做一些实事，以此向生我养我的浙江大地和浙江人民，致以我们深深的敬意，落实我们无比的热爱，奉献我们绵薄的心力。

浙江优秀的历史文化传统丰厚精深、魅力无穷，她是我们深以为傲的文化资本，是我们取之不竭的文化宝库，是我们当代建设的文化资源，是我们屹立于世的文化底蕴。面向大众，从底蕴深厚、资源丰富、优势明显的浙江优秀历史文化传统里搜珍集宝、拾贝掇英，汇聚奉献，正是我们作为人文社会科学工作者必须担当的社会责任。

2. 构建公众视野中的历史世界，需要做好古今文字的通达转换

随着历史的物移景迁，文化的变动发展，特别是五四新文化运动倡导白话文以来，作为中国历史文化传统重要载体的语言表达体系，发生了全新的变化，这成为我们今天继承、弘扬优秀文化传统最为直接的一大障碍。因此，在严谨、规范、准确的学术研究基础上，以清丽简明、深入浅出、短小精悍、雅俗共赏的文字，梳理浙江历史传统、把握浙江历史发展脉络、揭示浙江历史发展规律、汇聚浙江历史知识和智慧，是让历史走向大众的首要工作。

本书中，我们对浙江历史上有鲜明特色、重大意义、突出影响、重要成就的人、事、物进行选择和研究，用清新通达的现代汉语进行重新写作的方式，对或佶屈聱牙，或深奥艰涩，或典丽文雅的历史文献做了现代文字的转换和传达。由此，我国第一部关于海港和海上交通的著作《临海水土异物志》中的久远记述，天台山高僧大德们深奥的佛教思想，充满哲学思辨的南宋朱熹与陈亮的“王霸义利”之辩，影响深远而文字玄奥的王阳明“心学”，等等，得到了浅显明达的表述，让文字不再成为阅读理解的障碍。书中更不乏练达、清丽、蕴藉、深情、知性、洒脱、典雅等等多样化的优美文风，让人读来而起兴会之思、有共鸣之感。

3. 构建公众视野中的历史世界，需要做好陶炼融会的释读阐发

南朝齐梁时的绘画理论家谢赫曾说："师心独见，鄙于综采。"（《古画品录》）意思是说，独具匠心、不拘成法的才是好作品，综合杂凑他人之作的，应受到鄙视。此言甚是！作为反映浙江人文历史的书，切不可成为历史资料的简单汇编、他人研究成果的综合罗列。在写作中，我们根据自己的认识、理解、分析和研究，对重大事件、重要人物及其主要成就做了系统梳理，在择优选取、汇聚、表现历史精华材质的基础上，对古代知识、传统理念、经验教训、智慧感悟、哲学思想等等，做了陶炼思考、融会贯通的释读阐发。比如浙江历史从远古走到今天的文化源流与精神演变，浙江农民是全国最辛苦的农民之一的自然原因，人口要素对科技进步产生深刻影响的历史背景，作为中国传统艺术主流的文人画和水墨山水与浙江的深切关联，"越为诗巢"与中国文学的发生渊源，浙江佳山秀水中"人，诗意地栖居在大地上"的终极理想，四明山抗日根据地的越剧演出对后来越剧改革带来的重大影响，等等，都是我们在浩如烟海的文献资料中披沙拣金、把握精神实质的历史释读。

4. 构建公众视野中的历史世界，需要做好独具新见的研究升华

在社会大众尤其是领导干部的学历教育水平、文化知识修养、阅读鉴赏能力、精神文化需求都日趋提高的今天，陈旧的史料汇编、学术观点、故事

叙述、心得体会、情感表达，都不足以引起社会大众的阅读兴趣，不足以达到弘扬优秀传统文化的目的，更不是我们作为历史文化专业研究者的工作职责和目标。充分依托我们已有的研究基础、心得和成果，用新的视野打量历史、深化探究，做出新的独立研究，是我们所有作者遵行的原则和方法，也是《读本》截然不同于其他普及读本之处。比如，我们从人类学的角度解读了千古孝女曹娥身后的越地巫术文化氛围，指出了浙江“丝绸之府”历史美誉的技术成因，揭示了王羲之作为中国“书圣”而超越孟子所谓“君子之泽，五世而斩”这一历史现象足以泽被千秋的文化力量。其间，有对现象的观照，有对原因的分析，有对规律的揭示，有对理论的提炼，有以小见大的深刻领悟，有纵历千年的本质把握，可谓自出机杼，异彩纷呈，尽心竭虑地奉献给各位读者。

5. 构建公众视野中的历史世界，需要做好融会时需的现实关联

如果没有与当下社会和生活恰切而紧密的关联，那么历史只是历史，永远走不出“传统”的范围，只能在时间长河的彼岸，寂寞起舞，乘风而去，与我们渐行渐远。即使形可见，无奈神相离。为此，历史需要走进今天的社会和生活，与今人同声共气，心神交会。只有这样，历史才是有生命的、有意义的、有价值的。

在书中，我们着力发掘笔下历史与眼前现实的关联点，并力图加以自然、准确的表达。比如，“天下第一清廉”陆陇其“清操饮冰，爱民如子”的政治情操，革命者张秋人明知“我的头要砍在杭州了”而临危受命、慷慨赴难

的大义凛然，众多施茶会、水龙会、育婴堂、舍材会、路会、义学等民间乡风美德中生发出的无处不在的善行义举，等等，都是我们民族崇高精神、高尚品格、优秀品质、道德情操的生动体现，是我们今天建设社会主义核心价值体系、实现精神富有的思想养料。另如，从东吴政权“亲贤贵士，纳奇录异”中，可以吸取以人才立国的经验；从湖州商帮衰亡中，可以获得今天正确引导民间资本投资领域的启示；从宁波本帮裁缝到红帮裁缝的转变中，可以发掘产业转型升级的经验；龙游商帮“无远弗届，遍地龙游”的精神，为今天浙西南尤其是封闭山区对外开放、转型发展提供了参照；吴昌硕成为艺术领袖的历练之路，为今天文化人才培养提供了借鉴；等等。所有这些都是足可为今天的社会建设、经济建设、文化建设参考借鉴的历史经验。

6. 构建公众视野中的历史世界，我们殷切希望实现的美好愿望和价值旨归

我们殷切地希望，通过一年多来紧张忙碌、全力投入所做的这些与文化强省建设现实需求相结合的系统梳理、存精择优、现实转化、深入浅出等学术研究和大众传播工作，能构建起一座浙江历史文化资源的宝库，从以下这些方面，发挥《读本》的作用，实现让历史走向大众的美好愿望和价值旨归。

一是向社会大众和广大领导干部展示优秀的浙江地域文化传统、光辉的浙江地域文化精神和灿烂的文化创造成就，激发作为浙江人的自豪感，增加责任感。

二是为我省的文化强省建设激活历史信息，提供人文样本，构筑文化底色，丰富文化内涵，为各地开展当代文化建设提供历史资源、内容素材、创意源泉、创作灵感、思想启迪、多彩智慧，实现历史传统从文化资源向当代文化建设资本的成功转换。

三是用浓缩的历史人文精华丰富社会大众的文化知识、充实社会大众的精神世界，提升领导干部和文化从业人员的人文修养，培育开展现实文化建设所需之职业素质。

四是以权威、准确的内容和精致、典雅的形式，供相关部门作对外文化交流。

五是作为供查阅相关史料、事件、人物、数据的案头书，起到浙江历史文化词典的作用。

六是在分册书名、专题名、篇章名以及文内相关篇幅中，精选或化用浙江历代名人格言箴语、诗文名句，以供读者题辞、创作书画作品时参考借鉴。

张伟斌　陈　野

2013 年 3 月

目 录

黄钟大吕

薪火文脉

世外心迹

附录：原典选粹

后记

黄钟大吕

思想是人类精神活动的
最抽象形式，
她的魅力在于
永远地反省和追问：
反省已有的
权威的正当性，
追问一切存在的必要性
及其终极意义。

引　言

思想是人类精神活动的最抽象形式，她的魅力在于永远地反省和追问：反省已有的权威的正当性，追问一切存在的必要性及其终极意义。通过反省自我，杨简、王阳明、刘宗周将人和宇宙的一切价值依据归因于人自身固有的良知，由此强调人只能首先改造自己的心灵，才能最终改造世界。

陈亮、叶适则敢于追问二程到朱熹的理学权威，指出“内圣”和“外王”应该比翼齐飞，动机和效果应该统筹考虑，而不能以“内圣”涵盖“外王”，以动机取代效果。

黄震勇敢地戳穿了朱子学泡沫化的表面繁荣，大声疾呼应该实践躬行朱子学而不是空谈误国。

陈傅良、黄宗羲、章太炎更多的是从政治哲学的层面反省中国传统的中央集权体制和君主专制，前二者都是从反思中央集权对地方的剥削出发，逐渐逼近了质疑君权绝对至上的“高压线”；章太炎则是从反对民族压迫的角度直接提出了推翻清王朝的主张。

在乾嘉考据学全盛的气氛下，龚自珍追问知识分子是否已经放弃了以学术推动国家富强、改良社会民生的神圣使命。

马一浮在五四新文化运动以后追问儒学在现代社会维持生命力的可能性和必要性，这看似是“保守”的、“倒退”的，却对全盘西化、盲目媚外的思潮敲响了警钟。

反省使人警醒，追问使人睿智，而反省和追问的最终目的不是为了颠覆而颠覆、为了破坏而破坏，反省已有的权威和偶像，是为了树立新的标杆和典范，追问已有的价值意义是为了构建新的价值意义，浙江人正是在“寓立于破”的反省和追问中写就了一卷辉煌的思想史。

（本专题由王宇主笔撰写并统稿，沈小勇、尹晓宁参与撰写）

王充：树实事，疾虚妄

王充像

章太炎曾经这样评价他：“汉得一人焉，足以振耻。至于今，亦鲜有能逮之者也。”而另一位思想大家胡适则称之为“中国古代最伟大的哲学家之一”。此人正是东汉杰出的思想家王充，浙江上虞人，生于光武帝建武三年（27）。一位出身寒门的儒者何以能赢得后人如此之高的评价？甚至后人认为在整个东汉二百年间，真正称得上思想家的仅王充、王符、仲长统而已。范晔《后汉书》将三人合而立传，后世学者更誉之为“汉世三杰”。这三家中，王充是最具原创性、最有影响力的思想家。

《后汉书》这样评价王充：“释物类同异，正时俗嫌疑。”可见，王充的思想具有匡正时弊、纠正流言的巨大影响。那么，什么是当时的“时俗嫌疑”？在王充的时代，正是天人感应的儒教神学和谶纬迷信学说大盛的时候，世传儒书满是荒谬，民间言

谈充斥迷信，许多荒诞的故事在民间甚至精英群体中广为传播，如鬼神说、“天地故生人”说、文王武王受天命天现祥瑞的传说等等。汉代儒学神学化盛行，儒学已然变成了“儒术”，掺进了天人感应和谶纬学说，烙上了神秘主义的色彩，而其集大成者乃被作为“国宪”和经典且为皇帝钦定的《白虎通义》。当时王充写作《论衡》一书，目的就是对这种儒术和神秘主义的谶纬学说进行彻底的批判。从字面上看，“衡”字本义是天平，《论衡》实际上就是衡量当时言论价值的天平。用王充自己的话说就是：“是故《论衡》之造也，起众书并失实虚妄之言胜真美也。”（《论衡·对作》）也就是要澄清虚妄，显露真美。

王充思想的根本特点被称为“实事疾妄”，这正是一种“疾虚妄”的学术精神。《后汉书》这样记载王充：“充好论说，始若诡异，终有理实。以为俗儒守文，多失其真，乃闭门潜思。”在王充看来，庸俗的读书人做学问，大多远离了儒家的本质，过于遵循史书经传，致使结论与事实差距甚远。所以王充特别反对这样的“俗儒”，他主张“事莫明于有效，论莫定于有证”（《论衡·薄葬》）。他反对当时的主流学者一味泥古守旧，都以史书经传作为论事的标准，而不以事实作为检验的依据。因此，王充秉持的是一种实事求是、挑战权威的精神。

在汉代，崇古之风尤重，但是一味信古，以古为贵，则容易脱离事实真相。为此，王充在《论衡》中专门撰有《问孔篇》和《刺孟篇》。他说：“世儒学者，好信师而是古，以为贤圣所言皆无非，专精讲习，不知难问。”（《论衡·问孔》）王充实际上反对将孔孟神化，一味从古人言语出发，盲从权威。王充对孟子批判得更为尖锐，他甚至认为孟子“五百年必有王者兴，其间必有名世者”的说法乃是“论不实事考验，信浮淫之语”。可以说，敢于怀疑孔孟圣人是王充“疾虚妄”精神的突出体现。

王充在《论衡》中提出了从实事中求效验的原则，他对世俗流见的怀疑与批判始终以“实”为根据，“疾虚妄”之言。他明确主张：“论则考之以心，效之以事，

浮虚之事，辄立证验。”（《论衡·对作》）劝导人们要对耳闻目见的事实进行理性的思考，然后再作断定。经不住效验验证的知识，在他看来不能算是真知识。

《论衡》被称为我国古代的一部“百科全书”。王充对运动、力、热、静电、磁、雷电、声等现象都有观察，并在本书中记载了他的观点。他还解释了人与自然的关系。书中陈述的许多观点在今天看来仍具有十分重要的意义。王充这种实事求是的学术精神，影响至今。

什么是王充精神的精髓？正如王充研究者徐斌所言，王充精神的出发点和归宿点，最高层面为“自由之思想、独立之精神”。在漫长的历史长河中，受各方条件局限，对于大多数人来说，要进入主体高扬、自由创造的状态，是件难之又难的事。汉代官方的意识与民间的俗论，无不崇圣言、守陈说、信鬼神，大大束缚、扭曲了人们的思想认知能力，甚至构成了一种惰性的思想文化导向（徐斌《王充思想与浙商文化》）。由此可见，王充对汉代社会各种虚妄现象和迷信思想的批判，充分体现了他的批判精神和理性精神，体现了一种认识事物的求实态度和实证精神。

不过，王充公然问孔刺孟，公然向神圣的经典挑战，自然被视为“名教之罪人”。清乾隆皇帝曾御批：王充“刺孟而问孔”，“已有犯非圣无法之诛”！王充的所作所为往往被看成“非圣无法”、“诽谤圣人”，就连大史学家刘知几也因《论衡》书中记载了王充父祖横行乡里的不光彩行径，不合乎子为父隐的纲

常名教，而指责王充“实三千之罪人”！《四库全书总目提要》对《论衡》作了这样的精彩概括：近二千年间“攻之者众，而好之者终不绝”。这正是《论衡》的魅力所在。王充这种批判儒学神学化、经学化的精神，可以概括为“求是求真”的思想。

王充从科学理性的态度出发，求真务实，批判虚妄至极的谶纬神学，在当时和后世都产生了深远的历史影响。东汉时期是浙江儒学传统的基本奠定期，王充则是浙江思想文化史上第一个建立了系统的哲学理论、形成实事求是思想体系的学者（吴光语）。他的“疾虚妄”的学术宗旨代表了一种求真务实、批判创新的精神，而这也正是历代浙江学者一脉相承的基本精神。这种精神与作风始终成为浙江人民敢于挑战权威，追求科学真理，崇尚理性与实效的重要价值源泉。

王充的社会批判思想在以后中国历代社会的思想文化发展史上具有思想启蒙的作用，它深深影响了后来的唯物主义者、无神论者。诸如魏晋时期的哲学家杨泉、南朝宋时的思想家何承天、南朝齐梁时的无神论者范缜、唐朝时期的刘禹锡和柳宗元、明清之际的思想家王夫之等等，都受到了王充“疾虚妄”思想不同程度的影响。（沈小勇撰）

阅读链接：

（汉）王充著，张宗祥校注：《论衡校注》，上海古籍出版社，2010年版。

吴光：《王充学说的根本特点——“实事疾妄”》，《学术月刊》，1983年6期。

徐斌：《论衡之人：王充传》，浙江人民出版社，2005年版。

郭璞：可预知而不可预计的人生

郭璞是山西（今山西闻喜县）人，西晋末年避乱江南，曾在浙江大地上流连甚久。郭璞算不上是一个道士，但却是个神人，《晋书》卷七十二《郭璞传》里记载了他很多神乎其神的故事。他善于用《易经》占卜、算命、看风水，小到个人命运，大到政治风潮，他都有精准的预言。然而，南宋人洪迈曾对郭璞的算命能力表示不服："然郭能知水之为陆，独不能卜吉以免其非命乎？"（《容斋随笔》卷一）意思是，郭璞既然神机妙算，怎么算不到自己会被杀呢？洪迈的质疑不能不说有一点道理。郭璞是被东晋权臣王敦杀害的。当时王敦准备造反，就问郭璞："如果我起兵南下勤王，胜算几何？请算一卦。"郭璞算卦后答："肯定失败。"王敦又问："那我还有几年好活？"郭璞说："如果起兵，丧命之日不久；如果留在武昌，那会很长寿。"王敦听到这里已经大怒，厉声问郭璞："你这么神算，可知道自己的大限吗？"郭璞答："我的死期就在今日。"王敦就杀了郭璞。这年郭璞 49 岁。

对一个神通广大的预言家来说，以 49 岁的盛年死于刀斧之下，而没有能够提前预知，化凶为吉并想办法似乎是不应该的。所以洪迈质疑："你知道水面会变成陆地，怎么不给自己先算一卦，

躲过杀身之祸呢？”《容斋随笔》面世后，在南宋流传颇广，一个叫王楙的人读到这段文字，表示不能同意，他说：“人生的所有细节，一举一动，一言一行，都是预先命定的，何况生死？真正精通算命的人，对自己的未来可以预知，不可以预计。郭璞对王敦说自己的死期正在今日，是他早算到了这一天，但他觉得自己不能以人术胜天理。这个世界上如果有什么延年益寿的法术的话，那只有一个办法，就是修德。”王楙的见解比洪迈当然高明很多，因为他触及了一个重要的问题：如何对待命运。

仔细琢磨《晋书·郭璞传》，就能发现其实郭璞早已经预料到关于自己死亡的一切细节：他知道在王敦面前告发自己的人姓崇，因此王敦召他前去时，他就知道是不祥之兆了。在被推出行刑的路上，他跟刽子手们说自己会死在南冈的双柏树下。更神的是，早在东晋初年郭璞旅行至越城时，在大街上见到一个陌生人，马上叫出他的名字，还把自己的衣服送给他。那个陌生人非常吃惊，坚辞不受，郭璞说：“请先收下，以后就知道原因了。”这个人就是后来给郭璞行刑的刀斧手。显然，郭璞早就预知自己何时何地因何故被杀。这里就产生了一个问题，在王敦问他能不能造反成事时，郭璞完全可以编造一通鬼话骗他，王敦欣喜之余，说不定会放郭璞走。然而，郭璞明知如此，却仍然说了那些不该说的话。按照王楙的说法，命运是可以预知而不可预计的，所谓“预计”就是用一些小伎俩、小心眼来改变自己的命运，而如果命运可以改变，那就不是命运了。

我们不妨对王楙的观点再稍加引申。既然一切都是命定，人生的轨迹冥冥之中已经勾勒完毕，那么，就像郭璞这样可以预知人生的一切奥秘者，又当如何？他也只能俯首就戮。反过来说，对于并不知道这条轨迹走向的芸芸众生来说，根本不需要也不可能借助外力比如算命来猜度之、揣摩之，因为无论怎样逃避、挣扎，众生始终脱离不了命运的轨迹。那么，人能够做什么呢？既然我不可能对命运洞若观火，那么唯一能做的就是按照理性、按照常识生活。孟子说过：“进以礼，退以义，得

之不得，曰有命。”（《孟子·万章上》）遵循“义”和“礼”为人处世、待人接物，这是“我”能够做而且应该做的，至于能否成功，本来就不是“我”之主观努力所能决定的，因此也就不必通过算命来“偷窥”成败得失了，更不必去抱怨命运，抱怨老天。

明乎此，我们再回到郭璞之死的意义上来。当郭璞心平气和地正告王敦自己“命尽今日日中”时，不能不说是充满了一种浩然正气的。正如王楙在评价郭璞不躲避杀身之祸时说的那样:“然世有禳灾延寿之理，则有一说，莫若修德。”（《野客丛书》卷二十五）这一点，能从《郭璞传》记载的另外一则轶事中看出。

晋元帝永昌末年（322），一个叫任谷的男子自称与神仙交合后生下一条蛇。生出蛇后，他成了阉人，遂上书晋元帝，自称有仙术，皇帝将其召入宫中，朝夕顾问。郭璞当时任尚书郎，上疏劝谏元帝：“《周礼》教导说，奇装异服的怪人不可以入宫。任谷是个来历不明的阉人，敢为神仙代言，这就是妖邪，真正的神仙是聪明正直的，人只能以人事来侍奉之，而不是用小道法术。只要政治清明、天下安定，神仙自然会保佑本朝。如果皇上认为任谷是上天派下来警告政治失明的使者，那么只要克己修礼，就可以挽回上天的眷顾了。任谷这样的妖人非但无益，且应该马上赶出宫廷。”元帝没有听从，很快他就驾崩了。从这件事情中可以看出，郭璞始终具有强烈的道德意识和价值关怀，他坚信治国理政应该“克己修礼”，应该大赦天下。

不但如此，关于他的某些神怪传说，用今天的眼光衡量，

其实表现了一定的科学知识：他为母亲营葬时，挑了一块离水边只有百余步的墓地。有朋友劝他不要在水边卜葬，因为棺木容易受潮朽烂，郭璞却说："你看着好了，这一带不久便要沙涨，湿地将变成陆地。"果然，没几年这块地就变成了桑田。而且，郭璞对于地理有一种强烈的兴趣，他为《山海经》《水经》作注，还曾指点湖州、温州两郡的城池选址、建置；此外，他还善于打井，在杭州城内相传有所谓郭璞井。显然，郭璞不是个招摇撞骗的神棍，他既有强烈的价值关怀和道德立场，也有一些可能比较超前的科学理性。至于那些占卜、预言，只是他用来说服皇帝的手段而已，读者不可不察也。

智言慧思

世儒学者，好信师而是古，以为贤圣所言皆无非，专精讲习，不知难问。

——（汉）王充《论衡·问孔》

事莫明于有效，论莫定于有证。

——（汉）王充《论衡·薄葬》

陈亮的仁智二元论

陈亮像

看过《三国演义》的人都知道，荀彧（字文若）是曹操猜忌多疑性格的一个牺牲品。在曹操创业初期战官渡、伐刘表等各次战役中，荀彧为之出谋划策，鞍前马后。建安十七年（212）去世前他已经当到了以侍中、光禄大夫持节参丞相军事之职。当有人劝曹操加“九锡”，受“魏公”之位时，荀彧却劝阻：“本兴义兵，匡扶汉室，秉忠贞之诚，守退谦之节，君子爱人以德，不宜如此。”由此受到曹操冷落。

荀彧之死也颇具悲剧色彩。《三国演义》中描述道：“建安十七年冬十月，曹操兴兵下江南，就命荀彧同行。彧已知操有杀已之心，托病止于寿春。忽曹操使人送饮食一盒至，盒上有操亲笔封记。开盒视之，并无一物。彧会其意，遂服毒而亡。年五十岁。”对照《三国志·荀彧传》，可知《三国演义》所描述的曹操赐空盒逼死荀彧的情节，出自裴松之注中引用的《魏

氏春秋》，陈寿在《荀彧传》正文中只说“以忧薨”，罗贯中之所以这样处理，无非是要凸显曹操的猜忌无情和荀彧之死的悲剧色彩。

然而，荀彧真的值得同情吗？大概在宋孝宗淳熙十一年至十二年间（1184—1185），理学大师朱熹在一封信中指出，荀彧是刘穆之、宋齐丘一类的人物：刘穆之辅佐刘裕篡位，后因为在刘裕集团内部权力斗争中失宠而“以忧卒”；宋齐丘辅佐徐知诰（南唐烈祖）篡位建立南唐，因为在南唐内部的权力斗争中失势而隐居不出。荀彧追随曹操二十多年，对汉帝的权威一天比一天下降，曹操的威势一天比天上升，他就毫无察觉吗？综合他一生的大部分作为看，他最后的“以忧卒”完全是曹操集团在全面篡位前期内部斗争的一种表现，读者不应该被其迷惑，因为在荀彧的动机中，“未见其有扶汉之心也”。汉室在当时代表了正统，代表了君道，而曹操则是乱臣贼子的典型（《晦庵集》卷四十六《答潘叔昌》)。

问题是，为什么朱熹在淳熙年间突然想到要批判近千年前的荀彧呢？原因是他看到了两篇史论文章，作者叫杜斿（字伯高），此人既是吕祖谦的弟子，也是陈亮的朋友。杜斿在这两篇文章中引证荀彧的事迹之后，说：“圣人独显仁、义、忠、信以为教，而神智以为几。”杜某的意思是，“仁、义、忠、信、智”是儒家思想的核心，可是孔子以来儒家的列位圣贤都只是阐述了“仁、义、忠、信”的道理，对于“智”却没有明说，而后代学者只能从历史中学习领会，灵活运用，譬如荀彧这样的智谋之士，就具有特别重要的价值。这句话大大刺激了朱熹，他批评道：“若其果然，则是仁、义、忠、信乃无用之朴，而智乃仁、义、忠、信之贼矣。”（《晦庵集》卷四十六《答潘叔昌》）朱熹说，这样的话原来“仁、义、忠、信”只是迂腐无能的象征，而“智”才是建立功业的本领，儒学之所以不振，原来是因为儒家缺乏智谋之士，这样的逻辑说得通吗？

早在淳熙二年（1175）完成的《三国纪年》中，陈亮就把荀彧大大地夸奖了一番：

陈子曰，曹公有言："若天命在吾，吾为周文王矣。"使充此言，不亦文若（荀彧字）之心，而天命将安所归乎？不待其定，而开数百千年盗贼之谋。死固有轻于鸿毛者，何至不容文若一言乎？齐威之心，暴白于葵丘之会，赖限于周制之不易裂耳。其初，管仲岂不知之，而不忍天下之为夷也。余论次文若事，具有本末，盖明于天下之大势而通古今之变者也。世徒以智计归之，岂其然哉，岂其然哉！

陈亮说，曹操想当臣服于商朝的周文王，而把改朝换代的任务交给继承人，他既有这样的理想，为什么不能容忍荀彧的劝谏呢？而荀彧从东汉末年的大乱中看到了历史发展的趋势，东汉政权已经无法保持国家安定，在这样的情况下，唯一能够实现黄河流域安定的力量就是曹操，荀彧应该知道曹操的野心。曹操扫平袁绍、刘表等势力，在局部范围内结束了军阀割据，减少了人民的痛苦，这也是顺应了历史潮流。这样看来，荀彧是一个有高尚理想的思想家和实干家："明于天下之大势而通古今之变者也。"而后世很多人（自然包括朱熹）把他看做一个利欲熏心的谋士，"岂其然哉，岂其然哉"！

陈亮和朱熹对荀彧的评价有一个明显的差别，就是陈亮认为荀彧不但有理想、有抱负，而且有能力、有手段去实现理想和抱负。拿"仁、义、礼、信、智"来说，理想和抱负是"仁、义、礼、信"，手段和能力则是"智"。陈亮说，三代圣王以仁义定天下，春秋五霸以智谋成霸业，战国七雄则以国家实力对战。历史的经验证明，国家实力是派生性的，第二位的，仁义与智谋才是第一位的："然德化之与仁义，皆人主之躬行者也。至于排难解纷，

则岂可不以谋而力乌用哉？”这其中，“智谋”的作用是排难解纷，即解决现实的问题，因此，智谋之士是极其可贵的。陈亮进一步把“智”从五常中独立出来，与“仁、义、礼、信”并列，并说“仁、义、礼、智、信”五常之中，“智”的把握和运用是最难的:“盖五常之用，智为难，仁、义、礼、信过则近厚。过于智，贼矣。”(《陈亮集》卷二十二《史传序·谋臣传序》)“仁、义、礼、信”是为道德准则，但若“近于厚”，即易被人欺骗而不能建立功业。三代以下要想建立功业,就必须用“智”。在陈亮看来，“智”是一种没有确定方向的冲动,具有开物成务、排难解纷的功能,“智”可以不在“仁、义、礼、信”的引领规范下自发地在历史进程中展开,它在历史中的实现形式就是“功利”。但是这种自发的“智”又是危险的，它创造的历史效果（功利）可能合于“仁、义、礼、信”，也可能违背“仁、义、礼、信”，甚至流于“贼”。

从儒家“内圣外王”的架构看,“智”是从“内圣”(“仁、义、礼、信”)开出“外王”的中介。没有“智”，“仁、义、礼、信”无法在历史时空中落实，发挥“仁民爱物”、“拯斯民于水火”的功效;只有“仁、义、礼、信”与“智”相互配合，五常并举，即陈亮所谓“故君子行权于正，用智以理”，儒家的外王事业才有可能实现。这种伦理道德与其实现手段区别开来的理论，可以命名为“仁智二元论”。

结合后来的王霸义利之辩就可以看出，在理论上把“智”与“仁、义、礼、信”区别开来是至关重要的第一步。陈亮在解释历史时，必须要面对这样一个问题：背负道德污点的汉祖唐宗，何以能够创下“禁暴戢乱，爱人利物”的汉唐功业？这是因为汉祖唐宗兼“仁、义、礼、信”与“智”而有之，五常并举;汉唐中后期的衰落，则不仅是因为丧失“仁、义、礼、信”流为暴政,也因为其“智”不足以“排难解纷”。在缺乏“智”配合支持的情况下，“仁、义、礼、信”确实是“无用之朴”；反之，只有在“智”的配合支持下，“仁、义、礼、信”才能行于人间，才能得到落实。

这样的观点，陈亮在南宋淳熙九年（1182）和朱熹相会于明招山时，就有所流

露。当时陈亮赠予朱熹一组论文，第一篇（《三代以仁义取天下》）中就声称，秦虽然二世而亡，是历史上著名的短命王朝，但秦始皇的动机和汤武这样的圣王没有两样，因为秦始皇和汤武都是为了“救民”，毕竟，秦统一六国结束了群雄争霸的乱世，建立了中国历史上第一个大一统帝国，实现了书同文、车同轨，人民确实得到了实实在在的好处。由此可见，秦始皇的成功不单纯依赖智谋、强力，而是有其合法性和正当性的。朱熹把陈亮的这一观点概括为:“秦汉把持天下,有不由智力者。”既然“有不由智力者”，便是还有“仁、义、礼、信”在其中。

很显然，陈亮认为“仁、义、礼、信”是动机，“智”是实现动机的手段，二者互为条件，不可分割，但绝不能混为一谈，特别是不能把好的动机绝对化，以动机决定价值评判，而要动机与效果相结合。“智”作为将动机转化为效果的中介，是儒学不可或缺的重要组成部分，忽视“智”，儒学就是僵死的、无用的。朱熹对此万分震惊，由此拉开了王霸义利之辩的序幕。

陈亮VS朱熹：王霸义利之辩

朱熹像

王霸义利之辩，是中国思想史上最重要、最出色的学术辩论之一。南宋孝宗淳熙九年（1182）正月，时任浙东提举的朱熹开始了第一次巡历。十七日，他在武义明招山祭扫吕祖谦之墓，会见了吕祖谦诸弟子。陈亮从永康专程赶来相见，在明招山论道。随后陈亮陪同朱熹巡历至永康龙窟陈亮家，聚谈数日。别后，陈亮向朱熹寄去《问答》十篇、策论两道，王霸义利之辩的直接导火索是其中的一道策论《问皇帝王霸之道》，朱熹和陈亮这次具有历史意义的辩论也由此得名。这场辩论以通信的方式展开，第一封论战书信由朱熹发自淳熙十一年（1184）四月，最后一封书信由朱熹于淳熙十二年（1185）秋发出。

淳熙十年（1183）冬，陈亮遭构陷入狱，朱熹于淳熙十一年（1184）四月主动致信陈亮表示问候，此时陈亮的官司还没有结束。朱熹在信中挑明了二人的分歧。

在第一封信中，朱熹明确地把陈亮的思想归结为“义利双行，王霸并用”。朱熹是通过陈亮《问皇帝王霸之道》得出这一结论的。陈亮在文中指出，儒者鄙视春秋五霸，但是汉代、唐代的崛起经验表明，他们都是“以霸王之道杂之”，而不

是纯用仁义道德的“王道”；反之，三代以下，还没有出现纯用王道而能富国强兵的例子，宋朝立国号称“专用儒以治天下”，却落得个南渡偏安的下场，这是什么原因呢？陈亮最后用提问的方式点明了他的立场：“王霸之杂，事功之会，有可以裨王道之阙而出乎富强之外者，愿与诸君通古今而论之，以待上之采择。”（《陈亮集》卷十五《问皇帝王霸之道》）很明显，尽管陈亮是向“诸君”提问，但他已经给这个问题做了理论预设：霸道是可以补充王道之不足的，王霸杂用，才能建立事功、富国强兵。

朱熹看到此文后，大为震惊，因此规劝陈亮“绌去义利双行、王霸并用之说，而从事于惩忿窒欲、迁善改过之事”（《晦庵集》卷三十六《答陈同甫》）。朱熹指出，仁义道德所代表的王道高于霸道是毫无疑问的，作为一个儒者，不应该羡慕历史上的功业而动摇对王道的信仰。陈亮之所以会出现这种动摇，唯一的原因就是他自身缺乏修身养性的功夫，因此朱熹劝陈亮学会控制自己的情绪意气，加强自我反省，并指出陈亮之所以会卷入官司，是因为他不注意自身的道德修养，言行举止都有失当之处。

陈亮见信后，于淳熙十一年（1184）秋以滔滔长札回应朱熹。陈亮在这封信中进一步阐明了“王霸”与“义利”的关系，并把“王霸并用、义利双行”的帽子还给了朱熹，坚称自己的义利观和王霸观是统一的。陈亮说，三代以下儒者和君主各执一偏，儒者鼓吹三代王道，君主醉心杂霸之道，前者娓娓动听，归于无用，后者卓然有所建树。儒者对三代王道越崇拜，离现实的功

业就越遥远；君主对杂霸之道沉溺越深，其功业中途崩溃的危险性就越大，两者各有偏颇之处（《陈亮集》卷二十八《又甲辰秋书》）。如果像“近世儒者”（朱熹）所主张的那样，三代纯洁无瑕，汉唐毫无可取，三代以下“道”一日不曾行于天地之间，那么这千五百年的历史就失去了意义。朱熹总不好意思说，三代以下，从皇帝到百姓都在混日子，浑浑噩噩，没有理想追求、没有价值意义吧？难道汉高祖、唐太宗所建立的伟业鸿勋，在朱熹看来就是如此虚无缥缈，不值一哂吗？

而且，陈亮完全同意在历史上出现过朱熹所批评的“纯以人欲行”的君主，譬如曹操。但是像唐太宗这样的明君，恐怕不能说他就一丝一毫都没有合于天理而“纯以人欲行”：“而其间或能有成者，有分毫天理行乎其间也。”（《陈亮集》卷二十八《又甲辰秋书》）盖虽朱熹亦不敢全盘否定汉唐明君的成就和功业，而功业之所以为功业，乃是因为其合乎天理。

朱熹对陈亮的激烈反应稍感惊讶，淳熙十一年（1184）九月十五日，朱熹仔细梳理了自己的理路，发出了回信。首先，针对陈亮以汉唐功业逆推汉唐君主“本领弘大开廓”，朱熹说这种“由迹求心”的路线是不可取的：“老兄视汉高帝、唐太宗之所为而察其心，果出于义耶？出于利耶？”朱熹认为，这种由“所为而察其心”的逆推并不成立，因为还有其他史实旁证（譬如玄武门之变、晚年伐高丽之类）唐太宗是满腔私欲之人。既然唐太宗的动机是充满私欲的，那么他所创立的功业并不能代表天理曾经行于人世间，即便陈亮以天道恒常论证人道不灭，也是如此：“千五百年之间，正坐如此，所以只是架漏牵补，过了时日，其间虽或不无小康，而尧、舜、三王、周公、孔子所传之道，未尝一日得行于天地之间也。若论道之常存，却又初非人所能预，只是此个自是亘古至今常在不灭之物，虽千五百年被人作坏，终殄灭他不得耳。汉唐所谓贤君，何尝有一分气力扶助得他耶？”（《晦庵集》卷三十六《答陈同甫》）朱熹仍然强调“道”是“不为尧存，不为桀亡”，是超越于历史时空存在、

传承的。因此，人不但不能扶补“道”，反而“作坏”道，而“道”本身始终不泯。

朱熹还认为，“天理”就是百分之百的“天理”，只有完美的状态，如同汉祖唐宗的动机必须百分之百合乎“天理”一样，只要有一点“人欲”存在于历史时空中，“天理”就成其为“天理”。而且，“天理”决不可能存在不成熟的、阶段性的状态。陈亮所认同的这种不成熟的、阶段性的状态，表明他根本没有认识到“天理”的本质，更没有认识到，正是汉唐盛世中那些不纯的、不成熟的局部，反映了“人欲”对“天理”的损害和颠覆。

陈亮在王霸义利之辩中并没有跳出儒学伦理的范围来攻击朱熹的理学，相反，陈亮书信的语气尽管比较“冲”，但他在这场辩论中的立场却是稳健的、辩证的。朱熹向来给人以严谨、缜密、冷静的印象，却在这场辩论中有点声嘶力竭，因为他的立场是汉高祖、唐太宗的动机没有哪怕一分一秒（“秒忽”）合乎天理，而且只要他们有哪怕一分一秒的动机偏离了天理，那么他们的全部功业就都是虚假的，因此开疆拓土、物阜民丰的汉唐盛世都是虚伪的，甚至是邪恶的，不足羡慕。陈亮却可以坦然接受唐太宗心术不正的史实，并且指出，朱熹既不能证明汉祖唐宗所有行为的动机都充满了贪婪的人欲，更不能否定这样一个基本事实：汉祖唐宗创立的盛世，或结束了诸侯割据的分裂局面，或建立了一个广大的帝国，确立了稳定的统治秩序，使人民过上了安定的生活，这难道不是儒学追求的理想吗？尽管汉唐盛世的时间并不太长，这是由

于“工夫”欠缺，不能做到“纯乎天理”，彻头彻尾地合于“天理”，这恰恰说明儒学在现实政治中大有用武之地。

王霸义利之辩中，朱熹的立场代表了中国人日常思维中一种普遍的“非黑即白”的二分法以及对于动机的高度关注，直到20世纪六七十年代的“文化大革命”中，“宁要社会主义的草，不要资本主义的苗”仍然相当流行：尽管“苗”比“草”有价值，但“苗”是在一种“错误的价值观”的指导下成长的，“草”却是“正确的价值观”的产物，尽管它在经济价值上劣于“苗”，但在价值意义上“草”比“苗”高贵，和价值意义相比，经济价值就可暂时忽略不计了。同样的，“狠斗私字一闪念”“灵魂深处闹革命”，与王霸义利之辩中朱熹要求汉祖唐宗“秒忽”都要合于“天理”又何其相似！唯其如此，王霸义利之辩中的陈亮才值得我们珍视。

智言慧思

研究义理之精微，辨析古今之同异，原心于秒忽，较理于分寸，以积累为功，以涵养为正，睟面盎背，则亮于诸儒诚有愧焉。至于堂堂之阵、正正之旗，风雨云雷交发而并至，龙蛇虎豹变见而出没，推倒一世之智勇，开拓万古之心胸，如世俗所谓粗块大脔，饱有余而文不足者，自谓差有一日之长。

——（南宋）陈亮《陈亮集》卷二十八《又甲辰秋书》

阅读链接：

董平、刘宏章：《陈亮评传》，南京大学出版社，1996年版。

过度郡县化之忧：从陈傅良到黄宗羲

黄宗羲像

宋钦宗靖康二年（1127），金人攻破了北宋首都东京，徽宗、钦宗父子皇帝被掳北上，半壁河山化为乌有。北宋抵抗之无力，灭亡速度之快，强烈刺激了儒家士大夫，促使他们中的部分清醒之士开始思考北宋开国以来被奉为圭臬的“祖宗之法”是不是存在着巨大的缺陷。

众所周知，宋太祖立国之时，针对五代藩镇割据的弊病，采取了一系列加强中央集权的政策，其后果是大大削弱了宋代地方行政基本单位——州、县的活力。其主要表现是，取消州的行政长官的集权，首先在名号上用“知某州事”替代唐代“刺史”之称，造成一种临时

性的、派遣的观感；其次，设置通判作为知州的副手，并且专管财政，以为监视；在州的上一级“路”设置名目繁多的“监司”，转运使管财政、提刑司管司法等等，这些监司各管一摊，互相之间并不统属，主要任务是监察州、县，互相监察，如此一来，不但州县不可能集权，“路”也不可能集权。地方兵权则以武臣专领，文武互不统属，地方武装都是些老弱厢军，精锐部队集中于京师，号为“禁军”，定期轮流到外地驻防。但是，北宋的灭亡证明，由于地方在军事上的弱小、经济上的窘迫，使金兵得以长驱直入，最终导致京师处于孤立无援的境地。

于是，永嘉学派的代表人物薛季宣认为，作为一种现实的解决之道，中央可以唐末五代的藩镇为模板，将部分权力还给地方。事实上，宋太祖时代曾经利用五代残留的藩镇大将镇守边疆，并给予很大的事权，效果甚好。而南宋渡江之初，由于宋、金（伪齐）交界的某些区域匪患频仍，军阀割据，南宋小朝廷无力加以控制，就顺水推舟地赏给这些军阀以官位，名为“镇抚使”，将绝大部分原来由监司控制的权力转交给了他们，在短期内起到了积极的作用。薛季宣建议，在两淮、荆襄等兵家必争之地：“分置镇守，统帅偏帅……专任责成，资其事力于经理之初，责其事功于岁月之后，无拘微文，无急小利。”（《薛季宣集》卷十六《朝辞札子二》）不谋而合的是，陈亮也向皇帝提出，在襄阳建立方镇，“给以州兵而更使自募，与以州赋而纵其自用，使之养士足以得死力，用间足以得敌情”（《陈亮集》二《中兴五论·中兴论》）。

陈傅良受到了其老师薛季宣的影响，认为：“内重外轻之患自古然矣。”即指秦汉以来的中国，总体的制度安排越来越偏向中央，郡县化程度越来越严重。

在其代表作《周礼说》中，陈傅良认真思考了“过度郡县化”的问题。中央与地方的关系的核心，是权力与资源如何分配，一方面，为了维护大一统国家的向心力和凝聚力，中央必须对地方形成压倒性优势，切实掌握丰沛的资源，维持国家安

全和中央政权的运行；另一方面，地方必须有“自治”的空间，即相对独立的武力、财权、人事权，反过来可以保卫中央。在秦汉以后，“郡县”基本上压倒了“封建”，宋、明两代中央政权对地方的过度压榨、过度控制，导致地方活力不足，这就是所谓的“过度郡县化”。陈傅良通过对《周礼》等儒家经典的诠释，指出理想的三代之治中这两者是可以达成平衡的。

陈傅良首先从分析西周行政系统的结构入手。他认为西周的诸侯国数量多达千八百之多，“如必尽至京师，不特不可行，其势必至烦扰，小国何以堪之”？从技术层面看，周王室根本没有办法对它们直接管理，因此现实对策必然是采取分级管理的方式：“古者子男小国，只得听命于侯伯，侯伯以其朝聘贡赋之数归于天子。自周制，子男之国不能尽归之京师，而后世乃自判、司、簿、尉尽归之吏部，宜其多事也。宣王中兴，亦只理会牧伯而已。故韩侯在韩，召虎在淮，申伯在荆，方叔在齐。”（《周礼订义》卷十五）西周的千八百国大略等于后代的县。可是到了宋代，中央吏部对地方的管理却延伸到县主簿和县尉这样的小官，基本上没有给地方留下一点点人事的自主权。西周的分级管理与宋代的高度集权形成了鲜明的对比。

在秦汉以后的郡县制度下，很容易形成“内重外轻”的不平衡局面，这种轻重不伦首先表现在权力集中在中央，地方缺乏权威，一切听命于中央，相应的，高官、重臣也都集中在朝廷，地方官员资望甚低，品秩亦卑。陈傅良认为，《周礼》中的“乡老，二乡则公一人，乡大夫，每乡卿一人”制度，可以比较合

理地解决这个问题。中央政权里面的三公、六卿各兼任地方长官的九牧，到了春秋时代仍然由各国的卿大夫管理乡事，这说明在政治资源的分配上，中央与地方能够保持一种平衡，同时中央高官兼理地方事务，有助于上令下达、下情上达，中央与地方可以“中外相维，而治出于一”。

难能可贵的是，陈傅良的思考并未止于对地方与中央关系的思考，而是从增强地方活力推导出限制君权论。譬如他批评历史上著名的定论“王人虽微，必序乎诸侯之上”的观点，其实并不符合西周的实况。因为《周礼》记载的众多朝廷典礼中，诸侯的地位都高于“王人”，这是为了“内外之势一，而士无觖望”，即地方和中央的势力保持均衡，地方势力才不会感到失落。由此陈傅良大胆提出：“孔子作《春秋》，王人虽微，必序乎诸侯之上，始不以爵为差，凡以尊王，非周之旧典也。”（《周礼订义》卷六十二）《春秋》尊王，虽然是对当时礼崩乐坏的趋势的反动，但矫枉过正，“尊王”太过，在后世引发了权力与资源的分配倒向中央，君主无限制、无原则地吮吸地方资源的现象，历史的负面效应不容忽视。传统中，“尊王”是意识形态上不可触碰的高压线，陈傅良敢于从提高地方活力的角度质疑“尊王”应有的界限，不能不说是超越了他所处的时代。

永嘉学派的集大成者叶适认为，唐虞三代行封建制，非常成功，汉、唐行郡县之法，也能够成就一番霸业，因为地方与中央的权力分配处于一种健康的状态。所以，问题的要害在于：“法度立于其间，所以维持上下之势也。唐虞三代必能不害其为封建而后王道行，秦汉魏晋隋唐必能不害其为郡县而后霸政举。”即使在地方自主权较小的郡县制下，若做到了“以一郡行其一郡，以一县行其一县，赏罚自用，予夺自专，刺史之问有条，司隶之察不烦，此所以不害其郡县而行伯政也”（《水心别集》卷十二《法度总论一》）。刺史、司隶校尉代表了中央对地方的监察，这种监察是维持大一统帝国所必需的，但是监察必须是适度的而非包办一切，必须给地方

留出足够的“自治”空间。同样是通过对《周礼》的研究，叶适直接用“自治”来概括西周封建制下邦国政治的特点。他说：“方天下为五千里，而王之自治者千里而已，其外大小之国千余，皆得以自治。其正朔所颁，礼乐征伐自天子出，朝会贡赋、贤能之士入于王都，此其特大者也，而其生杀废置犹不能为小者，天子皆不预焉。而天子之自治，亦断然如一国。”也就是说，周王及其朝廷只负责中央事务（礼乐征伐），而各邦国的行政、用人、财赋等权一切自治，周王不能干涉。

宋人“州县自治”“稍复藩镇”的看法，在明末清初时得到了更多的响应。顾炎武说：“小官多者，其世盛；大官多者，其世衰。”（《日知录》卷八《乡亭之职》）这里的“官”就是行政资源的代名词，“小官多”意味着行政资源的分配愈加靠近基层，则世道大治；如果行政资源集中在中央，则意味着代表中央监察地方的“大官”多，地方就失去了自主权和活力，国家就会衰亡。因此，顾炎武与黄宗羲都同意给予地方一定的集权，其集权水平应当接近于“方镇”。

黄宗羲则就明代的藩镇设置提出了具体的想法。他认为在明代西北、东北乃至云南、贵州边境，至少可以设置九个方镇，允许其管辖若干个支郡（“分割附近州县属之”），享有自主的财权、司法权、兵权。黄宗羲认为，明朝灭亡的直接原因，是长年对金战争而产生的“辽饷”等苛捐杂税盘剥天下农民过甚，导致明末农民大起义。而一旦乱作，边镇根本没有自己的财源，一切皆仰赖中央的调配，故能轻易地被各个击破。所以，设置

方镇可以避免明末那种“国家一有警急,常竭天下之财,不足供一方之用”,实现“一方之财自供一方”。调兵也是如此,明末“边镇之主兵常不如客兵,故常以调发致乱”,这是因为边镇的兵本身就不足，不得不从四面八方远调而来，导致主兵与客兵发生矛盾，不能有效地配合作战；如果给予方镇以支郡（直属方镇的郡县）以及足够的户口，就地征兵，则“一方之兵自供一方”(《明夷待访录·方镇》)。

正如顾炎武所说：“明代之患，大略与宋同！”(《日知录》卷九《藩镇》)因此，南宋与明末的儒家知识分子，在反思过度郡县化的弊病时，有颇多相通之处。薛季宣、叶适、陈亮、黄宗羲都认为应在财政、兵力、人事等方面给予州县更大的自主权，为了增强国防，还应该在边境设置类似“藩镇”的特别行政区。从现实对策上来说，陈亮、薛季宣、顾炎武、黄宗羲都认为“藩镇”虽然在历史上起到过破坏国家大一统的负面作用,但是在“过度郡县化”的宋、明两代,“稍复藩镇”是一种有效的矫正，可以让地方实现某种程度的集权,获得自治的空间,从而更好地成为中央政权的屏障。

更要看到，在专制集权的“过度郡县化”体制下，皇权即政权，皇权所追求的中央政权对地方的控制应该是“如臂使指”，实际上是把皇权当作大脑，而中央政权是协调机构，地方只是奉行政令而已，而不具备独立行政、独立决策、独立思考的空间。永嘉学派鼓吹地方的“自治”空间，鼓吹地方政府相对于中央政府、相对于皇权,也有相对的独立性,实际上是要削弱过分膨胀的中央权力,这就相当于削弱、限制了皇权。

阅读链接：

（明末清初）黄宗羲:《明夷待访录》,《黄宗羲全集》(第一册)，浙江古籍出版社，2005年版。

叶适：欲废后儒之浮论

叶适像

在历史上，冒用名人名义炮制书画赝品、假托名家名字写诗作文之事可谓屡见不鲜，但是当着“本尊”的面明目张胆地造假却是百年一遇，这样的怪事让永嘉学派的代表人物叶适碰到了。

大约在宋宁宗开禧二年（1206），叶适入朝为官。某日，当时的宰相韩侂胄在府邸招待他，忽然听家仆禀报门外有人求见，所投名帖自署“水心叶适”，韩侂胄和客人们大惊，今天真是李逵遇见李鬼。但韩侂胄转念一想，与其马上戳穿这个假冒的叶适，还不如先试一试他的文才，遂以礼接待。这位冒牌叶适在交谈中大段背诵叶适的代表作《进卷》，并谦称这是“少作”，只代表年轻时的水平，这几年反复修改，文字之精妙已经大大超越最初的版本。碰到这样高仿真的假冒者，韩氏决心当场考一考他，就拿出了自己珍藏的一册米芾法帖命其题跋。冒名者倒从容不迫，对每幅作品一一题跋，而且“辞简意足”，

当时在座的客人（包括叶适）为之骇然。韩侂胄大喜过望，在他耳边密语道："你难道不知道今天真叶适也在座吗？天下怎么可能有两个叶适！"他不慌不忙地回答："文人才士，如水心一等，天下不可车载斗量也。今日某不假水心之名，未必蒙与进至此。"（《湛渊静语》卷二）意思是，像叶适这样杰出的文人，天下屈指可数，如果今天不冒用他这样如雷贯耳的大名，大丞相肯屈尊接见我吗？这番话既赞美了叶适的崇高声望，又恭维了韩侂胄的惜才爱才，大家听了都很高兴。这位假冒叶适由此也得到了韩侂胄的提拔。这则真假叶适的故事出自元人白珽（钱塘人）所著的《湛渊静语》中，其真实性且不去管他，却从一个侧面反映了叶适在南宋中期的巨大声望和影响力。

叶适祠堂塑像

叶适的思想主要见于他的《习学记言序目》。《习学记言序目》又称《习学记言》，五十卷，为叶适读书札记。此书通过辑录评论经、史、百家，表达其政治、经济、历史、哲学、文学观点。正如他的学生孙之宏说的："故根柢六经，折衷诸子，剖析秦汉，迄于五季，以吕氏《文鉴》终焉。"（《习学记言序目序》）从《习学记言序目》中可以看出，叶适具有强烈的批判精神和反思精神，而他所批判的对象正是朱熹和陆九渊代表的南宋理学。以下对叶适的主要观点进行略述。

首先，朱熹和陆九渊都认为"心具万理"，陆九渊甚至主张"心即理"，即认为人的思维器官"心"先天地蕴涵了最高的真理。叶适批判道："近世之学，则又偏堕太甚，谓独自内出，不由外入，往往以为一念之功圣贤可招揖而致。"（《习学记言序目》卷四十四）叶适认为，"心"并非先天地具有真理，更不是真理的源泉和宇宙的本体，"心"只是具有认识真理的能力，而非真理本身；同时，"心"本身不

是纯洁无瑕的，需要艰苦的道德修养和知识学习来使之纯净化，把没有经历这一过程的原初状态的“心”无限地神秘化和抬高，是错误的。

其次，儒学从根本上说是一种内圣外王之学，“内圣”是个体探索终极真理、形成完美道德人格，而“外王”则是治国、平天下，即按照儒家道德伦理来改造现实社会的政治、文化、经济。理学发展到南宋，已经出现了“内圣”脱离“外王”的明显趋势，认为“内圣”可以先于“外王”实现，而且必须先完成个体的真理探索和道德修养，然后才能逐渐推广到齐家、治国、平天下。叶适认为，正如“学则内外交相明”一样，“内圣”和“外王”也是互为前提、相互渗透的，“内圣”与“外王”最终只能同时实现，而不可能有先有后。

总体而言，《习学记言序目》以程朱理学和陆九渊心学为批评对象，提出了很多标新立异的观点。由于理学已经完成了对儒家经典的重组，树立了“四书”的权威，所以叶适力图以六经来对抗四书，贬低曾子在孔门中的地位，为了争夺经典解释权的考虑，甚至引入一些来历可疑的子部文献（如《子华子》)。但从接受效果看，六经的艰涩妨碍了叶适独创性思想的表达，而考证方面的不谨慎也影响了其观点的逻辑性，这无疑是《习学记言序目》的缺憾。

《习学记言序目》完稿于叶适逝世之年，大量的校订工作是由其门人孙之宏等完成的。此书面世后，立刻引起了理学派的强烈反应。朱子学大家、活跃时代稍晚于叶适的真德秀批评

《习学记言序目》为“放言”，而深受朱子学影响的陈振孙在其目录学著作《直斋书录解题》卷十中，不但对叶氏书中的具体观点大加指摘，且下了这样的断语：“其文刻削精工，而义理未得为纯明正大。”黄宗羲在《宋元学案·水心学案》中认为：“其意欲废后儒之浮论，所言不无过高，以言乎疵则有之，若云其概无所闻，则亦堕于浮论矣。”《四库全书总目提要》称其书“所论喜为新奇，不屑摭拾陈语……”这些评价都反映了叶适独特的思想价值。

智言慧思

道无内外，学则内外交相明。

——（南宋）叶适《习学记言序目》卷四十四

阅读链接：

周梦江：《叶适与永嘉学派》，浙江古籍出版社，1992 年版。

永嘉学派：弥纶以通世务

永嘉学派是一个形成于南宋孝宗乾道、淳熙年间，具有鲜明地域色彩的儒学思想流派，主要代表人物是薛季宣（字士隆，永嘉人，1134—1173）、陈傅良（字君举，瑞安人，1137—1203）、叶适（字正则，永嘉人，1150—1223），因其主要人物籍贯均为温州（永嘉郡）而得名。在朱熹的作品中，"永嘉"和"浙中""永康"一样，不但是一个地域指称，更是一种思想倾向的代表。

就思想源头而言，由于北宋后期理学大师程颐门下聚集了一批温州籍贯的弟子（"元丰九先生"中的大部分人），因此可以说永嘉学派脱胎于程朱理学的程颐一派。进入南宋之后，尤其是到了乾道年间，由于理学"自内而外"、偏重心性的"内圣"路线日益暴露出不能解决现实社会实际问题的弊端，以薛季宣为代表的一批温州学者开始独立反思理学的缺陷，并最终走出了程学的樊篱，走向了与朱熹代表的理学正统对抗的路线。薛季宣的思想具见其个人文集《浪语集》（见《薛季宣集》，上海社会科学院出版社 2003 年版）。

薛季宣于南宋乾道九年（1173）英年早逝后，其弟子陈傅

良接过了永嘉学派的大旗。他继承了薛季宣对理学过于内倾化的反思及其经世致用的学术方向，开拓了“制度新学”的新战场，力图从历史制度沿革中梳理总结出历代王朝兴衰治乱的基本规律，探索南宋富国强兵的中兴之路，从而完善和加强儒学应对现实社会的能力。永嘉学派鼓吹“制度新学”，希望士大夫阶层将注意力集中到研究当代的一切政治、经济、司法制度上，反思制度的源流、弊病以及改革之道。在永嘉学派看来，儒家经世在宋代之所以并不成功，就是因为士大夫阶层轻视这些实务性的、技术性的知识，坐视胥吏垄断这些知识，导致政治日益腐败、矛盾日益深化。由此，永嘉学派与理学家们在经世致用的方向上产生了一定的分歧。下举一例说明。

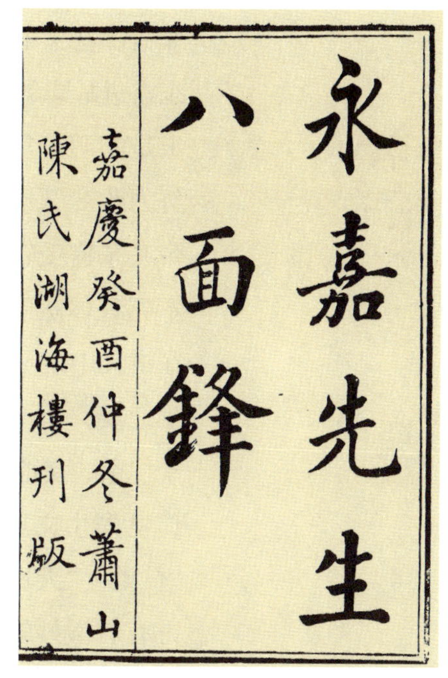

《永嘉先生八面锋》主要是陈傅良的作品，但在南宋，“永嘉先生”也是一个群体概念

光宗绍熙三年（1192），陈傅良正担任嘉王府的赞读官，职责相当于指导皇子学习的老师。在教学中陈傅良曾经向嘉王讲述这样一个故事：西汉的元帝天资中下，当东宫太子时，在萧望之等辅导下变得柔仁好儒。登基后，宦官欲谋害萧望之等，奏请将他们“召致廷尉”，元帝竟不知道“召致廷尉”是下狱治罪的意思，就稀里糊涂同意了，萧望之由此被害。陈傅良为此写了一篇讲义，名为“资善堂进故事”，著名的理学学者魏了翁后来为此做了一则题跋，说道：“以了翁在经筵日，尝为主上论元、成事，发明班史二赞，粗有益于谨独之学，因请识其后。了翁虽不敢以固陋辞，然而改变气质，最忌因循，与夫归其责于傅，而实以咎帝，此则有益于人主之讲学，

非宿儒老生不及此。”(《鹤山先生大全集》卷六十五《跋陈君举东宫进故事》)在魏氏看来，陈傅良这篇《资善堂进故事》表面上是阐明东宫辅导官的重要性，实则勉励嘉王要在居东宫期间努力改变气质，受学不辍。可是，陈傅良的原意并非如此。元帝在东宫受辅导八九年，却不知道廷尉职司刑狱，这说明他对本朝政体法度不甚通晓，这是萧望之等人铸成的大错！陈傅良在讲义中说：“既即位，然不知召致廷尉为下狱，何也？习闻书生之谈，而不通于当世之务也。……刘安世论之曰：‘望之知太子仁柔，宜辅导之，使洞晓天下之事，然后可以为人主。’”(《陈傅良先生文集》卷二十八《资善堂进故事》)同样是针对元帝“仁柔”“天资固中人以下”的问题，陈傅良和魏了翁开出的药方有着微妙的差别。陈傅良认为，应该教导元帝“通于当世之务”“洞晓天下之事”，而魏氏却认为应该“改变气质”。很明显，陈傅良这次进讲的意图是希望嘉王认识到通晓当世之务的重要性，也是阐明他本人在进讲时，以当世之务为主要内容的必要性。显然，“通于当世之务”“洞晓天下之事”不仅是陈傅良对嘉王的期望，也是永嘉学派对儒家经世路径的一个确认。

叶适是永嘉学派的集大成者，他继承了陈傅良“制度新学”的成果，进一步致力于将永嘉学派的思想提炼至更高的思维水平，从而能够平等地与程朱理学对话。关于叶适的思想，上文《叶适：欲废后儒之浮论》已有介绍，此不赘。

除了提出一系列新颖的思想之外，永嘉学派的代表人物陈傅良、叶适都是科举时文的高手，其中陈傅良是乾道八年(1172)

省试的第二名，叶适参加淳熙四年（1177）殿试，都是科举考试场上的优胜者。到了宁宗庆元党禁时，有大臣甚至惊呼，三十年来，“场屋之权，尽归三温人”，因此他们的文章被众多读书人研究、传播、翻刻，更吸引了大批青年士子追随。可以说，在陈傅良、叶适活跃的时代，永嘉学派的影响力足以与朱熹的理学、陆九渊的心学鼎足而立。

不过，无论陈傅良、叶适如何激烈地批评程朱理学和陆九渊心学，永嘉学派基本上仍然是一个儒学流派，在宇宙论和本体论上，它没有向理学提出有力的挑战，而仅限于在认识论方面力图修正理学过于内倾化的偏颇，尤其是没有能力提出一套全新的概念术语，因此在叶适去世［宋宁宗嘉定十六年（1223）］之后，永嘉学派思想中最富批判性的部分很快被人遗忘，而其与理学不相悖的部分则被朱子学所吸收。

阅读链接：

周梦江：《叶适与永嘉学派》，浙江古籍出版社，1992 年版。

王宇：《永嘉学派与温州区域文化》，社会科学文献出版社，2007 年版。

杨简：一把扇子的警悟

杨简像

杨简（1141—1226），字敬仲，慈溪人，因筑室慈湖之上，世称“慈湖先生”，南宋著名的思想家。他于乾道五年（1169）进士及第，历任秘书郎、著作佐郎、国史院编修官兼实录院检讨官，后出知温州。晚年寓居鄞县城内月湖畔，设馆讲学。官至宝谟阁直学士、太中大夫，封爵慈溪县男，卒谥文元。

杨简少年时代便有异于他人的渊静气质，在私塾念书时，讲堂与热闹的街市只隔了一层薄薄的板壁，同龄小儿在街上欢呼嬉戏，杨简不为所动，即便是初一、十五放假时，仍在学堂学习。26岁时杨简入太学，此时陆九龄（陆九渊之兄）担任太学录，同学有袁燮、舒璘、沈焕等，从此开始了自己的哲学

探索之路。杨简的哲学探索是靠着多次觉悟不断深化的，这些突如其来的觉悟是他思想进入一个又一个新境界的标志，勾勒了他本人的心路历程。

在临安太学学习两年后，杨简产生了他人生中的第一次重要体悟，后称“循礼斋之悟”。据杨简自述，一个初秋的夜晚，他在太学的循礼斋内读书，回房休息时他坐在床头，忽然感觉到：“空洞无内外，无际畔，三才，万物，万化，万事，幽明，有无，通为一体，略无缝罅。畴昔意谓万象森罗，一理贯通而已，有象与理之分，有一与万之异。及反观后所见，元来某心体如此广大，天地有象有形，有际畔，乃在某无际畔之中。《易》曰‘范围天地’，《中庸》曰‘发育万物’，灼然灼然，始信人人心量皆如此广大。”“万象森罗”，就是丰富多彩、千姿百态的万事万物，在“循礼斋之悟”前，杨简只认识到万事万物具有内在的统一性，其共同本质都是“理”，而在这次开悟后，他认识到万事万物的内在统一性并不在“理”，而是人的“心”，心既是“理”的源泉，也是真理的最高形式。“循礼斋之悟”是杨简思想的一个重要开端，有的学者甚至将此“我与天地澄然一片”的境界视为杨简迈入心学门槛的标志（郑晓江、李承贵《杨简》）。这次大悟，为他后来的“双明阁之悟”打下了坚实基础。

南宋乾道八年（1172），陆九渊路过富阳，与富阳县主簿杨简会面。一夜，陆、杨二人会于双明阁，多次论及本心。杨简问陆九渊：“何谓本心？”陆九渊回答：“恻隐，仁之端也；羞恶，义之端也；辞让，礼之端也；是非，智之端也。此即是本心。”杨简觉得陆九渊以孟子四端诠释本心并无稀奇之处，于是说：“这个我小时候就知道了，还有什么更深的道理吗？”当晚，杨简又问了几次，陆九渊说来说去还是这几句话，杨简仍百思不得其解。天亮后，杨简升堂受理词讼，碰到了一桩关于扇子的官司，杨简判决了其中的是非曲直。下堂后，他又去拜访陆九渊，追问“如何是本心”。陆九渊即扬声回答：“来争夺扇子的甲乙双方，必有一是、有一非，如果你

知道孰是孰非，就可以决定某甲是、某乙非矣。这不就是你反复追问的‘本心’吗？”杨简听了后，忽觉此心澄然清明，紧接着追问:“如此而已吗？”陆九渊竦然端厉，并扬声回答:“更何有也？”杨简再也说不出话来，辞别陆九渊回家，思考了一天。次日他即拜陆九渊为师，后成为南宋陆学中最有影响的弟子。陆九渊和杨简的这次思想交流，历史上称之为“双明阁之悟”。杨简一再追问陆九渊“如何是本心”，陆九渊开始只以孟子“恻隐、羞恶、辞让、是非”回答，杨简并不理解。而在审过扇子案后，陆九渊提示杨简，所谓“本心”并不是什么玄奥微妙的身外之物，“本心”就是你自己当下的“心”，不需要到身外去寻找，正如孟子说的“恻隐之心”，无论怎样凶残无良的人，看到小孩子走到井边，他的心中都不免有所感动，尽管这种感动转瞬即逝，却是人自身先天固有的。陆九渊对杨简说，你刚才能够正确地判决扇子之案，就是遵循着“本心”的指示而作出的正确的价值判断，就是你的本心在“工作”，你老是问我“如何是本心”，却忘了“本心”就在你自己的身心之中。

“双明阁之悟”之后，杨简的学术脚跟已经立定。此后，他曾一度认为悟后便能“纵心所之，无所不妙”，但后来发现日用酬应未能无碍，自身与外物还不能无二，特别令他感到困惑的是，既然“本心”就是天理，而“本心”又是我身之固有，为什么还会出现那么多堕落、邪恶的心灵呢？

在杨简31岁时，经历了他人生中的第三次觉悟，解决了这个问题。如果说“双明阁之悟”使杨简直接感受到了心体的

广大，万事万物总归于心，因此一切融通无碍的话，那么杨简通过31岁的觉悟认识到明心本来是纯净的、灵通的，由于后天产生的私意障蔽了本心，因此要使此心虚朗无过失，就要“不起意”。此后，“毋意”逐渐成为杨简非常强调的修养工夫。此二字出自《论语·子罕》:“子绝四：毋意，毋必，毋固，毋我。”杨简在《绝四记》中说：“人心自明，人心自灵，意起我立，必固碍塞，始丧其明，始失其灵。”他认为意是使心丧失灵明的根本，“意起我立”，“意”便是“私意”，心一住于私，心体便不能广大，不能广大，个体与外部世界就处于敌视、紧张的状态，处处碰壁，人人为仇，处处有碍，很难避免过失。

三次觉悟，三次精进，杨简终于全面把握了陆九渊思想的精神，并且有所创新。但综观杨简的三次觉悟，绝非从天而降，而是他平日勤学善思、善于自我反省总结、日积月累的结果。这说明突如其来的“顿悟”固然是中国传统哲学思维的一条特殊路径，但这种“顿悟”是以艰苦的日常功夫为基础的，否则所悟之理就不是真理，而是空想。

阅读链接：

李承贵：《大家精要——杨简》，云南教育出版社，2011年版。

甬上四先生：以心为学

甬上四先生之沈焕像

所谓“甬上四先生”是指南宋中期在明州地区崛起的四位传播陆九渊心学的学者：杨简、袁燮、舒璘、沈焕。文天祥曾经评价他们：“广平之学，春风和平；定川之学，秋霜肃凝；瞻彼慈湖，云间月澄；瞻彼絜斋，玉泽冰莹。一时师友，聚于东浙。呜呼盛哉！”（《宋元学案》卷七十六《广平定川学案》）他们这一支传承了陆九渊的心学，并且有了进一步的发展，开创了两浙地区陆九渊心学的传统，间接地影响了明代王阳明心学的形成。其中，杨简（1141—1226）已经在上文专门介绍过，这里重点介绍“四先生”中的其他三人。

袁燮（1144—1224），字和叔，鄞县人，淳熙八年（1181）进士，

学者称絜斋先生。晚年曾出知温州。宋宁宗嘉定十七年（1224）卒，谥正献。著作有《絜斋集》24 卷、《絜斋后集》13 卷、《絜斋家塾书钞》、《絜斋毛诗经筵讲义》等。

袁燮在孝宗乾道年间到临安入读太学，同样来自明州的沈焕、杨简、舒璘当时也在太学学习，四人一起向陆九龄、陆九渊兄弟问学，因此“甬上四先生”差不多在同一时期接受陆九渊心学。表面上看，陆九渊的哲学思想追求简易、顿悟，反对繁琐的哲学概念建构，简洁明快，与朱熹大量的文本解释形成鲜明对比，但弟子真正领悟其精神实质并不容易，差不多陆九渊所有重要的学生都有一个“豁然大悟”的阶段，更多的学生则一辈子都不得其门而入。原因很简单，陆九渊强调要一以贯之、无间断地反省自己的本心，一切知识和最高真理都在本心之中，而不应该依赖外在的书本知识，这对学生自身的悟性提出了很高的要求。袁燮也不例外，他初次向陆九渊问学，后者告以“本心洞彻通贯”。袁燮对这句话琢磨了很久，但总是想不通。有一天，他突然豁然大悟：“以心求道，万别千差；通体吾道，道不在他。”（《宋元学案》卷七十五《絜斋学案》）就是说，原来老是想不通，是把“道”看做是与“本心”相对立的客观之物，而将“本心”当做是认识的主体，而陆九渊所说的“洞彻通贯”，是指“道”即是“本心”，而且只存在于“本心”，“本心”既是认识真理的主体，同时又是最高真理自身，因此“以心求道”就是在心以外求道，自然无功而返，只有体会到“道不在他”，而是在我心中，才能真正领会陆九渊的“本心”之说。“本心”如此重要，却又很容易被后天的欲望所遮蔽、污染，因此儒学的修养功夫的全部重点就在于磨去过分的欲望，削去无用的知识，让“本心”这颗污泥中的明珠重放光芒。

袁燮曾经在他房舍旁边建造了一个小楼，名“是亦”，别人都很奇怪，觉得这个名字毫无文人雅致，而且还有点怪僻，袁燮解释说：“楼之深广，寻有五尺，崇近广而微杀。材甚眇，体颇具，故曰‘直不高大尔，是亦楼也’。”你看这个小楼低矮、小巧，但具有“楼”最基本的规制，差不多也算个楼了；楼前的山，虽然高不过丈余，

阅读链接：

侯外庐、邱汉生、张岂之：《宋明理学史》（上册），人民出版社，1997 年版。

董平：《浙江思想学术史——从王充到王国维》，中国社会科学出版社，2005 年版。

无甚崔巍奇特，但差不多也能算座山了；山上种着几株闲花野草，虽然并不名贵，但差不多也能算是绿化过了。推而广之，当官能做个七品小官，就很满足了，因为虽然权不重，位不高，差不多也是个官了。这样说来，值得我们以“差不多就行了”的心态来对待的俗物还少吗？金钱、穿着、饮食、住房、美色……这些东西，难道不都是只要差不多就行了吗？不过，大千世界无不可以以“差不多”对待，唯独一样东西不能“差不多”，那就是自己的身心修养：“虽然，身外之物可以寡求而易足，若夫吾身与天地并，广大高明，我固有之，朝夕磨砺，善必迁，过必改，追古人而及之可也，岂徒侪于庸凡，而曰是亦人尔乎哉？”（《絜斋集》卷十《是亦楼记》）道理很简单，什么东西都可以说“差不多是个东西了”，唯独对“人”不能说“差不多是个人了”，因为人的生命是无限的、永恒的存在，而“身外之物”是有限的、有形的存在，人的无限性决定了他是万物之灵长、自然之主宰，也只有人能够认识最高的终极真理。因此人对自己的身心修养是无止境的，必须精益求精，贯穿始终，毫不懈怠，对自己的过错毫不宽贷，对他人的长处孜孜学习，这样才能摆脱那种庸人的状态，成为一个“真正的人”，实现生命的圆满。只有在身心修养上能够克服“差不多”，才能做到对“身外之物”“差不多”，二者相辅相成。对身心修养的极端重要性的认识，不仅是袁燮个人的领悟，也是杨简、舒璘、沈焕的共识。

舒璘（1136—1199），字元质，一字元宾，学者称广平先生，奉化人。南宋乾道八年（1172）中进士，两授四明郡学教授，未赴。

后任江西转运使司干办公事，继为徽州府教授，倡盛学风。舒璘乐于教人，故而当时丞相留正称他为“当今第一教官”。官至宜州通判，卒谥文靖。著有《诗学发微》《诗礼讲解》《广平类稿》等。舒璘博学，而且很关心现实的政治经济问题，无所不通，尤精《毛诗》。他刚开始师从张栻，后学于朱熹、吕祖谦，最后师事陆九渊，又与陈傅良、吕祖俭等人交往甚多，故其学亦以兼融为特色。所以，舒璘虽主象山之学，对朱熹亦不诋毁。其心学之特色，是强调“良心”，更加关注现实道德践履。舒璘反对在功夫的初期就专一察识本心，而放弃对行为的检点。他为此曾打过一个比方，用篾条箍桶，用藤条捆柴，篾条和藤条本身的韧度是有限的，如果用力过猛，篾条和藤条都会断掉。舒璘说，对“本心”的察识也是如此，“本心”既是认识的主体（相当于藤条和篾条），也是被认识的客体（桶和柴），“以心察心”的前提是，认识主体的“心”已经能够安定下来，如果还做不到安定，那么就不可能有效地察识本心，而且还可能走火入魔：“我心不安，强自体认，强自束缚，如篾箍桶，如藤束薪，一旦断决，散漫不可收拾。”那么如何才能先让心安定下来呢？舒璘说：“入孝出弟，言忠信，行笃敬，出门如见宾，使民如承祭，此等在孩提便可致力，从事无斁，则此心不放，此理自明。”（《舒文靖集》卷上《答叶养源》）也就是说，要从小注意训练小孩子外在的行为礼仪、言谈举止，等他长大之后，自然能够“心安”，然后才谈得上“察识本心”。

沈焕（1139—1191），字叔晦，定海人，晚年迁居鄞县。后入太学，始与临川陆九龄为友。登南宋乾道五年（1169）进士，历任余姚尉、扬州教授、太学录，生平见《宋史》卷四一〇《本传》。其学遵循陆九渊心学，认为心是根本：“人之一心，精诚所达，虽天高地厚，豚鱼细微，金石无情，有感必通。”道德品质修养在于先立“大本”，儒学之急务在于“立大本明大义”：“大本不立义不明，虽然讨论时务，条目又有何为？”所谓“立本”，实际是指人的道德品质修养，而不是特指对“心”

的体识，是平实的、具体的。故强调："学者应当自闺门开始，其余皆末也。今人骤得美名，随即湮没者，是由其学无本，不出于闺房用力。"(《袁正献公遗文钞》卷下《定川言行编》）所谓"闺门"，就是家庭内部。沈焕之学具有折衷色彩，对陆门以外学派持宽容兼蓄态度，多次与吕祖谦、吕祖俭讨论切磋，相互增益。

甬上四先生之学，在促进心学在浙江传播这一方面，作用是共同的。然四者之中，以杨简最为坚持陆氏心学之旨，最能贯彻心学之立场。而袁燮、舒璘、沈焕，虽亦以心学为宗，但都在一定程度上融摄了其他思想，尤其是受到了吕祖谦史学观念的影响，强调开物成务的价值关怀，与浙东学派之旨有异曲同工之处。

黄震：朱子学不是名片

黄震像

黄震（1213—1281），字东发，号文洁先生，祖籍温州乐清，南宋嘉定六年（1213）出生于慈溪，44 岁考中宝祐四年（1256）的进士，这一科的状元就是大名鼎鼎的民族英雄文天祥。黄震进入仕途后，主要担任的都是地方官，如县尉、通判、知州、提举、提刑等，清正廉明，能力突出。南宋灭亡后，他入山隐居，保持了气节，因此同时代人对他的记载绝大多数是正面的，唯有宋元之际一本很出名的史料笔记——周密的《癸辛杂识》，其中对黄震有一段不大客气的记载。周密写道，南宋末年有一帮打着朱子学旗号的读书人，到处招摇撞骗，其中特别卑污下流的是江西新淦县的董敬庵、韩秋岩，是当时江西朱子学的代表人物饶鲁（江西余干人，号双峰，1193—1264）的弟子。按照周密的说法，董敬庵、韩秋岩得到饶鲁死讯之后，前往江西吊唁，一路上披麻戴孝，携带着饶鲁的牌位。当他们一路招摇，进入抚州境内时，守关卡的官吏报告当时的抚州知州黄震，有两个秀才背着牌位入境，大哭而来。黄震听说后，马上以礼相迎，并在官邸正厅设置饶鲁灵位，三人一起大哭，对外宣称是“先师之丧”。这种景象实在是滑稽之极（事见《癸辛

杂识》续集上《罗椅》)。但董、韩二人吊唁之事只能发生在饶鲁死的当年景定五年（1264），而周密在下笔时，显然没有去查考一下黄震知抚州是在咸淳七年（1271），黄震显然不可能在饶鲁死去的当年在抚州见到这两位可爱的“双峰门人”，更不可能在他们奔丧回程经过抚州时，聘任他们为书院主讲和州学的教官。尽管这条记事本身子虚乌有，但文末周密所批判的“道学先牌人欲行”却是切中时弊的。

南宋末年，由于朝廷的提倡，朱子学已经成了一张名片，凡是读书人都标榜自己是朱子学（道学）人士，读过二程、朱熹的书已经不稀奇，稀奇的是能被认为是朱熹的传人。换言之，大家都在标榜自己是朱熹的亲传弟子的弟子的弟子，即从朱熹开始，这一代与下一代具有事实上的授受关系，否则就没有资格谈道学。周密在《罗椅》这一篇中就提到，一个叫罗椅的士子有志于道学，但听说:“然性理之学必须有所传授，然后名家，于是尊饶双峰为师。”饶鲁是黄幹的门人，黄幹是朱熹的女婿、门人，故罗椅拜入饶鲁门下就成了朱熹的三传弟子。

有趣的是，黄震和周密一样非常厌恶这种崇拜师承授受关系的风气，认为这种风气是受到佛教禅宗“衣钵”“传灯”传统的影响，过分强调了“传道就是传心”。他说：

> 所谓传者，前后相承之名也。所谓道者，即《原道》之书。所谓其位，君臣、父子；其教，礼、乐、刑、政；其文，《诗》《书》《易》《春秋》，以至丝麻、宫室、粟米、蔬果、鱼肉，皆道之实也。故曰以是而传，以是者指。《原

道》之书，所谓道者而言之，以明中国圣人皆以此道而为治也……非他有面相授受之密传也。(《日抄》卷五十九《读文集一·韩文》)

在程颐、朱熹那里，都曾经提出过“传心”的问题，譬如朱熹在王霸义利之辩中强调了“道心”是历代圣贤相传不替的。黄震对此并不同意，认为“心”是认识真理的能动性（灵明），但并不是最高真理本身，而每个人都有认识最高真理的潜力，无须师徒授受，真正需要传授的，是“道”（最高真理）本身。那么儒家之“道”是什么呢？黄震说，它绝不玄妙、抽象、高远，而是非常朴实、具体的，是解决人类社会、政治、经济问题的，以文字形式记载于经典和历史之中，学者可以通过老师来学习，也可以自我摸索，那么对它的传承也是具体的、现实的，不是脱离语言文字的“心心相印”。而在禅宗那里，祖师与弟子面对面斗机锋、说公案，通过超越日常语言的、“不可说”的“恍然大悟”来传承佛教的真理。黄震指出，为什么禅宗要这样传承真理呢？因为他们的真理是空洞的、荒谬的，一旦形诸语言文字就会丑态百出，无法自圆其说，所以只好用这种方式来“传心”。可悲的是，就是在程颐、朱熹那里，“传心”也被当做儒家之道的传承方式。

黄震为什么要批评“传心”呢？这要结合南宋末期理学发展的情况来分析。在国势危如累卵的理宗朝后期和度宗朝，外有蒙古大兵压境，国土日蹙，内部又面临着民穷财尽、吏治腐败的尖锐矛盾。与此同时，理学所提倡的“天理”只是停留在口头和笔头之上，学者不去动脑筋如何把“天理”运用到实践中去，鄙视关于政治、军事、经济、民生的具体学问，甚至轻视儒家的伦理道德，而醉心于讨论形而上的宇宙论问题，儒学日益沦为玄理清谈。更有甚者，如周密讽刺的那样，挂着羊头卖狗肉，把理学当做求取功名利禄的敲门砖。如此，二程、朱熹、陆九渊所代表的理学，到了南宋末期日益脱离社会实践。面对这样的颓势，黄震大声疾呼：自称是朱子学者的读书人不要再夸夸其谈，而要“躬行”，用自己的实际行动改造社会。

然而，积重难返，朱子学不能为现实服务、不能应对政治、军事危机的弊病，不可能因为黄震的忧虑而改变。德祐二年（1276）三月，元军攻破临安，将恭帝、全太后和后宫、百官押送大都，南宋灭亡。目击国难，绝望的黄震逃入鄞县宝幢山隐居，拒绝踏入州城一步，即使城中家宅内的图书、器物被人抢光，他也不肯一顾。南宋遗民谢翱有一首诗《宝幢山寻黄提刑震旧避地处》，纪念隐居宝幢山的黄震，其中关于黄震生命最后五年的细节都得自黄震女婿陈若的描述："甬东寺里逢陈若，双袖龙钟行带索。问知黄公旧避逃，宝幢山下坐丛薄。日惟一食祷先灵，不愿拾得不死药。仰天呼号得正终，一往不复至城郭……"（谢翱《晞发集》卷四）诗中写道，黄震隐居期间每天只吃一餐，经常仰天呼号，只求一死。黄震的痛苦由两种成分构成：为什么朝廷越重视朱子学，国家衰落的步伐反而愈加加剧呢？到底是朝廷辜负了朱子学，还是朱子学辜负了朝廷？无论是哪一种答案，都令黄震这位虔诚的朱子学学者和爱国者痛彻肺腑。正如陈寅恪分析王国维自杀的原因那样："先生以一死见其独立自由之意志，非所论于一人之恩怨，一姓之兴亡。呜呼！树兹石于讲舍，系哀思而不忘；表哲人之奇节，诉真宰之茫茫，来世不可知者也。先生之著述，或有时而不章；先生之学说，或有时而可商；惟此独立之精神，自由之思想，历千万祀，与天壤而同久，共三光而永光。"（《王国维先生纪念碑》）黄震虽然未必有"独立之精神、自由之思想"，但他对朱子学以及宋代文化的热爱也是"与天壤而同久，共三光而永光"的。

幸好，黄震在南宋灭亡前完成了划时代的巨著《日抄》。此书是研究经、史、诸子的随笔札记，原为 97 卷，今本第 81 卷、89 卷已散佚。书中凡读经者 30 卷，读《三传》及“孔氏书”者各一卷，读诸儒书者 13 卷，这 13 卷点评的对象是两宋著名思想家的代表作，读史者 5 卷，读杂史、读诸子者各 4 卷，读文集者 10 卷。以上 68 卷，都是黄震对传统经典和前人著作的点评。自第 69 卷以下，都是黄震自己的文字，其中很大一部分是他多年担任地方官时形成的公文，共 29 卷。这一部分内容反映了南宋末年江河日下的国内形势以及黄震对时局士风的见解，为后人总结南宋灭亡的经验教训提供了第一手资料。从这个意义上说，作为官员的黄震无力回天，只能坐视赵宋政权灭亡，但作为学者的黄震以自己的实际行动保存了两宋文化的精义，完成了重大历史使命，实践了他对朱子学的信仰和对国家的热爱，这难道不正是他一生念念不忘的“躬行”吗？

阅读链接：

张伟：《黄震与东发学派》，人民出版社，2003 年。

孔氏南宗：谦让是一种智慧

要了解孔氏南宗，首先要稍微回顾一下中国古代的衍圣公制度。衍圣公是历代皇帝册封给孔子嫡派后裔的世袭封号，始于西汉元始元年（1），当时平帝为了张扬礼教，封孔子后裔为褒成侯。之后的千年时间里，封号屡经变化，到宋仁宗至和二年（1055）改为衍圣公，此后直到民国前期都沿袭这个封号。民国二十四年（1935），民国政府取消“衍圣公”封号，改为“大成至圣先师奉祀官”。生于民国九年（1920）的孔德成先生便成为末代衍圣公，首任奉祀官。2008年，伴随着孔德成去世，“衍圣公”这一封号也就画上了句号。

北宋灭亡后，金和南宋对峙，衍圣公分成了南北两支，南方一支在衢州，是为孔氏南宗，北方一支仍在曲阜。宋钦宗建炎二年（1128）三月二十七日、四月一日，金人分两批撤兵，掳徽、钦二帝等三千余人以及搜刮到的大批金银财宝北去，北宋灭亡。五月初一日，赵构在应天府（今河南商丘）登皇帝位，是为宋高宗，改元建炎，重建宋政权。建炎二年（1128）冬至，宋高宗在扬州举行郊祀，诏孔子第48世孙、衍圣公孔端友陪祀。孔端友及其叔父、族长孔传在扬州陪祀之后，回到曲阜。当时，

金兵大举南下。经孔氏族人商议，决定由孔端友和孔传率部分族人前往扬州跟随宋高宗。随后，孔端友等扈跸南渡。建炎三年（1129）二月下旬，孔端友及孔氏族人被宋高宗赐家于衢州。当时的衢州知府胡唐老受高宗之命，将孔端友带来的传世珍宝孔子夫妇楷木像供奉在州学，以供祭祀，安排孔端友等人居住在衢州城鲁儒坊。同时，统治北方地区的金政权于熙宗皇统二年（1142）在曲阜册封了孔拯为衍圣公，由此形成了南、北两个衍圣公并立的局面。

孔端友卒于高宗绍兴二年（1132）闰四月，孔玠袭封衍圣公。端友无子，玠为端友之弟端操之子，可能出于与北方金政权争夺正统的政治考虑，南宋文献一律称他为端友之子，在形式上实现了父子相承的袭爵方式，实际上是伯侄相继。绍兴六年（1136），高宗诏“权以州学为庙”，祭祀孔子，并赐南宗田亩，免征税。

绍兴二十四年（1154），孔玠卒。四月，授进士孔搢右承奉郎、袭封衍圣公。光宗绍熙四年（1193），孔搢卒。秋，孔文远袭封衍圣公，授承奉郎。理宗宝庆二年（1226）六月，以孔万春袭封衍圣公。理宗宝祐元年（1253），衢州知州孙子秀奏请在菱湖鼎建孔氏家庙，官府拨款 36 万缗。庙成，其制略同于曲阜。宝祐四年（1256）二月，以袭封衍圣公孔洙，特添差通判吉州，不厘务。孔洙是南宗第 53 代孙，第八代衍圣公，南北两个衍圣公分立的局面是由他结束的，但是他袭爵的准确时间，史无明文。元灭南宋后，孔洙无职可供，赋闲在家。由于中国重新实现了南北统一，结束衍圣公的南北分立局面也就势在必行。至元十九年（1282），元世祖忽必烈召孔洙赴都觐见，令其载爵归鲁，以主曲阜祭祀。孔洙以家庙、祖坟在衢州，不忍远离为由，让爵于曲阜族弟。从此，孔氏南宗就失去了衍圣公的封号。其后，菱湖庙毁，孔洙以一族之力在城南隅另建家庙。从 48 代孔端友到 53 代孔洙，衍圣公在衢州共传了六代。

明弘治十八年（1505），当时的衢州知州、苏州人沈杰感叹衢州孔氏已“猥同

庶民”，奏请皇帝封爵于衍圣公孔端友之孙，以主持衢州孔氏家庙的祭祀。次年（1506），孔子第59代嫡长孙孔彦绳被封为翰林院五经博士，子孙世袭。孔彦绳辞世后，其子五经博士孔承美在正德十五年（1520）移城南孔氏家庙到现在的庙址。五经博士共传了15代，也就是从59代至73代。到73代嫡长孙孔庆仪时，清朝灭亡，民国建立，改“五经博士”为“大成至圣先师南宗奉祀官”。南宗奉祀官之职位只传两代，即74代孔繁豪和75代孔祥楷。从48代孔端友到75代孔祥楷，孔子的嫡长孙一脉在衢州生息繁衍了28代近900年。其间，孔氏南宗之族人又由衢州迁往各地。可以说，江、浙、皖、闽、赣、湘、鄂、黔、桂、川、滇乃至江北，皆有孔氏南宗族人活动的踪迹、居住的街巷和村落。

由于孔子在中国文化史上至高无上的地位，代表孔子“正宗”后裔的衍圣公孔端友南迁至衢州，就具有了复杂的意义。在政治上，衍圣公这个文化符号代表了政权的合法性，而南渡之后南宋小朝廷亟需确立衍圣公的地位以保证自身与金对抗时居于正统地位；等到南北对立的局面由元朝终结后，南北两个衍圣公复归为曲阜衍圣公一支；明代尽管恢复了南宗“五经博士”的世袭之制，但其地位远远不如曲阜一支。那么，孔洙让爵是不是一种畏怯心理或者是对形势的误判呢？恐怕不能这样理解。

孔洙显然意识到了在南北两个衍圣公的问题上，要完成南北大一统，它朝必然“重北轻南”。这不仅是因为曲阜是孔子

的家乡，而且曲阜离元的统治中心大都更近，便于控制。假如孔洙在元世祖面前答应入主曲阜，那么无非造成两个后果：一是引起原曲阜孔氏的反感，第二个后果则是，随着孔洙北上，衢州的南宗由于失去了正统传人，从此将名实俱亡。而孔洙让爵之后直到明弘治年间，这期间南宗虽然失去了衍圣公之名，但其传承统绪仍然未断，可以说是“有实无名”。因此，孔洙当年的自我贬抑，不仅是出于谦虚和孝友，也是洞察到了历史潮流的走向。后来的发展证明，南宗既通过“五经博士”的世袭地位保证了自己的独立性，又维护了曲阜衍圣公唯一的正统性，证明了孔洙的远见和智慧。

阅读链接：

崔铭先：《孔夫子的嫡长孙们》，浙江人民出版社，2009年版。

北山四先生：朱学世嫡

每年清明、冬至时节，何氏后人会相伴前去金华市婺城区罗店镇后溪河村北边的何文定公墓祭祀自己的祖先。此何文定公即宋元时位居金华“北山四先生”之首的何基（谥号文定），今天金华名片之一的佛手，就是他当年从江西返乡时随身携带，无意中引入金华的。

“北山学派”是指南宋后期到元代朱子学在金华地区传播而形成的一个朱子学学派。这个学派的代表人物是何基、王柏、金履祥、许谦，合称“北山四先生”。以下对四人学术做一简介。

何基（1188—1269），字子恭，婺州金华人，因居金华北山，故学者称北山先生。何基之父何伯熭，绍熙三年（1192）任临川县丞。时朱熹女婿黄幹为临川县令，何基奉父命拜黄幹为师。黄幹教以“治学必有真实心地、刻苦工夫而后可”。卒谥文定。著有《大学发挥》《中庸发挥》《大传发挥》《易启蒙发挥》《通书发挥》《近思录发挥》，现存《何北山遗集》四卷（吴凤丹辑）。

何基发展了朱熹喜欢说的“恰好处”，认为理乃“事物恰好处”（《宋元学案补遗》卷八十二《北山四先生学案补遗》）。朱熹所谓的“恰好处”，是强调事物的无过无不及的中庸状态，

北山四先生之王柏像

强调至善而合理的恰好点，是一理在事物中的体现，讲的是“理一”之理。何基直接讲理乃“事物恰好处”，此理是分殊之理，与程颐所说心、性、天即理，朱熹定义的宇宙根本“太极”比，较缺少形而上层面的解释和概括，而是将“理一”之“理”转移到“分殊”之“理”即事物的“恰好处”上。如此的解释转移，强调分殊，突出了对事物“恰好处”即中庸的重视，从而顺理成章地强调为求得这“恰好处”而下的工夫。

继何基而传朱子学的是王柏（1197—1274）。王柏，字会之，婺州金华人。少慕诸葛亮为人，自号长啸。师事何基，宗朱子之学，见识独到，经常与何基论辩疑难，一事甚至有十多次的往返。后以讲学为务，曾任丽泽、上蔡两书院教授，从学者众。卒谥文宪。

王柏对于朱子之学的继承也没有固守，而是有自己的很多发明。在理气关系上，王柏吸收了张载的气论，倡言理气一体，不离不杂，故强调理以应事，于事上躬行实践以见理。何基以“理一分殊”为教，而王柏认为对于“理一”的了解并非难事，

难者在于对“分殊”的践履,由“分殊”的践履而体认“理一”,这是与其理气观念一脉相承的。王柏无疑具有一种独立思考的能力和学术批判的立场，这在上文其师事何基时便表现出来了,《宋史·本传》也称其“有疑必从基质之”。

金履祥（1232—1303),字吉父,兰溪人。履祥居仁山之下,学者因称为仁山先生。卒谥文安。著有《通鉴前编》《举要》《大学章句疏义》《尚书表注》《论语集注考证》《孟子集注考证》《仁山文集》等。40岁左右时，南宋襄阳被元兵围困日急，任事者皆坐视不敢救。金履祥至京师进奇策，未被采用，但后人海运时验证了他奇策中海道路线的精确，深为之叹服。南宋亡后金履祥决意避世，以后所著文章只书甲子而不写年号，且自署名“前聘士”。

金履祥治学的范围远远超出了一般意义上的朱子学，凡天文、地形、礼乐、田乘、兵谋、阴阳、律历之书，靡不穷究。他崇尚四书，融通经史，此为其治学基本精神。对于四书的推崇，是他作为朱子理学传播的重要标志。金氏所著《大学章句疏义》《论语集注考证》《孟子集注考证》都是对朱熹《四书集注》的考订、疏证，在坚持朱子学的基本前提下，多有考订、补阙、发展之处。金履祥用了30多年工夫写成《通鉴前编》，以经书旨要为立论根本，临终交付给许谦，希望他能够将此传承下去，说：“吾所得之学亦略见于此矣。吾为是书，固欲以开后学,殆不可不传,亦未可泛传也。”（明徐袍编次《宋仁山金先生年谱》）

与其师何基、王柏一样，金履祥不可能脱离程朱以理或天理作为最高本体的观念，也认为宇宙间的一切事物都是理产生的。理是本体，理的运动变化产生阴阳五行之气，阴阳五行之气化生出人和万物。天理又散为具体事物之理，这个具体事物之理就是事物的“本然一定之则”，事物的“极好处”，“盖天理散在事物，则莫不各有本然一定之则在焉，是其极好处也”（《大学疏义》）。金履祥所讲的“理只是恰好处，此便是中，便是至善”，是对何基理乃事物“恰好处”解释的秉承。除了确立理的本体地位以及以“恰好处”诠释“理”以外，金履祥进一步强调理的分殊。他认为，万事万物中各自有个“恰好处”即“理”，各不相同，是为“万殊”，但各个“事理”虽不同，“恰好处”却是同一的，是为“一本”，即所谓的“一本而万殊，万殊而一本”，是理学传统中“理一分殊”的重要论题。因而，他对“一本而万殊，万殊而一本”非常重视，认为自古圣贤相传的就是这个。

许谦作为金履祥的弟子，继承了由何基至金履祥的学术传统。许谦（1270—1337），字益之，自号白云山人，学者称白云先生，金华人。谦值宋亡家破，终生未仕。自少力学不已，于书无所不读，除儒家经典外，天文、地理、典章制度、食货、刑法、音韵、医学、术数以及释老之言，莫不钻研。尤致力于探求所谓圣人之微言大义，于前人之说有不妥者，亦不苟同。卒后，谥文懿。著有《读书丛说》《诗集传名物钞》《读四书丛说》《白云集》等。许谦的桃李之盛远过何基、王柏、金履祥。黄溍称他“出于三先生之乡，克任其承传之重。三先生之学，卒以大显于世。然则程子之道得朱子而复明，朱子之大至许公而益尊，文懿许公之功大矣”（黄溍《白云许先生墓志铭》）！清人列他从祀文庙时称“何基、王柏、金履祥之学至谦而益显著”（张伯行《增列四先生从祀疏》），认为他把金华朱子学推向了鼎盛。

从北山四先生的治学实践中，可以清晰地把握到宋元之际朱子学“扩张”的脉搏。何谓朱子学的“扩张”？朱熹生前尽管建立了一个精密庞大的思想体系，但是

限于精力，还未来得及把这一思想体系贯彻到经史子集各个方面。即使在经学领域，朱熹还留下了《春秋三传》《尚书》《礼记》《周礼》等未曾加以解释的大量空白。换言之，朱子学还没有完成对整个宋代知识系统的整合。在北山学派这里，“理一”的问题似乎已经由朱熹甚至黄榦解决，悬而未决的是“分殊”，即朱子学如何进一步占领那些“陌生”的知识领域：历史、地理、音韵等等，如何在这些具体的学科部类中探索合乎天理的“恰好处”。

即使在对朱熹著作的修正中，北山学派也体现了对“分殊”的强烈兴趣。从表面上看，北山四先生对于朱熹生前已经定稿的核心文本——《四书集注》《诗集传》都有修正、指摘。但要注意到，他们的修正和指摘，绝大多数呈现出对汉唐经学的回归，如纯就训诂音义、地理沿革提出质疑，忽视了朱熹在撰述《四书集注》《诗集传》时所倾注的价值关怀，而朱熹的这种价值关怀其实便是“理一”，相当于另外一种意义上的“六经注我”。因此，北山学派一方面丰富和完善了朱子学，另一方面，也在不自觉地削弱朱子学价值批判的特色。（高云萍撰）

阅读链接：

王锟：《朱学正传：北山四先生理学》，上海三联书店，2010 年版。

刘基：有明开国第一廉臣

刘基像

刘基在历史上有两面形象，在官吏和文士的记载中，他是明太祖的谋臣辅佐，学富五车，精于谋略，擅长兵法，为明朝开国大业作出了重要贡献；但在民间传说里，刘基以其字伯温知名，是一位通晓天文历数，逆知未来的神人，坊间还流传着他画图建造北京“哪吒城”的传说。中国古代著名预言《烧饼歌》相传是刘伯温所著。据说一日朱元璋一边吃烧饼，一边让刘伯温预卜朱家天下的气数如何，君臣一问一答，便形成了《烧饼歌》的内容。《烧饼歌》中的预言，从明太祖朱元璋开始，一直说到清王朝被推翻以后。其中的预言，往往藏头露尾，像谜语一般，颇为费解。《烧饼歌》的大部分内容已经在历史上发生了。其实，足智多谋、神机妙算只是刘基的一个方面，他更应该被后人纪念的，是他的耿直和廉洁。

刘基于元宁宗至顺四年（1333）中进士，自此踏上仕途。至元二年（1336），刘基出仕任江西高安县丞。据史载，他刚刚上任，便以廉节著名，发奸擿伏，不避强御，为政严而有惠，老百姓多拥护爱戴他。当地的豪门大户多次陷害刘基，当时上级官吏知道他以廉平著称，所以加害不成。初入仕途的刘基就呈献给众人一个廉洁自律、刚直不阿、秉公执法的廉者形象。由于性格耿直，刘基后在审理一起杀人

案中，损害了当地蒙古当权者的利益，被免官罢职。幸亏江西行省一位长官素知刘基廉正谠直，将其征召至行省，改任行省职官掾属。又因刘基秉公办事，不讲圆通，议事与同僚意见每每相左，所以一年后被迫辞职回家。隐居游学数年后，刘基于至正八年（1348）任江浙儒学副提举。此后十余年中，刘基目睹官场黑暗，愤而弃官，拂袖而去，不久回到家乡温州青田武阳村，开始了长达两年的隐居生活。在此期间，刘基并未忘怀国事，仍然密切关注着时事的发展，著《郁离子》“以俟知者”，“以待王者之兴”。

至正二十年（1360），经过艰难抉择，刘基接受朱元璋之礼聘奔赴应天（今南京），以谋臣身份辅佐朱元璋创建大明帝国。起初，刘基得到过朱元璋的重用，但是“江山易改，本性难移”，过于耿直、廉节的秉性使得他多次处于被动处境。洪武元年（1368）四月，朱元璋离开京师赴汴梁，命李善长、刘基留守建康（南京）。时任太史院使、御史中丞的刘基力主整肃纪纲，命宪司纠察诸道，弹劾无所避。中书省都事李彬违法罪当死，但是丞相李善长素爱李彬，希望刘基高抬贵手，暂缓处斩李彬。刘基不听劝告，遣官赍奏报告朱元璋，并承旨依法斩李彬。这使得刘基与以李善长为首的淮西集团的关系恶化，他只得暂时求退并告归。“奏斩李彬”一事体现了刘基秉公执法的高贵品质。据史载，朝廷之中有位耿直大臣以犯颜进谏被朱元璋责罚，将有牢狱之灾，刘基密为解救。这位大臣知后以礼谢之，刘基辄拒而不纳。这从一个侧面反映了刘基的廉节官德。

刘基耿直的性格还体现在与朱元璋“论相”即决定国家宰相人选这件事上。朱元璋为巩固新兴的明王朝政权，在废除李善长相位之后，亟须遴选丞相人选，遂与刘基商议此事。朱元璋提出或由杨宪、或由汪广洋、或由胡惟庸出任丞相一职，刘基均予以否定。在刘基看来，杨宪有相才无相器，作为一朝宰相必须持心如水，以义理为权衡是非的标准而不存私利，这一点杨宪做不到；汪广洋性格褊浅，气量狭小，观其人即可知；胡惟庸像小犊一般，精力旺盛，努力挣脱笼头到处乱跑，最终却拖坏了耕犁。此时，朱元璋曰：“吾之相，诚无逾先生。”刘基当场拒绝，“臣非不自知，但臣疾恶太深，又不耐繁剧，为之且辜大恩”。通过这段君臣“论相”对话录，不

国家级文保单位文成南田刘基墓

难发现，在商定丞相人选问题上，刘基秉持了对政事高度认真负责的态度，为顾全大局而不计个人恩怨，既不规避自己的性格缺陷，也敢于直言，直陈诸相位人选的优劣得失。这也是刘基廉政事迹的一个注脚。

据《明史》记载，洪武三年（1370）十一月，朱元璋大封开国功臣。初八日，封李善长、徐达等 6 人为公爵，汤和等 28 人为侯爵；二十九日，封汪广洋为忠勤伯、刘基为诚意伯。在朱元璋眼中，刘基可以与张良、诸葛亮相媲美，但是他的年俸仅 240 石，不仅不及李善长年俸 2400 石的一个零头，甚至还不及汪广洋年俸 500 石的一半。尽管如此，刘基依然不计名位，不改其操。明洪武四年（1371）正月，已届风烛残年的刘基正式辞职。归老还乡之后，刘基不与人事，深居简出，归隐山中，以饮酒弈棋为乐，口不言功。邑令求见则拒不接见，不得已这位知县大人微服化装为野人进谒刘基。当时刘基正在洗脚，就让儿子引客人进入茅舍，烧菜做饭招待。此时客人自称："某，青田知县也。"刘基惊起称民，礼请知县尽快离去，终不复见。刘基致仕之后"口不言功"的举动足以说明他淡泊名利、不求闻达的高风亮节与人生价值观。洪武八年（1375）四月，刘基病卒于家乡南田武阳。其夏山墓仅为一抔黄土，简朴而淡雅，昭示了自己"坦坦荡荡做人，清清白白做官"的一生。

刘基的思想学术代表作乃是成书于元明之际的寓言政论集——《郁离子》。"郁离子"既是书名，又系作者刘基形象的化身。《郁离子》乃是一部为盛世文明之治建言献策之论："郁

离者何？离为火，文明之象，用之其文郁郁然，为盛世文明之治，故曰‘郁离子’”（徐一夔语）；“夫郁郁，文也；明两，离也；郁离者，文明之谓也……其意谓天下后世若用斯言，必可底文明之治耳”（吴从善语）。从字面意义上考察，我们可以这样解读：“郁”为郁结、忧愤，不通其道，郁郁不得志；“离”即分离、决裂，意味着刘基与元朝脱离君臣关系，誓与腐朽的元王朝进行彻底决裂；“子”乃是古代学者名家的美誉、尊称。所以刘基以“郁离子”自号，道出了自己是一个命运多舛，效忠无门，报国无力，忧世不治，遂愤而弃官与元王朝彻底决裂的智能之士，是元王朝的“叛逆”者，文明之治的呼号者。不幸的是，他苦心孤诣辅佐朱元璋埋葬了黑暗腐朽的元王朝、开创了明王朝后，却发现自己在新政权中又陷入了宫廷阴谋和权力倾轧中，这种无奈的历史轮回，成了耿直廉节的刘基终身的困惑。（张宏敏撰）

智言慧思

金玉其外，败絮其中。

——（明）刘基《卖柑者言》

阅读链接：

（明）刘基著，林家骊点校：《刘基集》，浙江古籍出版社，1999 年版。

吕立汉：《刘基传》，浙江人民出版社，2005 年版。

张宏敏：《刘基思想研究》，浙江人民出版社，2011 年版。

王阳明：如何是知，如何是行

王阳明像

作为明代伟大的思想家，“知行合一”是王阳明最重要的原创思想。王阳明说：“知者行之始，行者知之成：圣学只一个工夫，知行不可分作两事。”（《传习录》上）这段话容易引发两个问题：既然说知是行之始，可见知与行是两事，为什么又说“知行合一”呢？所谓“知行合一”，不就是推论“知即是行，行即是知”吗？在王阳明生前讲学时，已有很多弟子就这个观点向他提出疑问。

譬如，弟子徐爱质疑：很多人满口仁义道德，却一肚子男盗女娼，说一套，做一套，这是否说明知与行是可能发生背离的？王阳明的回答是：如果只说而做不到，就不是“真知”，而是虚假的“知”。什么是“真知”呢？王阳明举了两个例子：“如

好好色”，“如恶恶臭”，人的天性就喜爱美色，讨厌恶臭，当人见到美色时，就是知，引起心中喜爱的感情时，就是“行”；恶臭的问题也是如此，闻到臭气，心中自然厌恶。假如一个人鼻子塞住了，即使眼睛目击恶臭之物，但因为闻不到臭气，也不会引起心中讨厌的感情。鼻子的嗅觉是人类天然固有的功能，就好比人的至善良知是与生俱来的一样。在现实生活中，太多人的良知已经被遮蔽，不能分辨善恶、美丑，就如同他们的鼻子被塞住了闻不到臭气一样，即使四书五经背得滚瓜烂熟，文章写得义正词严，却仍不免是个“鼻塞”的人。所以说，真知与真行是合一的，只有假知与假行才可能背离。获得真知，就要在致良知上下“紧切着实的工夫”。

对“知行合一”还流行着这样一种不解：如果说知即是行，行即是知，知、行并行无先后，那么可能违反很多常识。譬如，必须先懂得饭可充饥，然后才有吃饭果腹的行，若知即是行，则懂得“饭可充饥”这一道理即可，无须吃饭。实际上，想吃饭与吃到饭是不能互相代替的。同样的，知道路线和道路状况是知，出门上路则是行，然而不能因为对道路状况和路线十分了解而等同于旅行，这说明知与行仍然是两事。王阳明的回答是：

> 夫人必有欲食之心，然后知食，欲食之心即是意，即是行之始矣：食味之美恶必待入口而后知，岂有不待入口而已先知食味之美恶者邪？必有欲行之心，然后知路，欲行之心即是意、即是行之始矣：路岐之险夷，必待身亲履历而后知，岂有不待身亲履历而已先知路岐之险夷者邪？（《传习录》中《答顾东桥书》）

王阳明说，从想吃饭那一刻起，“行”就已经开始了（“行之始”），因此说行即是知；关于食物是否可吃的知识，必须是亲口尝一下才能验证，因此说知即是行。关于行路的例子也是如此。路途是否平坦，一定要亲自走过才知道，没有人是在走过这段路以前就知道路况的。由此可见，王阳明用实践来定义“知”，认为没有经过实践的“知”是虚伪的“知”，没有正确的“知”作为指导的“行”是盲目的“行”。王

阳明曾经举春秋时代的五霸为例。按照儒家伦理，“尊王攘夷”本来是十分漂亮的事，但是春秋五霸完全出于提高自身政治影响的私心来做这件事情，因此虽然外表做到了驱逐夷狄，却已经远离王道而流入霸道；而那些赞赏五霸的人，其本心未纯，缺乏明辨是非的能力（《传习录》下）。

王阳明倡导“知行合一”的目的，是要纠正一种普遍存在的误区：当恶的念头萌生时，一般人以为没有付诸行动，错误程度较行动就轻一些，因此往往忽视之。王阳明说：“正要人晓得一念发动处，便即是行了。发动处有不善，就将这不善的念克倒了，须要彻根彻底，不使那一念不善潜伏在胸中。此是我立言宗旨。”（《传习录》下）只有把任何一个下意识的恶念都当作行动加以重视，将其克倒，致良知的工夫才能有所进步。这是第一个层次的“知行合一”。

但是，自我反省（包括所谓“涵养”“察识”“点检”），终究是个体的主观经验，怎样才能确认自己的修养是朝着正确方向推进的呢？王阳明指出，必须把这些自我反省的成果放在实践中加以检验，就是所谓的“事上磨炼”。有弟子表示，我按照书本的要求静坐用功，觉得自己的心能够收敛，私心杂念一一退去，可是一结束静坐，回到现实生活中，碰到人事应酬，原来的收敛功夫又断了。忙完杂事再继续静坐，心就很难安静下来，这是怎么回事？王阳明的回答是：“人须在事上磨炼做功夫乃有益，若只好静，遇事便乱，终无长进。那静时功夫亦差似收敛，而实放溺也。”（《传习录》下）王阳明还批评弟子

刘君亮喜欢山中静坐："汝若以厌外物之心去求之静，是反养成一个骄惰之气了；汝若不厌外物，复于静处涵养，却好。"（《传习录》下）他提醒弟子，靠孤立静坐获得的心静境界是不可靠的，本心的安静、不散乱，必须在应对具体的事事物物中不断磨炼、经受考验，才能做到"静亦定，动亦定"——不管外部世界如何变幻莫测，我的心始终是安静的、清明的，就能作出正确的价值判断，认识事物的本质。

也许可以这样理解，个体状态下的"致良知"是"知"，在生活世界中与事事物物发生关系是"行"，随着事物复杂关系的展开，体验情绪的冲击、思维的跳跃，在一种攘扰不安的状态下检验"致良知"的进展与效果，这种经过检验的"知"才是真"良知"。如此，"致良知"才与实践发生互动。这是第二个层次的"知行合一"。

王阳明相信，人心是具有一切真理的源泉，"致良知"是对自身所具有的真理的源泉进行自我发现，然后以真理"照亮"整个世界，使整个世界实现儒家理想的秩序。因此，就王阳明本人的体认而言，他绝不担心对自身良知的反思是毫无实用、自绝于外物的，人一旦"致其本然之良知"，则绝不担心"无致用之实"，"治家、国、天下"亦是题中应有之义。总之，由"磨镜"而"照物"，用"致良知"来改造世界，给世界带来和谐的秩序。这是第三层次的"知行合一"，也是最高层次的"知行合一"。

但是在王阳明去世前，他的主要精力仍放在"知行合一"的第一个层次，即"知是行之始"上；对第二个层次强调"事上磨炼"的力度已经稍逊；至于第三个层次，即如何把"致良知"与"齐家、治国、平天下"对接起来，则并未展开，而只是大致地指明了这样一个终极目标。

阅读链接：

（明）王阳明：《王阳明全集》，上海古籍出版社，1992 年版。

杨国荣：《杨国荣讲王阳明》，北京大学出版社，2005 年版。

阳明学派：一个良知，各自表述

阳明学派，又名姚江学派，因其创始人为明代大儒王守仁，世称阳明先生，故称该派为阳明学派。王阳明去世后，他的一些主要弟子继承其讲学传统，在全国各地纷纷创建书院，举办各种讲习会，四处讲学，传播王学，积极宣传他的思想学说，形成了阳明学派。阳明学派的兴起与明中叶后的思想学术环境有很大的关系。随着程朱理学日益失去活力，王阳明的学术思想逐步左右思想界，风靡一时。特别是其提倡返求诸心，自我做主，不受教条束缚的思想主张，具有简易明白、通俗易懂的特点，更便于推行和传播，所以也深得统治阶级和普通民众的青睐。

阳明学派继承了王阳明的学术主张，提倡“心即理”“知行合一”“致良知”学说。“心即理”就是认为心乃是万事万物的根本，事物之理取决于吾心之理。“知行合一”与“致良知”等学说是王守仁继承陆象山之学并加以发展的，但因其弟子对其“致良知”的理解不同而分成若干支派。黄宗羲在《明儒学案》一书中，曾以师承的地域为界限，将阳明学派粗略地分为浙中王学、江右王学、南中王学、楚中王学、北方王学、粤闽王学、

泰州王学等七派，其中以王畿、钱德洪、邹守益、王艮为代表的浙中王学、江右王学和与王学有着密切联系的泰州学派最为著名。值得指出的是，作为明朝中晚期思想学术领域的一个著名流派，阳明学派后传至日本、韩国，对整个东亚都有较大影响。

以下简单介绍一下阳明学派的三个主要支派：浙中王学、江右王学、泰州王学。

一、浙中王学

浙中王学是指与王阳明同郡（宁波和绍兴）的王学传人。其主要代表人物是王阳明的两个著名大弟子王畿和钱德洪。王、钱二人都曾放弃过科举考试，专心就学王阳明，并成为王阳明学说的主要诠释者。浙中王学又分化成以王畿为代表的“良知现成”派和以钱德洪为代表的“事上磨炼”派。

“良知现成”派由王畿开其端，后来的周汝登、管志道、陶望龄等人都是这派的主要人物。“良知现成”派主张良知是先天性的、决定性的，学问要在良知上立定根本，要对良知有信心。针对王阳明的“四句教”，王畿进一步主张“四无之说”，他认为：“心意知物，只是一事，若悟得心是无善无恶之心，意即无善无恶之意，知即是无善无恶之知，物即是无善无恶之物。”（《王龙溪全集》卷一）意、知、物都是后天的，被决定的，要回复到良知。所以他说：“良知当下现成，不加工夫修证而后得。致良知原为未悟者设，信得良知过时，独往独来，如珠之走盘，不待拘管，而自不过其则也。以笃信谨守，一切矜名饰行之事皆是犯手做作。”（《明儒学案》卷十二《浙中王门学案二·郎中王龙溪先生畿》）王畿等人的主张重视现成良知，比较轻视后天的学习与经验，也使王阳明的良知说进一步流向禅学。

“事上磨炼”这一派的代表除钱德洪、张元忭外，持有相同观点的还有江右王学的欧阳德、陈九川等人。“事上磨炼”这一派以收敛为主，注重于事物上实心磨炼，主张在诚意之中求正心之功，其学宗旨与王畿从心体上顿悟明显不同。钱德洪

在《复王龙溪》的信中提出 :“吾党于学未免落空，初若未以为然，细自磨勘，始知自惧。日来论本体处说得十分清脱，及征之行事，疏略处甚多，此便是学问在空处。”张元忭也说“学问以必有事为主”，“当今所急，在务实不在炫名，在躬行不在议论”(《张阳和文选》卷一)。

二、江右王学

江右王学是指明代江西地区的王学传人。王阳明的思想影响除了在他的家乡形成势力巨大的浙中学派外，还在他长期做官讲学的江右（即江西地区）形成了颇有势力的江右学派，主要代表人物有邹守益、聂豹、罗洪先等。江右学派因坚持王学“致良知”的正统观念，往往被视为王学正宗，诚如黄宗羲所指出的，“姚江之学，惟江右为得其正传”。

邹守益之学以主敬为根本特色。所谓修己以敬，就是戒慎恐惧，常精常明，不为物欲所障蔽。王阳明所谓“戒慎恐惧，是致良知的工夫”，邹守益将之阐述为“戒惧”说，主张以独知为良知，以戒惧慎独为致良知的主要修养方法，并尽力身体力行。他提出 :“敬也者，良知之精明而不杂以尘俗也。戒慎恐惧，常精常明，则出门如宾，承事如祭。故道千乘之国，直以敬事为纲领。”(《邹东廓先生文集》卷七《答徐子融》)慎独、戒惧既是本体，又是功夫，他希望通过“主敬克己”的功夫，达到良知本体的主宰作用。聂豹原本并不是王阳明的弟子，后专门研究了王阳明的学说才开始信服，在阳明死

后始称阳明之弟子。聂豹之学以主“归寂”为根本特色，认为“归寂”是致良知的不二法门。据《明儒学案》卷十七：“先生之学，狱中闲久静极，忽见此心真体光明莹彻，万物皆备。乃喜曰，此未发之中也，守是不失，天下之理皆从此出矣。”罗洪先非常赞成聂豹的“归寂”说，他也认为，良知乃是“至善之谓”，其本体“寂然不动”，主张以“主静”为“致良知”的功夫。

三、泰州王学

阳明后学除了上述浙中学派、江右学派的几个代表人物外，真正在当时社会上产生极大影响的，还要数泰州学派。泰州学派的最大特点就是面向樵夫、陶匠、农夫等社会下层人物，发挥百姓日用之学。泰州学派由王阳明的弟子王艮创立。王守仁巡抚江西期间，宣扬“良知之学”，聚徒众多，王艮也拜他为师。王艮作为一名布衣，在学术上能够超过王门弟子中的官僚士大夫，重要的原因之一是他保持了平民的性格和特色，他的传道讲学没有囿于知识分子的小范围中，而是主要面向下层民众说法，始终没有割断与下层群众的联系。

泰州学派反对繁琐的修养功夫，反对笃信和谨守礼教，肯定人的情欲的合理性。王艮提出的“百姓日用即道”是其思想的闪光点和泰州学派思想的主旨。王艮认为，由于理存在于心中，因此“人人可以成尧舜”，即使不是读书人，也可以成为圣人。他主张“愚夫愚妇与知能行”，便是“圣人之道”，吃饭穿衣便是“圣人经世”。他主张要悟得心本体，一明本心，即可成为圣人。所谓“即此不失，便是庄敬，即此常存，便是持养，真不须防检”（《王心斋先生全集》卷三《语录》）。

王艮家学由其子王襞承传，其弟子及再传弟子有徐樾、韩贞、颜钧、赵贞吉、罗汝芳、何心隐等。在众多的及门及三传、四传弟子中，像李贽、颜钧、何心隐等人均具有极强的叛逆性格和异端思想，因此他们的学术传承系统虽仍属于王学一系，

但其思想特色具有似儒、似道、似禅，亦儒、亦道、亦禅的复杂特征，实际上是晚明特殊社会背景下一股强劲的异端思潮。（沈小勇撰）

智言慧思

破山中贼易，破心中贼难。

——（明）王阳明《与杨仕德薛尚谦书》

未有知而不行者，知而不行，只是未知。

——（明）王阳明《传习录》上

阅读链接：

杨国荣：《王学通论》，华东师范大学出版社，2009年版。

钱明：《王阳明及其学派论考》，人民出版社，2009年版。

吴震：《泰州学派研究》，中国人民大学出版社，2009年版。

刘宗周：改过方能成人

刘宗周像

崇祯十五年（1642）闰十一月己未日，明王朝在后金和农民起义的夹击下摇摇欲坠，崇祯皇帝每日为如何挽回败局而伤透脑筋。这一天，御史杨若侨向皇帝推荐传教士汤若望可以改良火器，提升明军的战斗力，崇祯皇帝听了颇为心动。时任左都御史的刘宗周却说："火器这个东西，我可以用，敌人也可以用，获得战争胜利的根本不在于火器。最近，河间府不是刚刚被火器攻破吗？不恃人而恃器，国威所以愈顿也。"崇祯听了不悦，反问他："目下烽火（指后金军）如何堵截？国事败坏，作何整顿？"刘宗周说："军事失败是因为督抚、将帅的操守不谨，心术不正。今后选拔文武重臣，一定要以德为先，极其廉洁，不能以才能为先。"崇祯无奈地说："现在这样的非常时期，也只好以才能为先，道德操守只能放在第二位了。"刘宗周不依不饶地说："这也是此前毫不讲求操守，现在积重难返之故，局势越困难，操守越重要。范志完操守不谨，纵兵肆掠，临阵解体，一败涂地，陛下难道忘了吗？"崇祯听了，默默无语。几天后，刘宗周被罢离京。两年后，李自成破北京，崇祯自缢。刘宗周跟崇祯的争论也就成了一个悬案。

乍一看，刘宗周似乎迂腐得可笑，因为红衣大炮在明末与后金的战争中发挥了不容忽视的作用，熹宗天启六年（1626）的宁远大捷就是充分发挥了火器的威力，取得了明军屈指可数的一次胜利。可是，明军总体上的颓势没有得到根本扭转，相反，由于后金大量俘虏了能制造使用火器的工匠、士兵，火器已经非明军的专利。因此，刘宗周提出战争的关键在于掌握武器的人才，而不在于武器本身，是符合战争的基本规律的，只是在危如累卵的崇祯十五年（1642），刘宗周过分强调操守而排斥火器，显得有点不合时宜罢了。不过，如果进一步了解他的思想观点，那么就很容易理解他为何会有如此“迂腐”的主张。对刘宗周来说，道德操守是他一生学术研究的重点。

刘宗周的哲学思想以独具特色的“慎独”“诚意”为主旨，围绕着《人谱》所描绘的工夫路线展开，力图通过这一套本体工夫论，一方面消除程朱学的支离，另一方面抑制阳明后学放弃道德规范的肆行无忌，集朱、王两家之大成，又防止两家的弊端。《人谱》这一名字是为了强调，世间之人并不明白人的宇宙本质是什么，不明白人为什么不同于禽兽，不明白这些，人只是动物性的，缺乏道德性，因此人还不足以成人，只是空具躯壳。《人谱》就是一部指导人如何恢复自己的本心，成为真正的人的图谱。其中最有价值的部分是关于如何改过的方法。

根据儒家素来的主张，人一降生天地间，其本心来自宇宙本体（太虚），是纯洁善良的，人如果始终根据本心行事，根本不会犯错误。那么，为什么人在后天成长过程中会染上诸多

毛病、犯下诸多过错呢？刘宗周说，人的行为由人的主观意念决定，而在人萌发意念之前，有一个更加根本的过错根源，就是“妄”。这个“妄”并不是日常语言所说的狂妄、荒谬，而是善良的本心比较微弱的状态，人自身对此无法觉察，行为思虑都没有相应的表现，因此最为隐蔽，最难克制。刘宗周说：“妄字最难解，直是无病痛可指，如人元气偶虚耳，然百邪从此易入，人犯此者，便一生受亏，无药可疗。”善良本心处于比较微弱的状态时，就好比人体元气偶然虚弱，本身并没有什么症状，但外界的邪气、病毒就此侵入人体，才导致病痛。刘宗周认为，“妄”是一切过错的本源，因此改过的最终目的是祛除心中的“妄”。由于“妄”的存在，人就容易受到后天各种恶的污染，从而犯下过错。刘宗周把种种过错分为六大类：(1)微过，就是“妄”的状态；(2)隐过，人的“七情”(情绪感情)的过错；(3)显过，人的“九容”(表情容貌)方面的过错；(4)大过，“五伦”(君臣、父子、夫妻、兄弟、朋友)的过错；(5)丛过，百行(各种日常行为、举止礼仪)的过错，包括无故拔一草、折一木，抱怨天气，夏天怕热打赤膊，假道学等等；(6)成过，以上五种过错，还是主观层面的认识错误，这些错误认识落实为行为，就是“恶”。和王阳明知行合一说一样，刘宗周也认为，过错会落实为行为，过错的根源首先在于主观的认识，主观认识是“过”，客观行为是“恶”。

那么，犯了过错怎么改正呢？刘宗周提出了一套“讼过法”，即把自己独自关在房间内自我反省。如果是隐过、成过，自我禁闭两个时辰；显过、成过，自我禁闭三个时辰；大过、成过，自我禁闭一天；丛过、成过，则视行为的恶劣程度，轻者禁闭两三个时辰，重者整日禁闭。自我禁闭并不是关起门来睡觉或发呆，而是要实行一套自我反省的办法(自讼)。刘宗周的说法是：

一炷香，一盂水，放置在干净的几案上，案前放一个蒲团座子。清晨时分，反省者打一躬，然后盘腿在蒲团上就坐，屏息正容，严肃整齐，好像上天神灵正在

阅读链接：

东方朔：《刘宗周评传》，南京大学出版社，1998 年版。

陈永革：《儒学名臣：刘宗周传》，浙江人民出版社，2005 年版。

监视自己一样，脑中一一呈现自己所犯的错误（念头和行为），然后责问自己："你看上去俨然是一个人，一朝失足，所起的念头如禽兽一般，种种堕落，令人叹息！"自我回应："真的是这样啊。"于是，心中震动，额头冒出细细的汗星，两颊发红，好像受到法官审问一样，羞愧之余，跃然而奋曰："都是我犯下的罪过啊！"进一步责问自己曰："你这是真心实意认错吗？"自我回应道："绝不自欺！"反省到了这一步，心头应能感到一线清明之气徐徐而来，若向太虚（宇宙本体）飘去，此心便与太虚同体。从此知道，一切的错误都是因为"妄"而起，而"妄"是虚假的，不是我的心灵的本来面目。一旦我的善良本心剥落了污垢，完全呈露，即澄明无瑕。这还不算，要继续小心翼翼地保持这种本心澄明的状态，因为"妄"和恶念随时会来侵袭污染，但因为我心始终澄明通透，这些侵袭污染就如同尘埃一样轻轻落下，很容易被察觉，立刻就被吹落。这样反复多次，不要顾虑时间长短，效果如何，直到通体轻松，心情愉悦，就可以起身结束讼过了。

刘宗周的"讼过法"主要是针对人的思虑念头进行的，也就是说，不要等到思虑转化为行动才去改正，而要把错误的念头扼杀在萌芽状态，通过吹落妄念、恶念，始终保持心灵的澄明。对现代人来说，刘宗周这种讼过法实际上是一种"心灵的操练"，有助于形成正确的价值判断力和认知能力，其中颇有可借鉴之处。

蕺山学派：大辩论带来的大分化

“蕺山学派”是晚明大儒刘宗周所创立的学派，因海内称刘宗周为“蕺山刘子”，故名。蕺山最盛时“执贽弟子者，海内不下千人”，是明末清初最具影响力的儒家学派。其影响主要在浙江一带，以绍兴、宁波两地为核心。这个学派形成之时，已经是明清易代之际，故国沦亡的悲痛，使得这个学派的代表人物对明代思想主流（主要指阳明学）具有强烈的批判性。

刘宗周的弟子张履祥（1611—1674）就对阳明学提出了严厉的批评，认为其完全是“戎狄之道”，对明代国势的衰微负有很大的责任。张履祥的批判并非空穴来风，王阳明的后学中确实出现了一些奇奇怪怪的现象：有的把“致良知”当作是禅宗的参禅，与佛门打成一片，鼓吹调和儒释两家；有的认为“良知”就是自己的本心，因此只要跟着感觉走就对了，放弃了一切基本的道德伦理，放诞不羁，游戏人间；还有些人虽然谨守道德规范，却只拘泥于个人的身心功夫，对人情物理、天下大事懵然无知，面临晚明的一系列政治、经济、文化、社会、军事危机却束手无策，成为彻头彻尾的道学迂夫子。

基于对心学的这种认识，张履祥将所有有心学倾向的观点都掀翻在地，对以心学为体系的师学的信仰也发生了动摇。蕺山学派极富心学意味的主旨“诚意”之“意”已被张履祥剔除。他在《书某友心意十问后》中说：“窃谓‘诚意’二字，‘意’字不必讲，只当讲‘诚’字。在学者分上，还只当讲求所以诚之之方，而实从事焉。”“诚”

在宋代理学中，是指主体和客体融为一体的过程，故“诚”是有对象的，客观世界的万事万物就是其对象之一。但刘宗周晚年却号召“诚意”，把“诚”的对象简化、抽象为个体心灵的“意”，这样整天都在反省、点检自己的思维活动、情绪变化，而失去了对外部世界的敏感性。所以张履祥认为，“意”先不必去说了，当务之急是明确儒者如何以“诚”面对外部世界，这叫“讲求所以诚之之方，而实从事焉”。

张履祥自然知道“诚意”是刘宗周晚年的宗旨，他在这里其实是借着自我批评来批评刘宗周的“姚江习气”。

对于蕺山学派的“慎独”思想，张履祥也将其恢复为朱熹的观点，并将朱熹的观点说成是刘宗周的本意。他在《备忘二》中谈及了他对刘宗周“慎独”思想的理解：“世人虚伪，正如鬼蜮。先生立教，所以只提‘慎独’二字。闻其说者，莫不将‘独’字深求，渐渐说入玄微。窃谓‘独’字解，即朱子‘人所不知，而己独知之处’一语已尽，不必更著如许矜张。吾人日用工夫，只当实做‘慎’之一字。”其实，将“独”字深求的正是刘宗周。

由此可见，张履祥其实是在借着维护刘宗周之名将刘宗周的宗旨完全抛弃，回归到朱子学，并认为这才应该是蕺山之学。张履祥的这种转变和清初朱子学的复兴也有一定关系。

陈确（1604—1677），明亡前夕拜刘宗周为师。他一生中最有影响的著作应属《大学辨》。在这部著作中，陈确大胆地表达了自己对《大学》的否定。这种否定将刘宗周对《大学》的怀疑又向前推进了一步。陈确在《大学辨》中批评了刘宗周

的“主敬之外，别无穷理”一说，认为如果只是“主敬”，那么只是片面地聚焦于个体自我的心灵，再强调“别无穷理”，就更加不需要学习客观的知识了。进而，陈确还发现刘宗周用自己的学说解说《大学》是“断断不合”的，愈说愈乱，难以理顺。因为《大学》里提出了“自诚明”“自明诚”两种功夫路数。而刘宗周的“慎独”“诚意”从体系上看走的是“自诚明”的路子，就是在学习客观知识之前，先诚意，然后达到对真理的把握（“明”），但是这种路数绝非普通学者可以模仿、遵循，只有孔子那样生而知之的圣人才能在学习客观知识之前就达到“诚意”。对于大多数学者来说，只能根据《大学》指导的“自明诚”来进德修业，即先是普遍地、广泛地学习道德知识和人情物理，然后通过一个渐进的过程达到豁然贯通，与万事万物融为一体的境界。陈确认为在根脚未定的初学者当中，片面地强调“诚意”“主敬”“自诚明”是非常危险的，只会助长空谈不学的风气。

在刘宗周诸弟子中，黄宗羲是对师学维护最多的，在蕺山学派的一度复兴中起了决定性的作用。关于他的成就，本书将专文介绍，这里只提出一点，不管黄宗羲怎样自诩维护刘宗周，他的整个学术规模绝对是向外扩张、面向客观世界的，迥然不同于专主内省的刘宗周思想。也就是说，黄宗羲是以学术实践修正了刘宗周思想的某些偏差。

由于刘宗周的弟子在学术观点上分歧很大，导致学派分裂。张履祥和陈确在《大学辨》的问题上发生激烈争执，导致二人失和。相对而言，只有学术进路和陈确比较相近的黄宗羲对陈确比较宽容。他在为陈确写的第一篇墓志铭中称那些反对陈确的人为“小儒”，说他们“入耳出口”“嚣然为彼此之是非”，不过也认为陈确“未免信心太过”。而张履祥和黄宗羲二人似乎从不交往，而且彼此怀有敌意，曾与黄宗羲绝交的吕留良便是张履祥的密友。张履祥曾评价黄宗羲“此名士，非儒者也”。后来私淑黄宗羲的全祖望更是在《子刘子祠堂配享碑》中排除张履祥，除了学术上

阅读链接：

何俊、尹晓宁：《刘宗周与蕺山学派》，中国人民大学出版社，2009年版。

的原因外，应该还有门户之见。

康熙六年（1667），因分裂而衰落的蕺山学派又一度复兴。黄宗羲、董玚、张应鳌等蕺山学派学者在绍兴蕺山学派的诞生地古小学举办“证人讲会”，恢复了虚席已久的证人书院，证人书院的主持人是年纪最长的张应鳌。张应鳌所主持的证人书院严守师说，学风古板，这个风气可能不为黄宗羲所认同。次年，黄宗羲又创立了甬上证人书院。这个书院与绍兴的风格显著不同，黄宗羲在这里除了宣传蕺山的心性之学外，还大开新学风，提倡经世之学，思想非常活跃。书院的成立，在组织和人员上进一步加强了蕺山学派的势力。恽日初的《刘子节要》、黄宗羲的《蕺山学案》、董玚重订的《刘子全书》等的陆续出版，使蕺山学派的宗旨复明，并且学派有了新的领袖——黄宗羲。在黄宗羲的甬上证人书院聚集了大批后来很有名望的学者，比如万氏三兄弟、郑梁、邵廷寀、毛奇龄等，鼎鼎大名的全祖望也是私淑黄宗羲的。总体来说，蕺山学派的兴起、分裂和转型，证明思想和时代必须同呼吸、共命运：出色的思想家必须回应时代提出的挑战，对旧有思想与新的时代中不相适应的元素应该作出批判，即便是对自己的老师、师兄弟也不能稍留情面，正是通过张履祥、陈确、黄宗羲的批判和修正，蕺山学派完成了自己的历史使命，孕育了新的学术范式——浙东经史学派。这个吐故纳新的过程，正反映了浙江文化与时俱进的动力所在。（尹晓宁撰）

黄宗羲：以“士本”实现“民本”

明末是一个充满悖论的时代。高度发达的商品经济和日益成熟的市民文化似乎预示了转型的前夜，中国像一个巨大的贸易黑洞，鲸吞着全世界的白银，传教士带来了基督教、天文学、数学、火器，传统中国与近代欧洲第一次正面相遇，习惯了被海盗袭扰的中国沿海突然樯橹林立、千帆竞发，郑芝龙、郑成功父子成为太平洋西岸的霸主……富裕、繁荣、开放，所有这些新的生机最终成为泡影，红衣大炮挡住了努尔哈赤，却挡不住皇太极入关的铁蹄；郑成功强大的海军赶走了台湾的荷兰人，却无力挽救南明小朝廷灭亡的命运。残酷的现实证明，在旧有的范式中调整改良已经穷尽了一切可能，儒家经世需要向新的高度跃进，才能回答时代提出的挑战。于是在明末清初的时候，儒家的经世活动在思想上迎来了一个高潮。

正是在这一系列反思的驱动下，中国思想史的天空中出现了一组闪烁着理性光芒的明星：顾炎武（1613—1682）、黄宗羲（1610—1695）、王夫之（1619—1692）、方以智（1611—1671）、唐甄（1630—1704）等等。以往的儒家士大夫对君主专制制度的寄生物（外戚、宦官、奸臣、胥吏）的批判已经淋漓尽致，但是对产生这些寄生物的本体——君主专制制度却没有或者不敢发起挑战。恰恰是在这一点上，明末清初的思想家群体显示了巨大的追求真理的勇气。

当然，我们不能忽视理学（程朱理学、陆王心学）为这一思潮所作的铺垫。理学兴起后，无论是程朱理学还是陆王心学都强调了“人皆可以为尧舜”“满街都是

圣人”，“天理”或者“良知”内在于任何人的心中，理学的修养工夫更是适用于任何阶级、身份的人群，无疑，这象征了中古门阀政治破产、庶民社会逐步成熟。不过，最后一层窗户纸仍然没有捅破：庶民是否具有与皇帝一样的人格？换言之，皇帝是不是“天子”？他到底是人还是神？ 、

面对这一问题，黄宗羲与顾炎武、王夫之几乎给出了一样的答案：皇帝只是一个爵位，众多官职的一种。黄宗羲从先秦儒家经典中寻找到依据，《孟子·万章下》说：“天子一位，公一位，侯一位，伯一位，子男同一位，凡五等。君一位，卿一位，大夫一位，上士一垃，中士一位，下士一位，凡六等。”黄宗羲说，从《孟子》看，天子与三公的差别只是一等，就如同公与侯、侯与伯、伯与子男的差别一样，皆为一等之差，并不是说公以上到了天子那里，就没有等级差别了：“非独至于天子遂截然无等级也。”这样一来，子男、伯、侯、公、天子五等就像五个台阶一样，可以拾级而上。而且，从秦以前的历史也可以分明看出，下一个等级可以代理上一个等级的职务，譬如子男可以代理伯的职务，伯可以代理侯，侯可以代理公，那么公可不可以代理天子呢？黄宗羲说，西周成王年幼时，伊尹和周公就是“摄政”：“以宰相而摄天子，亦不殊于大夫之摄卿，士之摄大夫耳。”天子只是一个职务，可以从下一等级晋升，也可以由下一等级的公来代理。只是到了秦汉以后，为了取媚君主，编造出了一套君为主、臣为奴的神话，使得二者之间的地位差距如同银河一样辽远：“后世君

骄臣谄，天子之位始不列于卿、大夫、士之间，而小儒遂河汉其摄位之事。”（《明夷待访录·置相》）无独有偶，顾炎武也认为，天子之所以有必要存在，是“为民而立君，故班爵之意，天子与公、侯、伯、子、男一也，而非绝世之贵；代耕而赋之禄，故班禄之意，君、卿、大夫、士与庶人在官一也，而非无事之食。是故知天子一位之义，则不敢肆于民上以自尊”（《日知录》卷七《周室班爵禄》）。也就是说，天子以至于最低级的士，都是一个等级序列之中的爵位，只不过天子是爵位中最高的一级。于是黄宗羲说：“天下不能一人而治，则设官以治之。是官者，分身之君也。”天子与大臣在本质是一样的，在人格上是平等的，天子只是一个高级官僚而已，只有让君主明白了这一点，才不会在百姓头上作威作福（“不敢肆于民上以自尊”）。这样，“君权神授”的谎言就被击破了。

儒家士大夫既然确认了自己与皇帝在人格上平等的本质，就必然要求在政治生活中取得更大的空间，争取更高的地位。顾炎武提出：“保天下者，匹夫之贱，与有责焉耳。”（《日知录》卷十三《正始》）天下不是天子一个人的天下，天下更不是皇帝的私人财产，天下是天下人的天下，因此每一个人都应该对国家负起责任来。明朝之所以灭亡，是因为民众并不认为天下与自己有什么关系，对社稷没有归属感，只靠占人口极少数的士大夫对君主的忠诚，导致皇帝很容易地就被孤立了。

黄宗羲的想法则有所不同，他更加关注如何扩大权力分享范围，让明代的生员参加到政治生活中去。因为，以是否出仕为标准，明代儒家士大夫阶层出现了“臣”与“士”的分化。“士”能不能成为“臣”，只能依赖科举，而在科举体系中又分成三等：进士、举人、贡生。生员是没有通过科举的群体，可以算是第四等。在四个等级中，官僚体系中重要的职位被进士垄断，举人占有次要的职位，而贡生只能担任被目为冗散的教职，生员则滞留在官僚体系之外的社会空间，成为一股能量巨大但漫无目的的社会力量。

处在士大夫阶层下层的生员虽对地方事务有着浓厚的兴趣，有着参政议政的巨大冲动，但是仕进无门。官学到了明末处在一个十分尴尬的窘境。首先是生员的资格可以用金钱捐纳，而生员的考取又多请托贿赂，取士不公，因此学校对生员失去吸引力，学校不再是教养人才的场所。另一方面，明太祖朱元璋于洪武十五年（1382）颁布地方学校禁例十二条，其中禁约生员轻率参与政治的条目有二：其一曰“生员事非干己之大者，毋轻讼于官”，其二曰“军国政事，生员毋出位妄言”。这些规定差不多禁绝了生员的政治参与，象征着君权对士权的钳制，对儒家的经世活动也是一个极大的障碍。

黄宗羲在《明夷待访录·学校》中针锋相对地认为，历史的经验表明，学校之士的参政议政是政治清明的希望所在，东汉、南宋都曾出现太学生参政的风潮，而当局不能因势利导、俯顺舆情，最终走向衰亡。因此要保持政治的清明，就要把学校变成生员参政议政的场所。在京师的太学中，皇帝与宰相大臣都要就学于太学，听祭酒讲学，并且虚心听取祭酒对政治的批评；在地方社会中，“郡县官政事缺失，小则纠绳，大则伐鼓号于众。……若郡县官少年无实学，妄自压老儒而上之者，则士子哗而退之”，从而达到：“天子之所是未必是，天子之所非未必非，天子亦遂不敢自为非是，而公其非是于学校。”（《明夷待访录·学校》）黄宗羲设想的“公其非是于学校”的“学校”，虽然完全不同于西方近代民主制度中的议会，但是在学校这个特定的语境中，皇帝与生员、生员与官吏平等地展开对话，讨

论政治，儒家士大夫通过这个渠道将儒家的经世主张传达给皇帝和执政大臣，这突破了以往“君尊臣卑”的鸿沟，与宋代儒家士大夫“得君行道”的方法相比，更是大大前进了一步。毫无疑问，这代表了儒家经世的新手段、新境界。

阅读链接：

（清）黄宗羲著，沈善洪主编、吴光执行主编：《黄宗羲全集》，浙江古籍出版社，2005年增订版。

吴光编：《从民本走向民主——黄宗羲民本思想国际学术研讨会论文集》，浙江古籍出版社，2006年版。

吴光：《黄宗羲传》，浙江人民出版社，2008年版。

龚自珍：但开风气不为师

170 多年前，龚自珍怀着深深的感慨，在从北京南归的途中，写下了这样一首小诗:“河汾房杜有人疑，名位千秋处士卑。一事平生无齮龁，但开风气不为师。”不久之后，这位出身儒学官宦世家的一代诗人和政论思想家就离开了人世，时年 50。龚自珍，生于 1792 年，浙江仁和（今杭州）人。这位鸦片战争前夕出现的进步思想家曾被柳亚子誉为“三百年来第一流”，他的杂文和诗词以批判现实为主张，针砭时弊，振聋发聩，在历史上产生了深远影响。

一、倡言社会“更法”

龚自珍自小受到良好的儒家经学教育，他曾从外祖父段玉裁学习文字学，拟由文字训诂入手研究经学，而后又从刘逢禄学习《春秋公羊传》，改治今文经学。龚自珍的志趣不在于考证儒家经典，他关注经世致用之学，竭力提倡对治理当时社会政治、经济有实际应用价值的学问。他所生活的晚清时代，封建社会已经十分腐朽和没落，吏治之败坏，科举之腐败，贫富之悬殊，危机之深重，使龚自珍深为痛恨，他认为只有变法革

新，才能保持长久。青年时代的龚自珍就撰写了《明良论》《乙丙之际箸议》等文，对封建专制的积弊进行了深刻揭露和猛烈抨击。

对封建君主专制进行批判是龚自珍思想的最大特色。他以史论形式，引古射今，抨击封建专制格局下只会养成一班碌碌无为、苟且偷生的庸碌官僚。他批判封建现实，竭力痛斥种种腐败现象，淋漓尽致地指出了封建官僚政治的腐败。龚自珍倡言社会的“改革”与“更法”，他借用《春秋公羊传》的思想，提出每个朝代都可以分为“治世”“衰世”和“乱世”三个阶段。他看到清王朝的现实统治为“衰世”，为“日之将夕,悲风骤至”。他指出,摆在清王朝面前的唯一出路就是“更法”。他说：“自古及今，法无不改，势无不积，事例无不变迁，风气无不移易。”(《上大学士书》)随着社会的发展，统治者的制度与方法都要进行改变。他的思想为后来康有为等人倡导公羊之学以变法图强开了先声。

龚自珍一生追求“更法”，他还提出了许多更法和改革的主张。他认为，社会动乱的根源主要在于贫富不相齐，为此，他专门提出了“平均论”，认为只有改变贫富不均的现象，国家才能避免灭亡的危险。他的“平均论”特别强调在社会财产分配上要变贫富“大不相齐”为“小不相齐”。他同时看到了科举制度的弊病，主张改革科举制，要重视人才。龚自珍认为，社会法制的变革，风气的移易，其“所恃者，人才必不绝于世而已”(《上大学士书》)。他指出，由于统治者不重视人才，甚至摧残人才,才使得人才不聚于“京师”而聚于“山林”,所以他主张废除“资格”论，改变君臣关系，要多方罗致“通经致用”的人才。他大声疾呼：“我劝天公重抖擞，不拘一格降人才！”

龚自珍一方面以“进化”的历史观倡言社会变革,另一方面又以自我的“心力”论寻求变革现实的力量,以此超越自我和实际社会。龚自珍在哲学上主张“心力”论，这种“心力”突出强调了个人的主体能动性,他说:“众人之宰,非道非极,自名曰我。”

龚自珍塑像

(《壬癸之际胎观第一》)主宰人内心自我的不是“天道”，也不是“太极”，这种力量乃是主体的“心力”。他强调说：“天地人所造，众人自造，非圣人所造。”又说：“我光造日月，我力造山川，我变造毛羽肖翘，我理造文字言语，我气造天地，我天地又造人。”(《壬癸之际胎观第一》)在他看来，天地、日月、山川实际上完全可以看成是“心”的精神活动或力量所为。

龚自珍之所以提出“心力”论，这与他受佛教哲学的影响不可分。中年以后，随着仕途失意，龚自珍感慨日深，他的自我思想经常陷入矛盾、烦恼和痛苦之中。他相信佛教，自称是佛教天台宗的“弟子”。他寄幻想于佛教，甚至想“发大心”，以求超世间的解脱。不过，尽管他的思想有夸大自我与过于幻想的成分，但是不可否认，正是这种“心力”，才能赋予主体以变革现实的力量，给人一种突破自我、个性解放的理想冲力。

二、开时代风气之先

龚自珍是清道光九年(1829)进士，授内阁中书，官礼部

主事，但他自称“不得志于今之宦海”，有“蹉跎一生”之慨叹。在京中，除了魏源等常州学派的师友外，龚自珍也结识了不少忧国忧民的有识之士，如姚莹、汤鹏、包世臣等。道光十八年（1838），湖广总督林则徐受命为钦差大臣到广东禁烟，龚自珍竭力支持，并作《送钦差大臣侯官林公序》，向林则徐建议严惩烟贩，积极备战。

由于龚自珍屡屡揭露时弊，触动时忌，因而不断遭到权贵的排挤和打击。百感交集的龚自珍曾经写下了许多激扬、深情的忧国忧民诗文。他希望清王朝能够正视社会的危机，不无痛心地指出，“奈之何不思更法”(《明良论四》)？他多次指出“更法”与“改革”乃是势之必然。正是这位不可多得的立志改革的思想家，以大无畏的勇气，针砭时弊，批判社会黑暗，开时代风气之先，呼吁更法改革，震动了神州士人。

龚自珍的种种“更法”主张，在当时的晚清社会的确开风气之先，诚如他所言，“但开风气不为师”，这恰恰体现了龚自珍所彰显的近代人文主义精神。

这种人文主义精神，与“心力”论相联，主张主体的个性自由与解放，为此，龚自珍还专门提出了“尊心”“尊情”等主张，认为人应有主张有个性，敢抒己见，力排众议。这些主张都体现了龚自珍“开风气之先”的人文主义思想，而这些思想典型地反映了龚自珍等一批进步知识群体对于传统“三纲五常”的批判和超越。“心无力者，谓之庸人。”(《壬癸之际胎观第四》）龚自珍深信个体“心力”的无限作用。正如后来谭嗣同对于“心力”的重视一样，两者都凸显了主体的能动性，都强调了“心力”中所蕴藏的巨大力量，试图通过“心力”的力量挽救近代中国的危亡命运。在谭嗣同那里，则干脆将“心力”等同于佛教唯识宗的阿赖耶识。

“晚清思想之解放，自珍确与有功焉。”这是梁启超在《清代学术概论》中对龚自珍的评价，他多次提及自己年轻时候读龚自珍的书籍确有一种“若受电然”的感觉。正如梁启超所言，“光绪间所谓新学家者，大率人人皆经过崇拜龚氏之一时期”，可见龚自珍的“更法”思想以及他的“心力”论确乎对 19 世纪后期兴起的近代变

法维新运动起到了积极的促进作用。龚自珍慷慨论天下事的这种“开风气”之举，以其闪烁的近代启蒙之思想火花，深深影响了康有为、梁启超、谭嗣同、黄遵宪、苏曼殊、柳亚子、鲁迅等一大批近现代先进知识分子。

这位“开风气”的清代晚期思想家、政论家和今文经学家，在48岁的时候愤然辞官南下，不久就暴卒于江苏丹阳云阳书院。《清史稿》这样记载龚自珍：“其文字骜桀，出入诸子百家，自成学派，所至必惊众。”龚自珍正是这样一位讥讽时政，通经致用，忧国忧民，立志改革的近代启蒙思想家，他能站在时代的前沿，以极大的爱国热忱，开创了关心国家政事、议论政事的新风气。他留给后人的影响绝不仅仅是自成一家的文章、诗词，更重要的是他带给后人的启迪和思想上的震撼。（沈小勇撰）

阅读链接：

（清）龚自珍：《龚自珍全集》，上海古籍出版社，1999年版。

陈铭：《剑气箫心：龚自珍传》，浙江人民出版社，2005年版。

陈铭：《龚自珍评传》，南京大学出版社，2007年版。

章太炎：有学问的革命家

梁启超在《清代学术概论》中曾经称他为清学正统派的“殿军”，周恩来总理曾评价他“学问与革命业绩赫然”。他就是中国近代著名学者、思想家、革命家章炳麟，浙江余杭人，生于因仰慕顾炎武的为人行事而改名为绛，别号太炎，世人常称之为“太炎先生”。章太炎也是鲁迅先生的老师，鲁迅笔下的章太炎先生，首先是一个革命者，其次才是一个大学问家。鲁迅在《关于太炎先生二三事》中曾经这样评价他：“考其生平，以大勋章作扇坠，临总统府之门，大诟袁世凯的包藏祸心者，并世无第二人；七被追捕，三入牢狱，而革命之志，终不屈挠者，并世亦无第二人：这才是先哲的精神，后生的楷范。”

一、从“改良”转而“革命”

章太炎从小受到良好的儒家经典教育。清光绪十六年（1890），章太炎到杭州诂经精舍，师从经学家俞樾。在精舍学习期间，他对经学、小学、历代典章制度均有研习涉猎，成为古文经学派又一传人。中日甲午海战之后，为深重的民族危机所惊醒，章太炎走出书斋，投身维新变法运动，并进入上海时务报馆担任撰述。章在《时务报》发表了大量政论文章，支持康、梁改良变法。他大声疾呼，中国要“修内政”，要“生其霸心，发愤图自强”。他主张兴办学校、学会，“以教卫民，以民卫国”。

戊戌政变之后，章太炎遭到通缉。在逃亡日本期间，他结识孙中山，激发起“排

阅读链接：

（清末民初）章太炎著，朱维铮、姜义华注：《章太炎选集》（注释本），上海人民出版社，1981 年版。

（清末民初）章太炎著，徐复注：《訄书详注》，上海古籍出版社，2000 年版。

姜义华：《章炳麟评传》，南京大学出版社，2002 年版。

清”思想。辗转回国后，章太炎修订了自己的理论著作《訄书》，反思和清算自己早年的改良主义思想，这表明他的民主革命思想已经开始形成。义和团运动之后，他不能忍受清政府的腐朽无能，遂与改良派彻底决裂。在一次集会上，他反对“一面排满，一面勤王”，指斥这是“首鼠两端，自失名义”，当场“割辫与绝”，脱下国服，换上西装，表示与清朝的彻底决裂，后来写《解辫发》一文以明志。从此，章太炎走上反清革命道路。

光绪二十九年（1903），章太炎发表了著名的《驳康有为论革命书》，批判康有为的保皇谬论。文章旁征博引，笔锋犀利，其排清情绪异常激烈。他又为邹容的《革命军》一书作序，赞扬该书为“义师先声”。后清政府制造了“苏报案”，章太炎被捕入狱。光绪三十年（1906），章太炎出狱，东渡日本，

章太炎纪念馆

参加了孙中山领导的同盟会，协助孙中山、黄兴制订《革命方略》，并主编《民报》。在《民报》期间，章太炎撰写了大量倡导革命的政论文章，文锋犀利，振聋发聩，“真是所向披靡，令人神往”（鲁迅语），扩大了革命派的影响，有力地推动了反清革命热潮。

章太炎早年接受了近代科学进化论的思想，他相信人类社会的进化并不是一个消极的适应自然的过程，而是一个积极的征服自然的过程，他认为人们只要“合群”，就能掌握自己的命运，从而实现以“人力”胜“天命”。为此，他力倡革命，主张用革命的手段推翻清王朝。他大声疾呼：“公理之未明，即以革命明之；旧俗之俱在，即以革命去之。革命非天雄大黄之猛剂，而实补泻兼备之良药矣！”（《驳康有为论革命书》）

在反对封建势力以及和保皇党的斗争中，章太炎还对孔子和儒家学说思想进行了批判。章太炎特别赞扬汉代思想家王充大胆质疑孔子及其思想学说的批判精神，他反对康有为等神化孔子、以孔教为国教的主张，举起古文经学派的旗帜，旗帜鲜明地与康、梁等做了斗争。章太炎在革命思想的热情下对于孔子学说的批判，严重地打击了两千年来的尊孔读经论，形成了一股反孔思潮，起到了革命宣传和反封建的进步意义。

辛亥革命后，章太炎回国，思想渐趋保守。但他反对袁世凯专制独裁的做法，支持讨袁的“二次革命”。章太炎大诟袁世凯包藏祸心，遭到袁世凯幽禁三年。他反对北洋军阀统治，积极参加孙中山的护法运动，并出任军政府秘书长。“九一八”事变之后，章太炎不顾老病，到处奔走呼号，主张抗日救亡。晚年的章太炎逐步远离民主革命运动，专门从事学术活动。民国二十三年（1934），章太炎迁居苏州，次年创办了章氏国学讲习会，以讲学而终老。

二、“学问与革命业绩赫然”

章太炎不仅是一位革命者，也是一位大学问家。在革命方面，他反清反帝、不屈不挠的民主革命思想，有力地批判了封建君主专制，为近代民主革命立下功绩；在学问方面，他的学问博大精深，涉猎广，造诣深。他对文字、音韵、训诂、经学、诸子、史学、哲学、佛学等均有深邃研究。太炎先生亦很精通医学。据说曾有人问章太炎：“先生的学问是经学第一，还是史学第一？”他答道：“实不相瞒，我是医学第一。”

《訄书》是章太炎先生的代表作。“訄”乃有“逼迫”之意，意谓书中所论及的都是为匡时救国，在危难形势下，作者被迫和非说不可的问题。《訄书》经过三次结集，形成三种版本，反映了作者前后的思想变化。该书文笔古奥，索解甚难，但包含丰富的学术内容，涉及面广，系统清理与总结了自先秦至清末中国学术的得失，对中国古代各时期、各流派的学术思想、语言文学、历史、哲学、社会风俗、民族、政治、经济、法学等都有论述。《訄书》既体现了明显的民主思想，也具有强烈的批判精神。章太炎在《訄书》出版后赢得极高的声誉，到东京主持《民报》时，即被人们誉为“国学大师”。胡适曾在《五十年来中国之文学》（1922）中说：“章炳麟的古文学是五十年来的第一作家，这是无可疑的。”

章太炎一生的思想变化很大。早年他信奉科学进化论，反对宗教神学创世说。到了后期，他逐步怀疑早年的科学进化论思想，反思西方的进化论及现代文明，主张建立“自贵其心”

的无神论新宗教。为此，他曾提出了著名的“俱分进化论”思想，强调人类社会的善与恶、乐与苦双方同时进化与发展。他说：“进化之所以为进化者，非由一方直进，而必由双方并进。……若以道德言，则善亦进化，恶亦进化；若以生计言，则乐亦进化，苦亦进化。双方并进，如影之随形，如魍魉之逐影。”（《俱分进化论》）章太炎的“俱分进化论”思想对人类的前途总体表现出悲观的态度。他认为人类的出路和革命的前途乃在于：“第一是用宗教发起信心，增进国民的道德；第二是用国粹激动种性，增进爱国的热肠。”（《东京留学生欢迎会演说录》）他企图在知识和物质文明之外寻找增进道德、推动革命的精神力量。章太炎在后期吸取了佛教以及康德、费希特和叔本华等人的思想资源，逐步建立起凸显自我意识的思想体系。

章太炎的思想影响甚大，当时北京大学有名的教授，大多出自章太炎的门下，如黄侃、朱希祖、钱玄同、周树人（鲁迅）、沈兼士等。章太炎在辛亥革命前对于孔子儒学的批判，在客观上对于新文化运动也起到了一定的先导作用。五四时期的主要代表人物如陈独秀、吴虞等都不同程度地受到章氏思想的影响。到了晚年，章太炎对自己以往对于孔子的激烈批判也有所后悔，他甚至转而提倡尊孔读经。不过他始终反对建立孔教，认为孔学不是宗教，孔子不是教主。

综观章太炎先生一生，从参与变法维新、辛亥革命到经历五四运动、北伐战争，直到晚年为抗日救亡奔走，曲折坎坷，荆棘丛生，但他始终不畏艰难险阻，成为民主革命的斗士。他的政治主张，蕴涵真知灼见，用他的文笔和思想大声呼唤，以此唤醒沉睡的国人，拯救危难的时局。鲁迅称太炎先生为“有学问的革命家”，“战斗的文章，乃是先生一生中最大、最久的业绩”。章太炎在生活中特立独行，不拘一格，他拯救民族危亡的革命之热情和以学术文章担道义的情怀始终催人奋进，影响深远。（沈小勇撰）

马一浮：现代儒宗

在中国现代文化史上，马一浮是现代新儒学的代表人物之一，他甚至被称为“现代中国唯一纯粹的儒家学者”。周恩来曾称他为“现代中国的理学家”。现代新儒家的开山人物梁漱溟则评价马一浮是“千年国粹、一代儒宗”。这位曾经游学西方，并把德文版《资本论》带到中国的浙江籍学者，何以最终埋头书斋，潜心研究儒释道传统文化，并产生如此之大的思想影响？

一、弘扬六艺之道

尽管马一浮本人曾游学西方多年，但最终他还是选择了返求传统，倾心儒学。在马一浮看来，当时中国的时代问题之所以很难解决乃是因为尚未确立思想与学术上的根本方向，社会的政治黑暗也促使他起了退隐的念头，他越来越坚信辛亥革命以来所希求的西方之路恐怕行不通，唯有重振传统固有学术思想传统，才能解决中国的

马一浮像

发展方向问题。正是基于这样的认识，马一浮最后将主要的精力放在儒学的潜心研究上。

大约在民国元年（1912）至民国二十六年（1937）抗日战争爆发之前，他一直在杭州，身居陋巷，潜心研究儒、释、道等中国传统文化。这期间，马一浮读完了西湖文澜阁所藏的《四库全书》。李叔同（弘一法师）曾这样说："马先生是生而知之的。假定有一个人，生出来就读书，而且每天读两本，而且读了就会背诵，读到马先生的年纪，所读的书也不及马先生之多。"确实，马一浮读书惊人，据说在他少年时候就能过目成诵，时称神童。马一浮读书用力最深的就是古代传统典籍，历数十载皓首穷经。马一浮对于古代哲学、文学、佛学，无不造诣精深，且精于书法而自成一家。他精研儒学，融通儒学特别是宋明理学各派学说，广纳百家，兼容并包，圆融会通，学问才得以博大精深。

马一浮对于中国传统文化的研究，一个最主要的观点，就是认为全部中国文化都可以统摄于"六艺"之中，即所谓："国学者，六艺之学也。"这里的"六艺"是指诗、书、礼、乐、易、春秋，也就是通常所说的"六经"。他认为："此（六艺）是孔子之教，吾国二千余年来普遍承认，一切学术之原皆出于此，其余都是六艺之支流。故六艺可以该摄诸学，诸学不能该摄六艺。"（《泰和会语》）在马一浮看来，六艺是中国文化的本源所在，国学就是六艺之学，六艺可以统摄中华传统学术。不仅如此，他还认为，"六艺"也可统摄西来的一切学术。

马一浮对于"六艺之学"的解释离不开其"心性"体证。他认为，"六艺皆所以明性道，舍性道而言六艺，则其为六艺者非孔子之道也"（《蠲戏斋文选》）。也就是说，马一浮所谓的"六艺该摄一切学术"以"性道"为根基。所以他强调指出，"六艺本是吾人性分内所具的事，不是圣人旋安排出来。吾人性量本来广大，性德本来具足，故六艺之道，即是此性德中自然流出的，性外无道也"（《泰和会语》）。

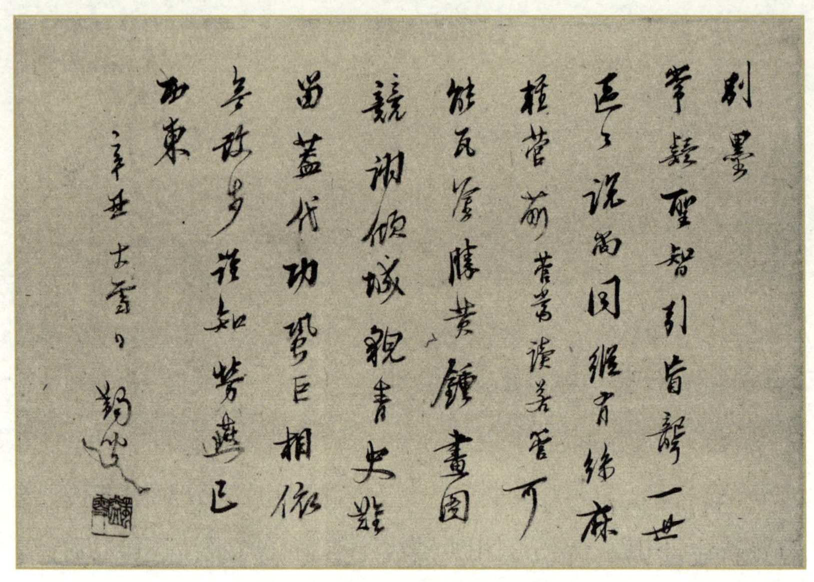

马一浮书法作品

马一浮对“六艺该摄一切学术”充满信心，对中国文化在现时代的发展充满信心，也对世界未来文化必将归于“六艺之道”充满信心，诚如他所言：“吾敢断言：天地一日不毁，人心一日不灭，则六艺之道炳然常存。世界人类一切文化最后之归宿，必归于六艺。而有资格为此文化之领导者，则中国也。”(《泰和会语》)

可以看出，马一浮从民族文化自信的角度赋予了传统儒学新的生机，他相信传统儒家六艺之学在现时代定有其可以发挥价值之处，他从儒家经典中找到了代表中国文化的真精神，他深信“盈天地间皆六艺也”。他对六艺圣学的精神价值充满自信和虔诚信仰，他觉得六艺圣学的价值再生并不是一种倒退和保守，而是一种向上的健全精神，特别在现时代有其特殊的意义。

二、堪当一代儒宗

马一浮曾自言：“我不会做官，只会读书。”据说，蔡元培曾邀他赴北京大学任教，蒋介石曾许以官职，马一浮均不应命。

直至抗日战争爆发后，在爱国心的驱使下，马一浮才接受了当时浙江大学校长竺可桢的邀请，先后于江西的泰和与广西的宜山为学生开设“国学讲座”，形成他著名的《泰和会语》和《宜山会语》。

马一浮始终不能从根本上认同现代教育制度。后来，马一浮得到了国民党政府的支持，于 1939 年夏在四川乐山正式创建了他心目中的古典式书院，并由他出任院长兼主讲，这就是中国现代史上著名的复性书院。在此期间，马一浮著作和讲稿很多，如《复性书院讲录》《尔雅台答问》《尔雅台答问续编》《濠上杂著》《蠲戏斋诗词选》等，都由书院雕版印行。这其中最重要的是《复性书院讲录》六卷。复性书院从民国二十八年（1939）开始讲学，到民国三十年（1941）停止讲学，前后共一年零八个月。在此之后，复性书院并没有倒闭，而是转为以刻书为主，马一浮希望以此保存一点文化血脉。

马一浮创建复性书院可以看成是他弘扬六艺之道的教育主张的体现。复性书院是对现代学校教育制度的一种反思和批判，更是马一浮对古典式教育的回归和向往。如书院《简章》中明确规定，“书院之设，为专明吾国学术本原，使学者得自由研究，养成通儒，不隶属于现行学制系统之内”。书院在教学内容上主要以传习儒家经典为主，“以综贯经术讲明义理为教，一切学术该摄于六艺，凡诸子、史部、文学之研究皆以诸经统之”。书院的办院宗旨与现代学校教育目的也不一样，主要是要“确立六艺之教，昌明圣学”，用马一浮自己的话说，就是“书院以义理为宗，当思接续圣贤血脉”（《尔雅台答问续编》）。在书院的创办中，马一浮曾经和熊十力有过争议。熊十力主张书院在六艺之外应开设多科，以为学生的生计考虑，而马一浮坚持传统书院的理念，不主张离开六艺之学，他坚持书院培养“通儒”的理念，认为“书院所求者为真实学人，不能为诸君谋出路”（《尔雅台答问续编》）。

马一浮的复性书院尽管最终未能实现其预期的宏伟目标，但是马一浮自身以传

阅读链接：

刘梦溪：《中国现代学术经典·马一浮卷》，河北教育出版社，1996 年版。

滕复：《马一浮思想研究》，中华书局，2001 年版。

陈锐：《马一浮与现代中国》，中国社会科学出版社，2007 年版。

马一浮：《复性书院讲录》，浙江古籍出版社，2012 年版。

统“六艺圣学”的再现来对抗现代启蒙理性和教育制度的做法，从根本上讲乃是近代中国知识分子“以传统为工具”在启蒙话语下的一次有力回应和反抗，因而，他的行为不仅影响着其后的现代新儒家们，而且也启示着在现代化谋求之路上的中国传统知识分子。

抗战胜利后，马一浮又回到了杭州的陋巷，重新隐居林下，并继续选刻古书。新中国成立后，马一浮曾先后担任浙江文史研究馆馆长和中央文史研究馆副馆长，他还是第二、第三届全国政协委员会特邀代表。但遵照周总理的指示，不以俗务打搅，让他在杭州安心著书立说。1967 年逝世。

综观马一浮一生，潜心国学，昌明六艺，淡于名利，真儒本色，堪当一代儒宗。贺麟先生曾经这样评价他：“马先生兼有中国正统儒者所应具备之诗教礼教理学三种学养，可谓为代表传统中国文化的仅存的硕果。”此点真正道出了马一浮独特的纯粹儒家特质。马一浮多次表明，他一生致力于弘扬儒家六艺之道，并不在于保存国粹，抱残守缺，或者仅仅为了“发挥自己民族精神而止”，他所希望的是竭力发挥儒家文化在现时代的真精神，使之适应现在和未来，并能成为对全人类文化有所影响和发挥积极作用的传统文化。正如其所言，“是要使此种文化普遍的及于全人类，革新全人类习气上之流失，而复其本然之善，全其性德之真”（《泰和会语》）。（沈小勇撰）

薪火文脉

以民为本、
经世致用是浙江学术的
价值关怀，
开放包容的精神
为浙江学术发展注入了
新鲜血液和生动活力，
求真务实则是
浙江学术最稳定的内核。

引 言

思想和学术经常是相互渗透，你中有我、我中有你，因此不可能给予二者绝对清晰的划分。但大致可以说，思想家总是先确立价值立场和宇宙论图景，并且加以抽象地、原则性的表达，然后贯穿于自己的学术实践之中，从而为思想提供一个知识化的论证；学术家的顺序略有不同，他们不首先提出一种抽象的、原则性的理论表达，而是通过具体的学科研究（历史学、语言文字学、地理学等等）来自然地、客观地、历史地呈现一种价值立场和宇宙论图景。在繁花似锦的浙江学术史上，史学无疑是其中最大的一支，吕祖谦肇其端，胡三省、全祖望中继之，章学诚集大成。章学诚关于“以器明道”“六经皆史”的论述，乃是强调只有追溯人类历史发展的进程，才能阐明人类精神发展的归宿，由此确立了史学的崇高地位。王应麟、孙诒让的学术活动则代表了浙江精神中“求真务实”的传统，他们强调通过历史主义的考据来还原历史中的思想文化的原貌，通过正本清源，进而反思当下的主流思想权威的正当性。当然，他们从来就不是为了考据而考据，在王应麟看来，考据是为了传承灿烂光辉的宋学文化，孙诒让则是强调了考据是可以为现实服务、

可以拯救清末中国文化危机的。蔡元培、王国维代表了浙江学术在欧风美雨的侵袭下寻求新出路、新生命的艰难探索，他们把延续民族文脉的历史责任扛在了自己的肩上，前者以中国传统的“经世致用”精神灌注入西式大学教育中，后者接受了西方的科学研究方法，建立20世纪“新国学”的范式。总体而言，以民为本、经世致用是浙江学术的价值关怀，开放包容的精神为浙江学术发展注入了新鲜血液和生动活力，求真务实则是浙江学术最稳定的内核。

（本专题由王宇主笔撰写并统稿，沈小勇、张宏敏参与撰写）

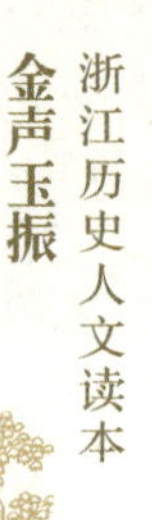

北宋诸先生：文化学术大繁荣的前夜

北宋新儒学运动（或称宋学）以宋仁宗时“庆历五先生”的崛起为标志，走向了多元繁荣、“学统四起”的大格局。仁宗之后，相继出现了荆公新学，苏轼代表的蜀学，二程代表的洛学，张载、吕大临代表的关学，司马光代表的朔学，这些学派具有鲜明的地域特征，学术观点很多相互冲突，但就其共性而言，则都将儒释道共存的中古思想文化版图作为批判对象，强调道之本统只能由儒家思想专属，强调在政治生活、伦理道德、社会风俗等各个领域重建儒家的价值系统。

在北宋新儒学运动勃兴的大背景下，庆历二年（1042），新儒学运动的重要人物胡瑗（993—1059）受邀来到湖州讲学，将这股清新的变革之风吹到了两浙地区，其门下两浙籍贯弟子如滕元发、顾临、徐中行等，皆为当时学界之俊彦，对浙江之学风亦有较大影响。同时，他还带动了两浙地区一批新儒学运动者崭露头角。全祖望讲：“庆历之际，学统四起。”温州出现了“儒志先生”王开祖，开永嘉学派之先声，而丁昌期继之；杭州有吴师仁，明州则崛起了杨适、杜醇、王致、楼郁、王说等五先生。以下将对这些学者作一番简要的阐述，以彰其对开

创南宋浙江学术繁荣局面的先导之功。

王开祖，生卒年不详，字景山，温州人，学者称为“儒志先生”。登北宋皇祐五年（1053）进士第，尝出任秘书省校书郎、丽水县主簿，“既而不乐，退居郡城东山设塾，倡鸣理学于濂、洛未作之先”（南宋许及之《儒志像赞》,《儒志编》卷末附）。后一直在永嘉城内东山之麓讲学授徒，从者数百人。当时理学尚未昌明，宋初三先生胡瑗、孙复、石介等初起，宋学方兴，开祖倡导修己治人，发明经义，遥相呼应，为永嘉之学首倡者，“先生见道最早，所著有《儒志编》……是时伊洛未出，安定、泰山、徂徕、古灵诸公甫起，而先生之言实遥相与应。永嘉后来问学之盛，盖始基之。惜其得年仅三十有二，未见其止，为可惜也”（《宋元学案》卷六《士刘诸儒学案》）。王开祖虽年仅32就去世，然其学术之识见与传道之努力，与当时的新儒学运动有着相同的旨趣。其学以明性、养心、至诚为主，亦涉及心性、性情之讨论，在文本上特重《周易》。王开祖著有《儒志编》，是其学术旨趣的体现。

继承王开祖的是林石和丁昌期。林石（1004—1101），字介夫，居瑞安塘岙，学者称塘岙先生。在思想研究上，注重《春秋》学，以《春秋》教授生徒。与开祖相比，林石生活之时间长，又无意仕途，以讲学为务，故生徒众多，在温州影响深远。丁昌期，字逢辰，宋元祐三年（1088）举经明行修科不获用，归隐永嘉东郊，建醉经堂讲学授徒，学者称“经行先生”。

自王开祖而林石、丁昌期，被称为“皇祐三先生”。他们均以讲学为主，尤其是林石和丁昌期，长期在温州地区讲学，影响深远，文教盛于一时。继三先生而起的是永嘉九先生，即周行己、蒋元中、沈躬行、刘安节、刘安上、许景衡、戴述、赵霄和张辉九人，其中以周行己（1067—1123？）、许景衡（1072—1128）最为重要，他们是永嘉学派的实际开创者。周行己著有《浮沚集》，许景衡著有《横塘集》，两者都尝亲炙于程颐，是二程之学进入浙江的最早代表。

不仅永嘉地区学术昌盛，浙东亦不例外，明州（今宁波）地区有著名的“庆历五先生”，在某种意义上可以视为浙东学术之先声，全祖望曾对此作如下之评价：“有宋真、仁二宗之际，儒林之草昧也。……而吾乡杨、杜五先生者，骈集于百里之间，可不谓极盛欤！”（清全祖望《鲒埼亭外集》外编卷十六《庆历五先生书院记》）五先生指杨适、杜醇、王致、楼郁、王说这五位生活于北宋中期的宁波学者。杨适，字安道，慈溪人。早年隐居大隐山，以讲学为务，为人淳厚忠介，议论持平，行义闻名乡里，学者称“大隐先生”，自署慈川逸民。宋庆历年间，明州太守荐为遗逸，不就。嘉祐六年（1061），以荐授将仕郎，又试太学助教，皆不赴，与楼郁、杜醇、王致、王说聚鄞县妙音书院，立孔子像，讲贯经史，学者尊为宗主，开四明讲学风气。杜醇，学者称“石台先生”，慈溪人。以孝悌闻名于乡，躬耕养亲，明经行修，学者以为楷模。庆历八年（1048），鄞县创建县学，王安石致书礼聘他为学师。同年，慈溪建县学，慈溪知县林肇又聘之。鄞、慈两县学风之盛自醇始。王致，字若一，鄞县人，以道义化乡里，讲学授徒。安贫乐道，乡人颂其德行。于鄞江书院讲学，学者称“鄞江先生”。楼郁，字子文，鄞县人，学者称为“西湖先生”。庆历八年（1048）鄞县建县学，应聘掌教县庠数年。皇祐中置郡学，又延请教授郡学十余年。登皇祐五年（1053）进士，尝任庐江主簿，后坐事而归，以“禄不逮亲”而不愿出仕，又主持州学十余年，成为当地士子的师范，前后凡三十余年，“乡人翕然师之”。王说，字应求，鄞县人，为王

致的侄子，也是杨适的门人，在县西武陵村建桃源书院，在乡教学，学者称“桃源先生”。宋熙宁九年（1076），神宗书赐“桃源书院”。

大体而言，无论是三先生、五先生还是九先生，从学理的完善性、系统化来说都不能与王学、洛学相提并论，更没有提出独立的体系，但是他们的出现也反映了新儒学运动在浙江的趋势。

首先，“皇祐三先生”“庆历五先生”“元丰九先生”都与当时主流学界发生了积极的互动，尤其是王安石与王开祖、“庆历五先生”虽无师承关系，却体现了一种学术旨趣上的认同；“元丰九先生”与程颐的洛学则产生了师徒传承的关系。

其次，“皇祐三先生”“庆历五先生”“元丰九先生”的实践与主张，都契合了北宋新儒学运动的核心命题。譬如说，他们都强调儒学首先是一种身心修养之学，儒者的道德修养、政治实践、学术探索应该统一到儒家的伦理道德上来，反对单纯将儒学看做独立于身心修养、生活实践的“闻见之学”“口耳之学”，因此这些学者是以他们良好的道德行为而引起当时社会的注意的。

阅读链接：

董平：《浙江思想学术史》，中国社会科学出版社，2005 年版。

吕祖谦：“乾淳学术”的祭酒

吕祖谦像

南宋孝宗乾道八年（1172），朝廷循例举行了三年一次的省试，来自五湖四海的年轻读书人，通过了乾道七年（1171）秋天的解试后，不少人早在乾道七年（1171）底就已经聚拢到临安，全力备考决定命运之战：省试。并非巧合的是，正是在这一次省试中，永嘉学派的领袖陈傅良、心学派的创始人陆九渊一举登第，永康学派领袖陈亮则在解试阶段便告失利，没能获得省试的资格。换言之，乾道八年（1172）的科举是陈傅良、陆九渊、陈亮三位奠定南宋思想版图的领袖人物生命中重要的一页。在朝廷任命的众多考官中，出现了一个熠熠生辉的名字：吕祖谦，他虽然只是地位不高的秘书省正字，却已经在南宋思想界积聚了深厚的人脉，在青年学者心目中树立了无与伦比的威望，与张栻、朱熹合称“东南三先生”，成为“乾淳学术”的领袖。这个故事要从隆兴元年（1163）开始讲起。

一、吕祖谦与朱熹、张栻定交

绍兴三十二年（1162），吕祖谦与陈亮一同赴两浙漕试，二人初识并定交。吕祖谦与陈亮参加了隆兴元年（1163）的省试，但陈亮铩羽。省试后陈亮没有回乡，留在临安成为参知政事周葵的门客。吕祖谦则一路顺风，为省试第六人，四月，赐进士及第，随后中博学宏词科。

由于张浚主持的北伐遭遇军事溃败，南宋朝野上下围绕是否和议展开了一场大辩论。隆兴元年（1163）十月，入都奏事的朱熹致函吕祖谦，希望见面，但此时吕祖谦已经返乡。在临安期间，朱熹还见到了入都奏事的张栻，二人都反对与金议和。同年十二月，结束召对、新任武学博士的朱熹来到婺州与吕祖谦相会，二人开始了正式的学术交往。隆兴元年（1163）的临安，先后迎来了吕祖谦、陈亮、朱熹、张栻，这其中吕祖谦、张栻、朱熹正式在本年定交，即后来所谓"东南三先生"。因此，所谓"乾淳学术"的时代应当是从隆兴元年（1163）开始的。

隆兴二年（1164），宋金和议确立，一度为国论所激动的士大夫群体转而远离政治，回到学术研究中。乾道元年（1165）四月，朱熹再次入都就职，因见朝议已主张和议，遂请辞，五月差监南岳庙。此后，朱熹回到武夷山开始以学术为业的生涯。

乾道元年（1165）开始，张栻受聘为长沙岳麓书院、城南书院主讲，从学者如云。四年（1168）九月，吕祖谦制定了《乾道四年九月规约》，这是理学史上第一个学规，比朱熹的《白鹿洞揭示》早12年。这一规约的出现，标志着理学教育开始具有了独特的形态与机构。也是在乾道四年（1168）春夏间，叶适前往婺州游学，遂与陈亮相识定交，可能也曾向吕祖谦问学。

吕祖谦的教学活动一直持续到乾道五年（1169），本年他设计了《己丑课程》，作为门人的学习指南，修订了学规（《己丑规约》《谢遣初学约束》），直到六月初六日，得命为太学博士，待阙。八月二十五日，改添差严州州学教授。这一职务不需要待阙，十月十八日到达严州上任。十二月二十九日，张栻到严州任。吕祖谦和张栻从此开始了一段深厚的学术交谊。乾道六年（1170），吕祖谦被召为太学博士，张栻随后被召任吏部员外郎兼权左右司郎官。入朝后，二人又同巷邻墙而居，朝夕切磋，延续了亲密的朋友关系，直到乾道七年（1171）六月，吕祖谦丁忧，张栻补外，二人从此天各一方。吕祖谦料理完家事后回到临安继续供职，直到乾道八年（1172）二月丁忧。从乾道五年（1169）十二月起至七年（1171）六月，张、吕一起讨论学问共一年半之久；乾道六年（1170）闰五月开始到七年（1171）六月，二人又同时在朝，构成了"乾淳学术"的第一个高潮期。叶适说二程之学自出现以来，到了乾道五年（1169）、六年（1170）间，重新振兴起来，浙江、福建一带很多读书人从偏远的山乡出发，抛妻别子，千里迢迢在外求学访师（《水心文集》卷十三《郭府君墓志铭》）即说明了这一点。

在这近两年的时间中，吕祖谦利用临安作为人流、信息流集散枢纽的便利，积极与同道和后学建立联系。

二、薛季宣的临安之行

薛季宣是在乾道五年（1169）就受宰相陈俊卿的举荐，召赴都堂审察的，但他坚辞不出。乾道七年（1171）八月，虞允文召薛季宣来行在，至则除大理寺主簿，十一月受命出使淮西安抚归正人。乾道七年（1171）的临安之行，是薛季宣个人学术生命中的标志性事件。在此以前，尽管薛季宣对朱熹、吕祖谦、

张栻闻名已久，但一直没有机会谋面，经过此次临安之行，薛季宣与吕祖谦深入讲学，相互切磋，又通过吕祖谦与张栻、陈亮建立了通信联系。

薛季宣到达临安后，与吕祖谦一见如故。吕祖谦告诉陈亮，自己在临安和薛季宣时常往来，差不多十数日就见一面（《东莱吕太史别集》卷十《答潘叔度》）。十一月薛季宣得命出使淮西，吕祖谦感到很失落。乾道九年（1173）三月，薛季宣自湖州解任回乡，道经婺州，与吕祖谦相聚半月。同年七月十七日薛季宣卒，故这是二人最后一次见面。

三、陈傅良与吕祖谦

乾道六年（1170）秋天，陈傅良到临安参加太学补试。就在这次临安短暂的逗留中，陈傅良见到了吕祖谦、张栻和陈亮。吕祖谦时任太学博士，陈傅良与吕祖谦结识，吕祖谦称赞他："陈君举相聚甚款，最长处是一切放下，如初学人，正未易量也。"显示了陈傅良在吕祖谦面前的谦恭和好学。补入太学后，当时太学国子司业芮晔、太学博士吕祖谦待陈傅良为上宾，曾经聘请陈傅良为学谕，为诸位太学生讲授经义，陈傅良认为这于惯例不符，辞谢了。陈傅良补中太学生后，立即返回新昌，参加了"山阴书社"。乾道七年（1171），他积极备战秋天的太学解试。乾道七年（1171）岁末至乾道八年（1172）年初再加上业师薛季宣自七年（1171）八月至十一月间在临安，陈傅良在临安逗留较长时间。乾道八年（1172）春，陈傅良参加省试，吕祖谦恰为省试考官，二人之间又增加了座主与门生的关系。

四、陆九渊与吕祖谦

除了陈傅良、薛季宣，乾道七年（1171）的临安还迎来了陆九渊。陆九渊本年秋在家乡通过解试，为了备战乾道八年（1172）的省试，他在七年（1171）冬天

就来到临安，并见到了吕祖谦。二人只有过礼节性的拜会，没有深谈。乾道八年（1172）正月开考，吕祖谦在经过糊名缮录的众多试卷中，一眼就看中了陆九渊的《易》经义答卷，对其论、策两场答卷也深致赞叹："糊名誊书，几千万纸。一见吾文，知非他士。"（《陆九渊集》卷二十六《祭吕伯恭文》）但由于父亲吕大器突然去世，吕祖谦没有等到考试结束就丁忧离开试院，但他向同知贡举尤袤推荐了陆九渊的卷子，使得陆最终通过了省试。

至于陈亮，他参加乾道七年（1171）秋天的太学解试失利后，没有在临安多作逗留就离开了，时间应该在是当年十月、十一月之间。

乾道八年（1172）二月的省试，是乾淳学术第一个高潮期（隆兴元年至乾道八年，1163—1172）的尾声，科举的魅力与道学的传播，在这一时期完美地结合起来，迸发出巨大的能量。

首先，对理学文献的整理取得了重大突破。这一时期，吕祖谦与朱熹通力合作《伊川易传》，吕祖谦对程颐此书用功最深，倾注心血亦最多。

其次，理学的教育理念开始影响太学。南宋各级官学的学制，基本沿袭了发轫于熙宁变法、经徽宗朝改革的太学法，吕祖谦、朱熹对这一学制深恶痛绝。早在明招讲学期间，吕祖谦已经有意识地根据理学教育的要求制定学规，到了严州州学任上后，在张栻的支持下，他开始尝试将此前积累的民间讲学经验移植到地方官学中来，因此，朱熹在通信中与吕祖谦展开了

热烈讨论。尽管朱、吕二人在技术细节上存在分歧，但朱熹认为吕祖谦的改革迈出了有意义的第一步。乾道六年（1170）吕祖谦入朝任太学博士后，由于职务之便，加上得到了时任国子监司业（乾道七年升祭酒）芮晔的鼓励，乃进一步尝试把理学的教育理念移植到太学中来，给太学吹来了一股清新的变革之风。

最后，吕祖谦个人魅力的充分展示，确立了他在"乾淳学术"的核心地位。经过这个时期，本来在科举时文方面已经拥有崇高威望的吕祖谦，进一步在学术造诣和道德涵养方面树立了典范，他对待晚辈循循善诱的亲切态度、博采众长的开放学风，给这一时期来到过临安、见过他的人留下了深刻的印象。南宋思想史上最重要的角色，湖湘学派的张栻，江西心学的陆九渊，永康学派的陈亮，永嘉学派的薛季宣、陈傅良，以及其他没有明确学派属性却代表了宋学发展的多元性的士大夫（"诸儒"）如芮晔、尤袤、陈俊卿、周必大等相继登场，以吕祖谦为枢纽，他们相互结识，碰撞出思想的火花，点燃了淳熙年间南宋思想界大辩论、大分化的时代，而官位不高却居于知识界所瞩目的职位（太学学官、馆职、史官、科举考官等）的吕祖谦，成了各种流派、各种观点、各种背景的士大夫所拥戴的学界祭酒。

阅读链接：

潘富恩：《吕祖谦评传》，南京大学出版社，1992 年版。

王应麟：长、宽、高兼备的一代学人

王应麟像

王应麟（1223—1296），字伯厚，号深宁居士，年纪比黄震小10岁，但王应麟19岁就中了进士，黄震理宗宝祐四年（1256）考中进士时，王应麟已经是殿试覆考检点试卷官。据《宋史·文天祥传》记载，当时殿试知举官已先排好了一个名次，文天祥列第七名，进呈皇帝最后审定。按照惯例，皇帝一般不会变动这个顺序，这一次理宗却想改变一下名次，将第七卷改为第一名（状元）。王应麟读完此卷后顿首奏道："是卷古谊若龟镜，忠肝如铁石，臣敢为得士贺。""古谊若龟镜"，就是说卷子里引用的古今兴亡盛衰的经验教训，可以作为今天的借鉴；"忠肝如铁石"是说，从文章可以看出作者的忠君爱国之心比铁还坚定，这样的人如果当状元，今后必然是朝廷的栋梁。得人如此，我要提前恭贺皇上了。于是，理宗钦定第七卷为状元。等到揭去糊名，唱名赐第时，才知道是文天祥。从

制度上说，殿试是皇帝亲自考试进士，即所谓“临轩策士”，实际则是知举大臣一手操办，皇帝极少变动知举大臣所定名次，重新指定状元，例外的情形在整个两宋只出现过三次，太祖朝张齐贤、高宗朝张九成、理宗朝文天祥，“此所谓魁儒者是也”（《四明文献集》卷二《赐文天祥辞免依旧权工部尚书都督府参赞军事江西安抚使除浙西江东制置使知平江不允诏》注）。可喜的是，文天祥没有辜负王应麟对他的赞言，起兵抗元，事败就义，谱写了一曲千古流芳的《正气歌》。王应麟读其文而能知其人，鉴赏力可谓超人一等。

王应麟进入仕途后，尽管因得罪权相而多次被贬，仍相继担任了太常博士、著作郎、直学士院、中书舍人等清要职务，擅长草拟制诰、表章等四六文，是南宋末年的词科圣手。与黄震相比，王应麟在元统治之下继续生活了漫长的20年（1276—1296），而黄震在宋亡后的第五年就去世了——亡国之痛对他而言虽然是剧烈的，但也是短暂的。令人钦佩的是，王应麟没有像其他南宋遗民那样整日流连诗酒，长吁短叹，而是更加强烈地意识到，异族统治的时间越长，整理、保存宋代文化（“宋学”）的任务就越紧迫。换言之，等到他这一代遗民下世之后，后人就只能通过书籍来认识光辉灿烂的宋代文化，因此留下可以传世的文化精品，才是南宋遗民的当务之急。王应麟在《困学纪闻》题识中写道：

> 幼承义方，晚遇艰屯，炳烛之明，用志不分。困而学之，庶自别于下民。开卷有得，述为《纪闻》，深宁叟识。

“幼承义方”，既指他受到的儒家道德伦理教育，也指他所继承的宋代文化，特别是朱子学；“晚遇艰屯”，晚年遭遇了国家灭亡的惨祸；“炳烛之明，用志不分”，虽然故国处于异族铁蹄的蹂践之下，但文化没有灭亡。王应麟对宋代文化的信仰就如同黑暗中的烛光一样，永不熄灭。“困而学之，庶自别于下民”，作为南宋的官僚士大夫（不同于文化水平不高的一般老百姓），王应麟以文化的传承者自居，因此

他把保持宋代文化作为自己的历史使命。王应麟对整个宋代学术进行了梳理和反思，去伪存真，去粗存精，留下了《困学纪闻》这部精品。

除了《困学纪闻》外，宋亡后，王应麟还编纂了《玉海》这部百科全书。全书共200卷，分成天文、律宪、地理、帝学、圣制、艺文、诏令、礼仪、车服、器用、郊祀、音乐、学校、选举、官制、兵制、朝贡、宫室、食货、兵捷、祥瑞21门，每门各分子目，凡240余类。此书的本义是为撰写四六文而备用的，但由于其史料来源多采自宋代历朝《实录》和《国史》《日历》，因此具有较高的史料价值。卷末还附有《辞学指南》4卷，并有辑者所作《诗考》及《诗地理考》等13种。王应麟能够编纂这样大部头的百科全书，与他长期供职于秘书监、太学等藏书丰富的中央机构，能够看到很多珍籍秘本有关。

但是，若就受众的辐射面而言，卷帙繁重的《玉海》、古奥艰深的《困学纪闻》只能供文人学士把玩研索，而王应麟的《三字经》却拥有无与伦比的庞大读者群。关于《三字经》的作者，历来有不同的说法，清代人多认为是王应麟所作。不管《三字经》的作者是谁，都不影响这部书的价值，因为它有着丰富的内容。国学大师章太炎说："其书先举方名事类，次及经史诸子，所以启导蒙稚者略备。"也就是说《三字经》是一部内容全面的启蒙读物。《三字经》的内容分为六个部分，每一部分有一个中心。从"人之初，性本善"到"人不学，不知义"，讲述的是教育和学习对儿童成长的重要影响，后天教育及时、

方法正确，可以使儿童成为有用之材；从“为人子，方少时”至“首孝悌，次见闻”，强调儿童要懂礼仪、孝敬父母、尊敬兄长，并举了黄香和孔融的例子；从“知某数，识某文”到“此十义，人所同”，介绍的是生活中的一些名物常识，有数字、四时、四方、五行、六谷、六畜、七情、八音、九族、十义，方方面面，一应俱全，而且简单明了；从“凡训蒙，须讲究”到“文中子，及老庄”，介绍中国古代的重要典籍和儿童读书的程序，这部分列举的书籍有四书、六经、三易、四诗、三传、五子，基本包括了儒家的典籍和部分先秦诸子的著作；从“经子通，读诸史”到“通古今，若亲目”，讲述了从伏羲神农至清代的朝代变革，概括了五千年中国史；从“口而诵，心而惟”至“戒之哉，宜勉力”，强调学习要勤奋刻苦、孜孜不倦，强调只有从小打下良好的学习基础、建立良好的学习习惯，长大才能有所作为，“上致君，下泽民”。《三字经》内容的排列顺序极有章法，体现了作者的教育思想。《三字经》是当之无愧的高度浓缩的知识精华，是一部在儒家思想指导下编成的启蒙读物，充满了奋发图强、积极向上的精神。虽然王应麟是《三字经》的第一个作者，但今本《三字经》中有一些内容是宋以后的文人增添进去的，这在阅读时需要注意。

王应麟一生著作当然远远不止《困学纪闻》《玉海》《三字经》，但这三部书作却是最重要、最有代表性的，代表了王应麟思想学术的“长、宽、高”：《三字经》是王应麟着眼未来普及儒学和文化知识的伟大尝试，是为“长”；《玉海》包罗万象，显示了他知识面的广博，可称“宽”；《困学纪闻》代表了王应麟学术的高度和深度，是为“高”。纵览中国学术史，兼具“长、宽、高”三方面成就的又有几人呢？

阅读链接：

钱茂伟：《王应麟学术评传》，中华书局，2011 年版。

胡三省：案头今古起风雷

宋恭宗德祐二年（1276）正月二十日，元军兵不血刃地占领了临安，元宰相伯颜入城。广王、益王已经先期逃离临安，二月，渡海至温州，伯颜遂下令追击，浙东一带兵连祸结，社会动荡。由于胡三省的老家宁海正当驿道，为躲避兵祸，他不得不举家迁徙避难新昌。此时他已经完成了《资治通鉴广注》97卷和史论10篇，由于担心战事未有穷期，书稿如果随身携带很可能散失，胡三省就把书稿掩埋地下。然而，元军在浙东的军事行动不久就结束了，胡三省回到宁海后却再也找不到书稿了，这对他是一个重大的打击，因为《资治通鉴广注》凝结了他20年的心血。

胡三省从小酷爱史学，尤其倾心于司马光的《资治通鉴》。14岁时，其父胡钥就辅导他阅读《资治通鉴》，并对当时《资治通鉴》的某些注本的缺失提出批评，然后问胡三省道："你长大后能纠正这些错误吗？"胡三省当即表示愿意，立志为《通鉴》做一个全新、可靠的注释。理宗宝祐四年（1256）胡三省中进士，差不多同时开始了注释《资治通鉴》的工作。登第后，他历任县尉、知县、府学教授，也曾参加江淮制置使李庭芝、

淮东制置使汪立信的幕府。南宋灭亡前夕（1274），胡三省任贾似道沿江制置司主管机宜文字，一度还在贾似道的门客廖莹中家教授《资治通鉴》，并完成了《雠校通鉴凡例》。贾似道在芜湖大败后，幕府解散，胡三省归乡隐居。没想到，这一次战乱夺走了他的无价之宝。

此时胡三省已经46岁，尽管家境贫寒，精力也日益不济，他却做出了一个重大的决定，另起炉灶注释《资治通鉴》！为此，他一边在鄞县给人坐馆教学谋生，一边刻苦钻研，终日手不释卷，勤加抄录，“虽祁寒暑雨不废”，他还对子侄说：“吾成此书,死而无憾。”到了至元二十二年（1285）冬,《资治通鉴音注》全书终于定稿，从此中国史学史上屹立起了一座不朽的丰碑。

为什么胡三省在遗失手稿之后决定另起炉灶呢？首先要看到,《资治通鉴音注》与遗失的《资治通鉴广注》有很大的不一样，后者是仿照唐陆德明《经典释文》的体例，只摘取需要注释的《资治通鉴》原文条目或片段，然后解释。在这种体例中，胡三省可以大大地发挥他对历史的议论，因此《资治通鉴广注》的篇幅主要是胡三省的注文,堪称专著。今本《资治通鉴音注》则不是一部独立的专著，胡三省自己说:“始以《考异》及所注者散入《通鉴》各文之下,历法、天文则随《目录》所书而附注焉。迄乙酉冬，乃克彻编。凡纪事之本末，地名之同异，州县之建置离合，制度之沿革损益，悉疏其所以然。若《释文》之舛谬，悉改而正之，著《辩误》十二卷。”（《新注资治通鉴序》）也就是说，胡三省的注文都散在《资治通鉴》正文之下。表面上看，与《广注》相比，似乎胡三省的原创性被大大削弱了，不便于他发挥议论，指点江山，但由于《音注》对《资治通鉴》的地名、人名、天文、历法、体例的注释十分全面、可靠，以至它最终与《通鉴》融为一体，密不可分。变专著体为注释体，是胡三省另起炉灶的一个重要变化。

另一方面，此时的胡三省对注释《资治通鉴》工作的意义和价值又有了全新的思考。胡三省至晚于宋度宗咸淳六年（1270）已经完成了《资治通鉴广注》，此时南宋虽然颓势已现，但终究还没有正式灭亡，而胡三省重注《资治通鉴》时，亡国已是残酷的现实。可以想象，胡三省此时对宋代政治得失的思考的深度和广度，必然远远超过写作《资治通鉴广注》时，而且国家沦陷、社稷倾亡的动荡带来的巨大挫败感和悲愤之情也必然会被倾注于《资治通鉴音注》中。譬如南朝刘宋太祖时期，社会上出现了自上而下的奢靡之风，胡三省在注中说："宫中朝制一衣，庶家晚已裁学，侈丽之源，实先宫阃。呜呼！我宋之将亡，其习俗亦如此，吾是以悲二宋之一辙。"（《资治通鉴》卷一百二十七）皇宫中刚刚推出一款新的服饰，普通老百姓家晚上就会做了，可见天下的奢侈之风，都是受到了皇宫的引导示范，岂不知这是亡国之兆。南朝刘宋灭亡前是这样，我南宋也是如此，难道国号同名为"宋"，连灭亡的原因也一样吗？这种慨叹何等悲愤！除了社会风气败坏，南宋的选官之法也弊端丛生。唐中宗朝由于主持铨选的大臣不得人，导致官员冗滥，吏部不得不把三年后才出缺的职位提前拿出来注授，使得候补官员队伍庞大。胡三省对此评论道："选法之坏，至于我宋极矣！吏部注拟，率一官而三人共之，居之者一人，未至者一人，伺之者又一人。稍有美阙，伺之者又不特一人也。岂止逆用三年阙哉？"（《资治通鉴》卷二百九十）南宋一个职位有三个人共享，在任的一个人，候选一个人，等着轮上候选资格的又一个人，如果是肥缺，那觊觎

的人就更多了，等候一个职位的时间何止三年？

社会风气奢靡固然导致民风颓败，吏治败坏导致士气不扬，而宰相不得人、将帅不得力则直接形成了南宋在对元军事政治斗争中的一系列错误决策，其中的罪魁祸首自然是权相贾似道。胡三省曾在贾似道心腹门客廖莹中家中坐馆，也参与过贾似道的幕府，对其行事风格和南宋末期军事失败的原因都有一些了解。

胡三省在评论三国时代司马师勇于为属下承担失败的责任，从而保全了士气、凝聚了人心时说：“呜呼，此贾相国之所以败也！”贾似道的做法与司马师完全相反，他嫉妒贤能，专门窥伺同僚和下属的错误，有功劳则抢分，有过错则一味推诿，逼得一些有才能的南宋将帅消极抵抗，甚至投降元军。又比如，南宋军事防线崩溃的第一块多米诺骨牌是襄阳失守。元军从咸淳四年（1268）开始围困襄阳，此后，以李庭芝所部为代表的宋军不断试图解围援助，但都受到贾似道的阻挠，并且在度宗面前封锁消息，粉饰太平。在这样的情况下，其余各路宋军畏缩不前，甚至干扰援助襄阳的行动，导致咸淳八年（1272）襄阳城破，元军由此可以从长江中游顺流而下，直取临安。德祐元年（1275）二月，贾似道带领南宋最后的精锐部队与元军决战于安庆丁家洲，大败。七月，张世杰等部于焦山决战元军，又大败。从此南宋永远失去了机动野战的军事力量，灭亡已成定局。胡三省对这一段历史非常清楚，他在《资治通鉴音注》中评论历史事件时，经常情不自禁地想起这场赌输了南宋国运的襄阳之战。譬如南朝梁名将韦叡大战北魏名将杨大眼，双方反复鏖战胶着之际，韦叡得到了本方大将曹景宗的支援，胡三省说：“此确斗也。两军营垒相逼，旦暮接战，勇而无刚者不能支久。韦叡于此，是难能也。比年襄阳之守，使诸将连营而前，如韦叡之略，城犹可全，不至误国矣。呜呼痛哉！”（《资治通鉴音注》卷一百四十六）胡三省深知，襄阳的南宋守军能支撑七年之久，斗志之顽强并不输于韦叡，然而由于贾似道的错误决策，外围各路宋军胆不壮、心不齐，以七年之久竟不能解襄阳之围，这又怎么不让胡三省发出“呜呼痛哉”的悲叹呢？在《资治通鉴音注》中，胡三省还再三提到此事，譬如：“呜呼，比年襄阳之陷，得非援兵不进之罪？”（卷二百九十三）又譬如：“呜呼，吾国之失襄阳，亦以水陆援断而诸将不进也！”（卷一百四十八）襄阳，是胡三省心中永远的痛。

“腹里春秋纳云梦，案头今古起风雷。”（袁桷《清容居士集》卷十一《过扬州忆昔六首》）亡国之后完成的《资治通鉴音注》，融入了胡三省对南宋灭亡的沉痛忧伤和理性思考。他深深知道，国可亡，史不可亡，如果亡国的历史没有被正确地记载、亡国的教训没有被深刻地总结，那国也就白亡了。正因为如此，胡三省在《资治通鉴音注》中竟无一字一句批评元朝，这不仅是因为他要顾虑到不能触怒统治当局，更重要的是，南宋的灭亡是由内因决定的，元的南侵毕竟只是外部的诱因。从历史批判的方法来看，胡三省也避免了宋人中流行的喜欢大段议论、以论带史的风气，而把自己的卓识镶嵌在上下千年的风云变幻之中，片言只语，画龙点睛，使读者不仅通过读史增长知识，更从中培养以历史的眼光理性看待问题的习惯。这样说来，德祐二年（1276）的《资治通鉴广注》书稿的遗失，倒催生了一部不朽名著《资治通鉴音注》，真可谓塞翁失马，焉知非福。

阅读链接：

陈垣：《通鉴胡注表微》，商务印书馆，2011 年版。

全祖望：故国忠义待我传

全祖望像

全祖望生于清康熙四十四年（1705）。他出生前有一个哥哥全祖谦，异常聪慧，但六岁时重病不治，弥留之际，全祖望的母亲伤心哭泣，这个孩子突然张开眼说："勿哀，吾当再补之！"言毕而逝。十年后，全祖望降生，也很聪明，故小名就叫"补"（董秉纯《全谢山年谱》）。但是也有传说，附会全祖望是抗清名臣钱肃乐（1606—1648）转世投胎而来。此事全祖望生前就已经听说，但他平生不喜佛教轮回之说，因此付之一哂。但到了全祖望39岁时，儿子全昭德出生，分娩没多久，钱肃乐的一个后人就至府贺喜，全祖望非常吃惊他何以这么快就知道，这位贺客说："昨夜我家供奉祖先牌位的影堂中不知什么人说了一句：'谢山（全祖望号谢山）得子，可喜可喜。'我就赶快过来了。"全祖望为此写了一首诗纪之：

释子论轮回，闻之辄加嗔。有客妄附会，谓我具宿根。琅江老督相（即钱肃乐），于我乃前身。一笑妄应之，燕说漫云云。昨闻正气堂（钱府中有正气堂），预告将雏辰。在我终勿信，传之颇惊人。聊以充谈助，用语汤饼宾。（《鲒埼亭

诗集》卷二《五月十三日举一子》之二）

从宗教信仰的层面上，全祖望不愿相信转世投胎之说，但从民族情结出发，全祖望对钱肃乐这样坚持抗清的义士又有天然的亲近感。因为，全祖望出生的宁波鄞县，在明末清初具有光荣的反清复明的传统。全祖望的曾祖父全大程曾参与钱肃乐的抗清队伍的幕府，官太常寺丞，斗争失败后，携子避居东钱湖，谢绝人事。祖父全吾骐也参加了南明抗清斗争。而在鄞县众多仁人义士中，坚持斗争时间最长、斗争意志最为坚强、被俘就义最为壮烈者首推张苍水（张煌言）。不过，全祖望出生时，有组织的反清起义已经结束将近半个世纪，张苍水也已就义（康熙三年，1664）41 年了，绝大多数的南明遗老已经走入历史。清王朝统治的手段已经从军事镇压转变为文字狱。明清易代之际这一代人反清殉国的英雄壮举，因为当事人的谢世和朝廷的高压文化专制，也变得面目模糊，全祖望痛感："自明季迄今又百余年，不亟为搜讨，必尽泯灭。"（蒋天枢《全谢山年谱》）于是他把保存故国忠义事迹，存一代信史的重任，担在了肩上，他的《鲒埼亭集》中大量的墓志铭、神道碑和选辑的《续甬上耆旧诗》都是这方面工作的成果。

在众多抗清志士中，全祖望最尊敬、最钟爱的是张苍水。这首先与全祖望的家庭有关。全祖望的父亲就是一位张苍水的崇拜者，留下遗嘱命全祖望定期祭祀张苍水，因此全祖望每年都要邀请同仁向张苍水致祭。更重要的是，张苍水与全祖望有一点姻亲关系。张苍水的女儿张孺人嫁给了全祖望的一位族叔父全美樟之

子，张苍水就义后，她就离开鄞县逃往黄岩县隐居。全祖望16岁那年，张孺人回鄞县祭扫祖墓，全祖望曾有幸向她请教张苍水的生平事迹、音容笑貌。当时，关于张苍水的生平已经有黄宗羲、吴农祥、杨遴等人的墓志、传记，但相互都有出入。全祖望搜集这些资料后，一一读给张孺人听，张孺人听了后告诉全祖望，除了吴农祥的传毫不足取外，黄、杨二人之文大体可信，不过她自己亲历亲闻的张苍水轶事，这两篇文章里都没有收入。譬如，张苍水和郑成功都致力反清复明，但张苍水拥戴鲁王，郑成功拥戴唐王，因此二人之间的关系非常微妙，既有精诚合作，也难免相互提防；清兵攻击云南永历政权时，湖北还活动着李自成、张献忠起义军的余部“十三家”，张苍水曾派使者游说，希望他们出兵牵制清军后路，但因“十三家”势力微弱而没有结果。这些珍贵的细节都被全祖望吸收入了《神道碑铭》中。

除了记下张孺人口述的张苍水生平外，全祖望还做了一件重要的事情，就是鉴别张苍水画像的真伪。当时流行的张苍水画像颇多，神气骨相各不相同，全祖望都搜集起来，请张孺人鉴别。老太太告诉他这些画像没有一张画得像的，但她风闻张苍水就义前在杭州狱中曾经请人画过一幅肖像，应该还留存于世间。全祖望马上四下访求，终于从万经那里找到，并摹写一幅送来，经张孺人确认为逼真肖似，这才解决了真伪问题。张孺人当时已经80岁了，牙齿脱尽，返回黄岩后第二年就去世了。很难想象，若非全祖望及时抢救这部活史料，张苍水的真实面貌恐怕永远无人能知了。

此后，全祖望断断续续地进行张苍水的资料搜集工作，并对各种传记资料进行相互比对，考核真伪。譬如，他发现黄宗羲所撰写的张苍水墓志，主要以张苍水本人的《北征录》为蓝本，而《北征录》主要叙述的是顺治四年（1647）至顺治十六年（1659）间的经历，对此前和此后的事迹叙述颇有遗漏或不确之处。而且，有些资料说张苍水最终官至侍郎，有些则说官至内阁学士，经全祖望多方求证，确认张苍水曾被永历政权任命为兵部尚书，有被清廷俘获的官印为证。唐王在福建被拥立之后，曾向鲁王阵营颁发诏书，引起鲁王君臣不满。张苍水清醒地认识到，在福建的唐王、郑成功势力雄厚，不应纠缠于礼仪问题而导致南明抗清阵营的大分裂，故从中做了大量的调停工作，这样重要的事迹在此前的各种张苍水传记中皆告阙如。

到了乾隆十三年（1748）前后，全祖望把他历年搜集到的史料进行整理排比，荟萃一文，即著名的《明故权兵部尚书兼翰林院侍讲学士鄞张公神道碑铭》，完成了自己的夙愿。这篇文章不但全面翔实地考订了张苍水一生的重要史实，还客观全面地评价了张苍水的地位：

> 吾乡死事诸公，公为最后，而所成亦最伟。然世人但知夸公之忠诚，而予更服公之经略。故涉历山海之间，且耕且屯，而民乐输赋；招抚江北三十余城而市不易肆；小住缑城，而陂塘之利传之无穷。惟其深仁以成遗爱，斯在古人中，诸葛孔明渭南之师，不过尔尔。诸葛亮有荆益之凭藉，所以得成三分之业，而公无所资，终于赍志以死，则天也。(《鲒埼亭集》内篇卷九《明故权兵部尚书兼翰林院侍讲学士鄞张公神道碑铭》)

张苍水的忠诚闻名天下，人人传颂，但是张苍水的价值并不仅在于忠义，而在于他何以能够以海岛为根据地，以一旅孤军与清军抗争19年之久。他以弱抗强，善于经营抗清根据地，又能招抚人心，爱护百姓，如果拿诸葛亮来比的话，诸葛亮还有荆州和益州的大后方支持，张苍水却是背靠大海。因此可以说，张苍水不是那种“无事袖手谈心性，临危一死报君王”的书生，而是一位富有战略头脑的军事家和政治家。虽然没有成

功扭转乾坤，但他的谋略才华可以与诸葛亮相比而无愧。因此，空洞地歌颂“忠诚”不是一个历史学家的任务，全祖望的使命是严谨地考订张苍水一生所有重大事件的情节，真实还原张苍水在惊涛骇浪的反清征途中运筹帷幄的实况，从而为千秋万代留下一个智勇双全的张苍水形象。

张苍水生前就说：“忠贞自是孤臣事，敢望千秋信史传。”（《续甬上耆旧诗集》卷十二《八月辞故里二首》）以孤臣自命的张苍水抛头颅、洒热血，在所不惜，唯一的顾虑是这段可歌可泣的历史能不能得到可靠记录并流传下去。应该说，全祖望没有让历史留下遗憾，他的《明故权兵部尚书兼翰林院侍讲学士鄞张公神道碑铭》以及《鲒埼亭集》中其他许许多多文字，足以告慰先烈的在天之灵了。

阅读链接：

王永健：《全祖望评传》，南京大学出版社，2011 年版。

鄞州区政协文史委编：《越魂史笔——全祖望诞辰三百周年纪念文集》，宁波出版社，2005 年版。

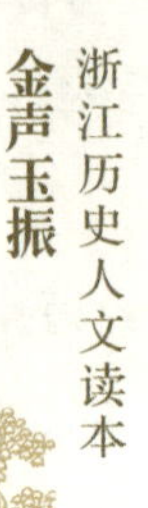

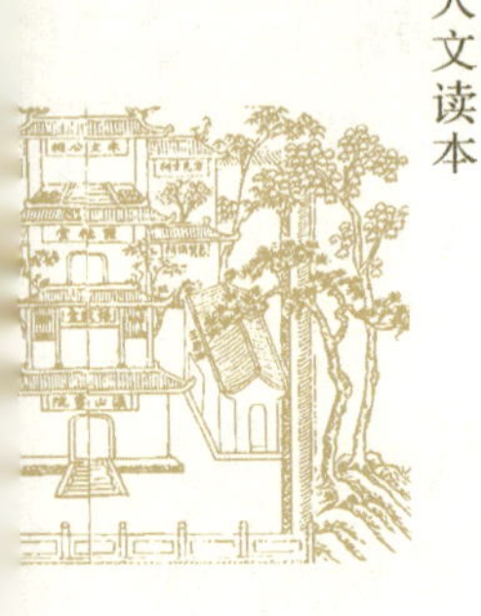

浙东经史学派：明经通史，志在经世

黄宗羲从清康熙二年（1663）到十八年（1679）从事讲学活动于语溪（今桐乡）、越中（今绍兴）、海昌（今海宁）、甬上（今宁波、鄞县）等地，成就斐然。在浙东一带的讲学活动中，黄宗羲极力主张“受业者必先穷经”，“学必原本于经术，而后不为蹈虚；必证明于史籍，而后足以应务”，“学者必先穷经，经术所以经世；不为迂儒，必兼读史”。他强调了明经通史、经史并重的经世应务的豪杰精神，从而开创了一个“上宗王、刘，下开二万”的浙东经史学派；“浙东学风，从梨洲、季野、谢山起，以至于章实斋（章学诚），厘然自成一系统”（梁启超语）。由是，一举确立了黄宗羲作为清代浙东经史学派理论奠基人的学术地位。

“浙东学派”的名称最早是由黄宗羲提出来的。他在《移史馆论不宜立理学传书》一文中批驳了明史馆臣所谓“浙东学派最多流弊”之说，认为馆臣的批评未免刻薄。但黄宗羲所谓“浙东学派”，指的是明初以来今绍兴、宁波地区学术发展的主要脉络，即浙东学统，或曰浙东学脉，而非现代意义上的学派。然而到了黄宗羲及其弟子后学，确实形成了一个

现代意义上的“浙东学派”。关于黄宗羲创建浙东学派之缘起，按照黄宗羲《陈夔献墓志铭》中的说法，在康熙六年至七年间（1667—1668），由宁波陈夔献发起的讲经会开始，逐渐形成了一个学派。这个学派有领袖、有骨干、有渊源、有传承、有宗旨、有特色。其学术领袖是黄宗羲，学术骨干是黄宗炎、黄百家、万斯大、万斯同、万言、李邺嗣、郑梁、陈夔献、董允瑫、陈訏、邵廷寀等。其渊源远绍南宋“浙学”，近承阳明、蕺山。其传承弟子众多，载于《南雷诗文集》者有30多人，而下及后裔、后学如黄璋、黄炳垕、郑性、全祖望、邵晋涵、章学诚、王梓材等皆可视为梨洲学术传人。其学术宗旨即黄宗羲所提倡的“经世应务”，其学风特色即明经通史，会众合一，重视“力行”。

现代意义上的“浙东学派”概念，是由近现代学术大师梁启超首先提出的。梁氏在1902年所撰的《中国学术思想变迁之大势》一文中说：“浙东学派……其源出于梨洲、季野而尊史，其巨子曰邵二云、全谢山、章实斋……吾于诸派中，宁尊浙东。”又在1923年所著《中国近三百年学术史》中说：“明清嬗代之际，王门下惟蕺山一派独盛……而梨洲影响于后来者尤大。梨洲为清代浙东学派之开创者。”可见梁启超是十分推崇由黄宗羲开创的清代浙东学派的。但梁氏之论却存在一个偏颇，即把浙东学派仅仅看作一个史学流派。他在《清代学术概论》中论清代学术说：“大抵清代经学之祖推（顾）炎武，其史学之祖当推宗羲。……宗羲以史学为根柢，故言之尤辩。”又在《中国近三百年学术史》中说：“梨洲学问影响后来最大者，在他的史学。”自梁氏以后，学者论及清代浙东学派者，例如何炳松的《浙东学派溯源》（1932年版）、陈训慈的《清代浙东之史学》（1931年刊）、杜维运的《清代史学与史家》（1984年版）等，大多受其影响而称名“浙东史学”或“浙东史学派”。

浙东学派的学术特色是经史并重的，正因如此，黄宗羲弟子在宁波创设“讲经会”，以辩论五经、阐扬经学为宗旨。黄宗羲自己的学术成就，不仅有《明儒学案》

阅读链接：

吴光：《黄宗羲与清代学术》，《孔子研究》，1987 年第 2 期。

吴光：《为“清代浙东经史学派”正名》，《光明日报》“史学版”，2008 年 10 月 19 日。

吴光：《黄宗羲与清代浙东学派》，中国人民大学出版社，2009 年版。

《行朝录》一类史学著作，而且有《易学象数论》《孟子师说》《授书随笔》《春秋日食历》一类经学著作。他对“明经通史”这个学术特色，曾在多篇书函、序跋、墓志铭中予以揭示。例如，在《冯留仙先生诗经时艺序》中明确反对士子“专读时文”而主张“根柢经史”，抨击了当时“时文充塞宇宙，经史之学折而尽入于俗学”的流弊；在《万充宗墓志铭》中批评了“科举之学”崇尚片言只语、不讲“大经大法”的弊病，而主张“会众以合一，由谷而之川，川以达于海”的“穷经”方法；在《万祖绳墓志铭》中自述“余于经、史、诗、文多所钞节”；在《补历代史表序》中则抨击了“崇科举而废史学”的学术偏向，并讲述了自己刻苦攻读二十一史的经历。可见黄宗羲是主张经史并重不可偏废的。而其弟子与后学虽然各有侧重，却都不曾偏废经学，而是兼治经史。如宗羲之弟黄宗炎，其经学专著《周易象辞》《寻门余论》《图学辨惑》在清代经学史上的地位举足轻重。宗羲弟子万斯同，除了《明史稿》《补历代史表》等史学名著外，还有《庙制图考》《群书疑辨》《讲经口授》等经学著作。而其兄万斯大则是著有《经学五书》的著名经学家。全祖望也兼治经史，其名著《经史问答》10 卷，即有 7 卷讲经、3 卷论史。被视为“浙东史学”传人的邵晋涵，虽然一生主要从事史书编纂整理，但其最重要、最有影响的著作却是经学专著《尔雅正义》20 卷。这说明黄宗羲及其学派并非偏重史学而是经史并重。正如近代学者刘师培《全祖望传》中所论的：“浙东学派承南雷黄氏之传，杂治经史百家，不复执一废百。”

对于清代浙东经史学派的宗旨、学风，全祖望指出：梨洲治学，强调“以六经为根柢”，“受业者必先穷经；经术所以经世，方不为迂儒之学，故兼令读史”，“公以濂、洛之统综会诸家，横渠之礼教，康节之数学，东莱之文献，艮斋、止斋之经制，水心之文章，莫不旁推交通，连珠合璧，自来儒林所未有也”（《梨洲先生神道碑文》），并强调“学必原本于经术而后不为蹈虚，必证明于史籍而后足以应务”（《甬上证人书院记》）。简言之，由黄宗羲开创的清代浙东经史学派的学风特色，就是明经通史，经世致用。章学诚《浙东学术》一文指出，浙东之学远绍朱、陆而近承王、刘，其宗师黄梨洲的传承路径是上宗王阳明良知之教与刘蕺山慎独之学，下开万斯大、万斯同的经史之学，并由全祖望辈所继承发展；进而指出浙东经史之学的学术特色有三，一是不讲空言，“言性命者必究于史”；二是贵在“经世”，以“切合当时人事”为原则；三是富有包容性，不持门户之见，“宗陆而不悖于朱”。我们从全祖望、章学诚所述浙东经史之学的源流与特色可以看出，由黄宗羲开创的清代浙东经史学派，是一个折衷诸家、富有特色的学术流派，其基本学术特色是明经通史，综会诸家，其根本的学术精神是多元兼容、经世致用。

关于清代浙东学派的学术特色与定位，黄宗羲研究专家吴光先生认为，以黄宗羲为首的清代浙东学派，是一个崛起于清初、延续至清末，涵括经学、史学、文学、科学等多个领域而以经史之学为主体的学术流派。该学派的活动区域，以浙东的宁波、绍兴为中心而扩展至浙西，影响于全国。其主要代表人物，以经学为主兼治史学的有黄宗炎、万斯大，以史学为主兼治经学的有万斯同、邵廷寀、全祖望、章学诚，经史兼治而偏重文学的有李邺嗣、郑梁、郑性，偏重于自然科学的有黄百家、陈订、黄炳垕，偏重考据的有邵晋涵、王梓材。这个学派的正式名称，应当称之为“清代浙东经史学派”。（张宏敏撰）

章学诚：学必求于当代典章

章学诚像

清乾隆三十三年（1768）九月，按照清朝科举制度，举行了顺天府乡试。由于很多寓居北京的外地读书人和官员子弟都可以参加，在北京举行的顺天府乡试成为全国规模最大的乡试考点之一。正在国子监学习的章学诚也参加了这次乡试。此前章学诚曾三应乡试不中，这是第四次了。按照规定，乡试分三场，头场四书文，二场五经文，三场策论。章学诚认真备考，细心答卷。其头场、二场试卷非常成功，受到了顺天乡试主考官陆宗楷的欣赏，准备置于拟录取的卷子中，及至看了第三场策论，却将章学诚黜落为副榜，导致他第四次冲击乡试失败。一般来说，清代科举考试的考官重点阅评的头场、二场试卷，尤其是头场的四书文，基本上为能否得中定下基调，第三场策论只是作为参考；何况由于应试试卷数量庞大，阅卷量繁重，不少考

官甚至根本不看第三场。章学诚却异常倒霉，被第三场策论毁掉了前程，这是什么缘故呢？

章学诚事后回忆说：“戊子乡试，以国子生修《国子监志》，与国子长官争论义例，既不合矣。其秋主试，即此长官，发策即问《监志》义例。”（《文史通义新编新注》外篇三《与史氏诸表侄论策对书》）原来，乾隆三十二年（1767）秋，朝廷命令国子监编纂《钦定国子监志》，由于史学方面的才华受到国子祭酒欧阳瑾、国子司业朱棻元的赏识，章学诚加入了这个编撰班子。而章学诚说的“国子长官”正是陆宗楷。陆宗楷曾于乾隆十二年（1747）任国子祭酒。陆宗楷在国子监任上，已经进呈了一部《太学志》，但其中叙述的历代沿革掌故，非常冗杂，从唐宋以前开始拉杂收录，没有清晰的时间上限。实际上，与清代国子监关系最密切的是元明两代的国子监，与元以前的国子监沿革关系不大。因此这部《太学志》经朝廷组织力量审核，被打了回票。风水轮流转，已任兵部尚书的陆宗楷于乾隆三十三年（1768）兼职管理国子监事务，成为凌驾于国子监祭酒之上的分管大臣，因此，这次国子监编纂《国子监志》，他不但插手很深，而且重搬当年《太学志》的老套。而章学诚在编修《国子监志》的过程中，根据自己的独立思考，反对无限制地扩大追溯沿革的时间范围，因此考前已经与陆宗楷发生了观点分歧，不料陆宗楷在乡试中竟以《国子监志》编纂体例出题。有些关心章学诚的人事后说，这样的主考官出了这样的考题，倾向性一目了然，章学诚在试卷中坚持己见岂非自找苦吃。但章学诚后来说：“这些人是不理解我啊。我平生不能作违心之论，主持考试的考官，对我的观点或好或恶，或无意中黜落我的卷子，或非常欣赏，这都是命中定数，非我主观所能左右。何况，我对于科举从来就没有志在必得，更不会去揣摩考官的意图。”虽然乡试失利，但章学诚并没有退出《国子监志》的编撰班子，而是断断续续地维持到了乾隆三十六年（1771）才正式退出。章学诚为了坚持正确意见而痛失功名，得到了

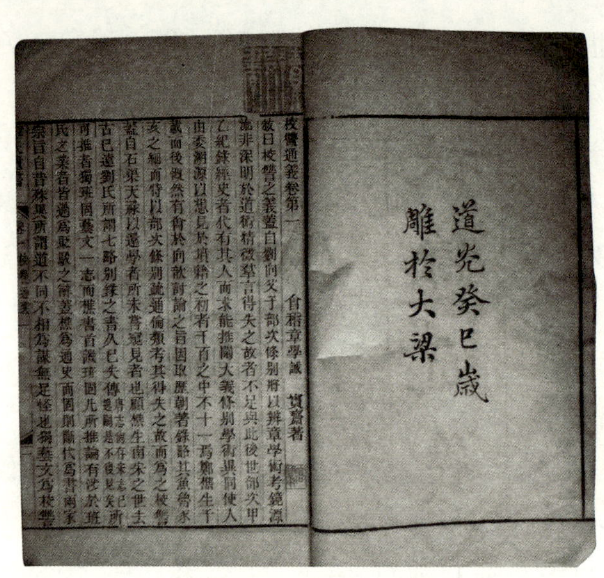

道光癸巳歲
雕於大梁

校讎通義卷第一　會稽章學誠　實齋著
敍曰校讎之義蓋自劉向父子部次條別將以辨章學術考鏡源
流非深明於道術精微羣言得失之故者不足與此後世部次甲
乙紀錄經史者代有其人而求能推闡大義條別學術異同使人
由委溯源以想見於墳籍之初者千百之中不十一焉鄭樵生千
載而後慨然有會於向歆討論之旨因取歷朝著錄略其魚魯豕
亥之細而特以部次條別疏通倫類考其得失之故而為之校讎
蓋自石渠天祿以還學者所未嘗窺見者也顧樵生南宋之世去
古已遠劉氏所謂七略別錄之書久已失傳[illegible]所
可推者獨班固藝文一志而樵書首譏班固凡所推論有涉於班
氏之業者皆過為貶駁之辭蓋樵為通史而固則斷代為書兩家
宗旨自昔殊異所謂道不同不相為謀無足怪也獨藝文為校讎

章学诚的《校雠通义》书影

当时国子监司业朱棻元的同情。到了乾隆四十一年（1776），《国子监志》成书，朝廷奖励参加编撰的出力人员，朱棻元此时仍在国子监任司业，他没有忘记章学诚，为其请奖，章学诚由此获得了一个“国子监典簿”的头衔。此官为从九品，但这只是头衔，并不需要上任，亦无俸禄。乾隆四十三年（1778）正式进呈乾隆皇帝的《钦定国子监志》，其沿革部分只从元代开始，元以前极为简略，呈现出“略古详今”的格局，这就雄辩地证明了章学诚的主张是正确的，他的坚守和牺牲也是值得的。

那么，为什么章学诚这样坚持“略古详今”呢？作为清代杰出的史学理论家，章学诚始终认为，史学要为当代服务，而编制各类志书（包括地方志和部门志）是史学为当代服务、为

现实服务的主要渠道。他非常反对当时很多方志编纂者把地方志当作“发思古之幽情”、炫耀个人博学的装饰品，更反对将“沿革”作为方志的主要内容和价值所在。章学诚指出，最容易被我们忽视的是正在发生的当代史和过去不久的近代史：“若夫一方文献，及时不与搜罗，编次不得其法，去取或失其宜，则他日将有放失难稽，湮没无闻者矣。”因此，当有人质疑章学诚把方志材料搜集的重点放在“三数百年之内”的时间范围内的主张时，章学诚的回应是：“夫修志者，非示观美，将求其实用也。时殊势异，旧志不能兼该，是以远或百年，近或三数十年，须更修也。若云但考沿革，而他非所重，则沿革明显，毋庸考订之，州县可无庸修志矣。”（《记与戴东原论修志》）“时殊势异”就是时代转型、社会变迁、经济发展，30 年左右就是一个周期，应该遵循这个周期及时更新方志的内容，至于历史上的地理沿革，地方的府州县的地理沿革，历代正史《地理志》中已经交代得很明白，无须在新修方志中又把这些东西重新抄一遍。

不但方志要切于实用，为社会服务，一切学术亦都应该立足于此，章学诚说：“故无志于学则已，君子苟有志于学，则必求当代典章，以切于人伦日用；必求官司掌故，而通于经术精微；则学为实事，而文非空言，所谓有体必有用也。不知当代而言好古，不通掌故而言经术，则鞶帨之文，射覆之学，虽极精能，其无当于实用也审矣。”（《文史通义·史释》）学术不是徒为美观的摆设（“鞶帨之文”），也不是升官发财的跳板（“射覆之学”），而是利国利民的实学，章学诚正是以郁郁不得志的仕途和穷困潦倒的一生，实践了这一信念，值得今人记取。

阅读链接：

鲍永军：《史学大师——章学诚传》，浙江人民出版社，2007 年版。

余英时：《论戴震与章学诚》，三联书店，2005 年版。

孙诒让：用语言打开启蒙之门

孙诒让像

俗话说："天不怕，地不怕，就怕温州人说普通话。"这句话就算是温州人自己听了也觉得有几分道理。温州人的方言不但与普通话差距很大，与浙江省内各地方言也是相去甚远。温州方言如此"生僻"，有其复杂的客观原因，无形中阻碍了温州人与外界的交流。

作为清末屈指可数的朴学大师，研究语言文字是孙诒让的强项，他在金文、甲骨文、校勘学方面的成就在生前就得到了学术界的一致推崇。不过，孙诒让没把他对语言文字的兴趣停留在书斋中。孙诒让是近代温州地区开风气之先的教育改革家、实业家，他深切地体会到了语言对于维新自强、开通风气的极端重要性。他发现不识西文，对西方知识的接受就是浮皮潦草的；不通官话（普通话），就无法与国内其他地方交流；不用白话，下层老百姓就不可能接受新的思想和知识。

清光绪三十年（1904），孙诒让痛感由于本乡土音特殊，与官署人员或外地来宾相见时，往往语言难通，遂在瑞安县城飞云阁发起了普通话学习活动，凡是本县学堂教职员及地方各界人士愿参与一起学习者，可以向主办人缴纳茶水费，得到茶水招待。这一活动从八月上旬开始，每逢星期日下午讲习，一次四小时，孙诒让自任指导老师。孙诒让一生曾八次进京应科举考试，对于官话自然较从未出省的乡人熟悉、流利。光绪三十三年（1907），孙诒让起草了《温州初级完全师范学校暂定章程》，其中普通话被列为一门重要课程。同年，孙诒让在《学务枝议》中提出，现在有人觉得楷体字繁难，老百姓不容易学习，就想仿照日本片假名，另外创制"简字"，其实大可不必，中国传统的草书笔画就很简单，譬如智永《千字文》、孙过庭《书谱》都可以作为蓝本加以整理，编成识字课本，供高等小学以上程度的学生学习。

光绪三十二年（1906）春，孙诒让给在东京的友人寄信，请求代为订购中国同盟会在日本发刊印行的《民报》。报刊寄到后，孙诒让挑选出报上所刊载的白话文的宣传文章，交给瑞安高等小学堂油印，发给学生作为国语课本，在当地引起了轰动。

除了积极开展普通话教学和白话文推广之外，孙诒让还很注意演讲艺术对思想文化的推广作用。光绪二十八年（1902）十一月，孙诒让根据部分士绅的建议，担任了瑞安演说会会长，会员一共45人，会址设在县学的明伦堂内。演讲会每逢初一、十五召开例会，召集城郊区各学堂师生和绅商、农工各界到会听讲，约数百人。演讲的内容包括德义、科学知识、县政兴革、农工商实业、中外时事等，以此启发民智，开通风气。主讲人为会员。瑞安演说会持续活动了三年，孙诒让应该也曾主讲。现在能见到孙诒让的白话演讲词一共有三篇：《瑞安县城公立高等小学堂课堂讲说辞》《在温州艺文学校开学典礼上的演说辞》（1901）《在瑞安庆祝仿行宪政典礼大会上演说宪政》（1906）。这三篇演讲词都堪称流利通俗的口语，娓娓动听，令人不倦。譬如对"君主立宪"这样一个新鲜事物，孙诒让是这么解释的：

> 什么叫做立宪？这就是国中公立一个宪法，一切治国的章程规矩，都包在这个里头。初定宪法之时，由皇帝监督政府，议定了多少条，颁下叫百官同绅士百姓公议。倘如大家都肯承认，说是可行，这就决定通国永远遵行；倘或大家说这个宪法是行不得的，一定必须更改，这就可以收回重新再议；或者大家另有特别意见，要添上几条，也可以进上政府斟酌添补。就是平日内洽外交一切事情，都是要照天下的公议而行。总是上头皇帝政府同下边地方绅士百姓都要遵照这个宪法。倘是违背了宪法，就是皇帝，也不能做一件事。这个宪法，算是大家都有份的，无论君主立宪、民主立宪，大概都是如此。(《在瑞安庆祝仿行宪政典礼大会上演说宪政》)

即便到了今天，要把“君主立宪”说得这么清楚明白，浅显易懂，也是件不容易的事情，而孙诒让在白话文还未在知识分子中间流行的清末，就已经善于用这样的语言传播文化知识和进步思想。

除了在中文的通俗化方面投入了大量精力外，孙诒让也认识到外语是打开西学宝库的钥匙。他在大量阅读编译的中文资料时，发现了当时翻译的很多弊端，譬如外国的人名、地名、科学专有名词，都从音译，舛错百出，俄罗斯或译作露西亚，德意志或译为独逸等等，学者无所适从。他在《学务枝议》中就此提出了“译教科书宜统一名词”的建议。光绪二十七年（1901），孙诒让参加由传教士创办的温州艺文学校的开学典礼，在致辞中仍对自己不通英文深感遗憾：“至于我自己，虽然读

过中国旧书，而不识西国文字，近来稍稍兼看西书的译本，总还惭愧，所得甚为浅薄。且每恨未曾亲到西洋，参观各国的新政设施及一切大小学堂的办法，以增长知识。”因此，孙诒让还一度自学外语。光绪二十八年（1902），55 岁的孙诒让为了能够阅读原著，决定学习英语，聘请瑞安普通学堂的西文教习蔡华卿住在家中，随时向其请教英文，教材就是普通学堂的课本，蔡华卿口述之后，孙诒让随手在课本上于英文单词旁用朱笔细楷附注读音。这样的学习持续了两三个月，由于事务丛脞，不能专心，加上精力衰退，在家人劝阻下才停止了英文学习。作为一个近代化改革的先驱，孙诒让深知改正语言文字是传播先进思想文化的基础和前提，正因为他身体力行地倡导普通话、推广白话文、简化文字、学习外语，善于利用语言艺术的魅力，不遗余力地大声疾呼，他维新自强的主张才得到越来越多人的支持和理解，近代温州的教育科技事业才迈出了艰难的第一步。

阅读链接：

孙延钊：《孙衣言孙诒让父子年谱》，上海社会科学院出版社，2003 年版。

李海英：《朴学大师——孙诒让传》，浙江人民出版社，2007 年版。

王国维：可信与可爱的两难

民国十六年（1927）6 月，一代国学大师王国维自沉于颐和园昆明湖，他在遗书中这样写道："五十之年，只欠一死，经此世变，义无再辱。"这位近代著名的哲学家、文学家和史学家就这样离开了人世。王国维，字静安，晚号观堂，出生于清光绪三年（1877），浙江海宁人。他曾充当逊帝溥仪的南书房行走，并与梁启超、陈寅恪、赵元任并称清华国学研究院的"四大导师"。他在哲学、文艺、史学等方面硕果累累，特别是在戏曲史、甲骨学、殷周古史、敦煌学、简牍学、历史地理和古代民族史等领域均贡献巨大，被视为中国现代学术的奠基人之一，为后人留下了丰厚的学术遗产。

一、"转移一时之风气"

王国维从小接受了良好的传统教育，后慨然弃绝科举，自奋"新学"，受到维新变法思想的影响。他曾对叔本华、康德、尼采哲学颇有兴趣，并在《教育世界》发表过一批哲学论文，介绍德国哲学。王国维深受叔本华思想的影响，认为人生哲学就是探求揭示人生即痛苦的真理以及解脱之道。他专门写了《红

楼梦评论》一文，分析曹雪芹创作的小说《红楼梦》的悲剧意义。他认为《红楼梦》的精神在于“示此生活此痛苦之由于自造，又示解脱之道不可不由自己求之者也”，因此乃是“彻头彻尾之悲剧”。王国维通过揭示《红楼梦》的悲剧意义和美学价值，开风气之先，打破了人们以往对于《红楼梦》领域的研究和认识。

光绪二十七年（1901），王国维在罗振玉的资助下东渡日本留学。回国后他先后在苏州和南通的师范学堂教授哲学、伦理学、心理学和社会学。王国维后来对哲学的研究产生“烦闷”。他曾在《自序》中这样说道：“余疲于哲学有日矣。哲学上之说，大都可爱者不可信，可信者不可爱。余知真理，而余又爱其谬误。伟大的形而上学，高严的伦理学，与纯粹之美学，此吾人所酷嗜也。然求其可信者，则宁在知识论上之实证论，伦理学上之快乐论，与美学上之经验论。知其可信而不可爱，觉其可爱而不能信，此近二三年中最大之烦闷。”

光绪三十二年（1906）后，他的治学兴趣主要集中在诗词、戏曲方面。光绪三十四年（1908）《人间词话》问世，民国元年（1912）《宋元戏曲考》问世。《人间词话》虽以词话为题目，但内容涉及诗、曲、戏剧等多方面，是王国维文艺理论研究的代表作。《人间词话》的核心就是“境界”说。王国维认为，境界是词的灵魂，是词的最高标准。王国维的这本书被认为是中国近代运用西方美学理论探讨中国古代创作实践的开创性专著，在中国美学史上有着独特的地位。

辛亥革命爆发后，王国维流亡日本，从此以清朝遗老自居，尽弃前学，专治经史。从晚清到民国初年，发现了大量历史材料，重要的如殷契甲骨文字、敦煌塞上及西域各地之简牍、敦煌千佛洞卷轴、古外族遗文等。对于这些新发现的地下材料，王国维用毕生精力加以研究考证，取得了巨大成果。他创造性地运用“二重证据法”开展研究。所谓“二重证据法”，就是要以“纸上之材料”与“地下之新材料”相互印证，并以“地下之新材料”补足“纸上之材料”。如他所作的《殷周制度论》，运用甲骨文与古文献资料互相印证，探讨了中国古代社会历史和政治文化制度的演变。这一研究方法至今仍不失其重要意义。王国维的学术成就又使他在国际、国内的学术界得到了极高的声誉。

综观王国维的学术活动，先是研究哲学，继而转向研究文学，再而转向研究史学，以史学的研究贡献最大。他学贯中西，学术研究涉及众多领域，无不具有开创性，起着“转移一时之风气”的研究意义。

二、“独立之精神，自由之思想”

王国维的学术著作，以史学为最多，文学为最深，文字学为最基本。王国维的研究成就卓然。陈寅恪对他的学术成就曾有过描述：“其学术的内容及治学方法，殆可举三目以概括之者。一曰取地下之实物与地上之遗文互相释证，凡属于考古学及上古史之作，如《殷卜辞中所见先公先王考》及《鬼方、昆夷、猃狁考》等是也。二曰取异族之故书与吾国之旧籍互相补正，凡属于辽、金、元史事及边疆地理之作，如《萌古考》及《元朝秘史之主因亦儿坚考》等是也。三曰取外来之观念与固有之材料互相参证，凡属于文艺批评及小说戏曲之作，如《红楼梦评论》及《宋元戏曲考》《唐宋大曲考》等是也。”

这位集史学家、文学家、美学家、考古学家、词学家、金石学家等于一身的学者，被誉为“中国近三百年来学术的结束人，最近八十年来学术的开创者”。在《人间词话》中，王国

维谈到了治学经验，提出古今之成大事业、大学问者必经的三种境界。“昨夜西风凋碧树。独上高楼，望尽天涯路。”此第一境也。“衣带渐宽终不悔，为伊消得人憔悴。”此第二境也。“众里寻他千百度，蓦然回首，那人却在灯火阑珊处。”此第三境也。王国维又把这三境界说成“三种之阶级”，他说：“未有不阅第一、第二阶级而能遽跻第三阶级者，文学亦然，此有文学上之天才者，所以又需莫大之修养也。”（《文学小言》）

王国维不愧为中国20世纪享有国际盛誉的著名学者，他融会中西，以现代学术建立的视野，不断创新研究内容和研究方法，在诸多领域的研究几乎都达到同时代的最高水平。后人这样评价他，王国维“离开我们已半个多世纪了，他在学术研究方面的各种创作、考释、校注、跋论、专文等，其中许多论断，经过长期的实践检验，证明是符合历史实际的‘不易之论’，为中外学术界所敬仰”（《王国维学术研究论集·前言》）。

梁启超曾称赞王国维“不独为中国所有而为全世界之所有之学人”。蔡元培也曾说：“王氏介绍叔本华与尼采的学说固然很能扼要，他对于哲学的观察也不是同时人所能及的。”而郭沫若先生则评价他“留给我们的是他知识的产物，那好像一座崔嵬的楼阁，在几千年的旧学城垒上，灿然放出了一段异样的光辉”。

王氏的自沉的确是一个悲剧，他的死因至今仍是近代学术史上的一个谜，也流传着很多种说法。陈寅恪《王观堂先生挽词》的序言中这样写道：“或问观堂先生所以死之故，应之曰：近人有东西文化之说，其区域分划之当否，固不必论，即所谓异同优劣，亦姑不具言，然而可得一假定之义焉。其义曰：凡一种文化值衰落之时，为此文化所化之人，必感苦痛，其表现此文化之程量愈宏，则其所受之苦痛亦愈甚；迨既达极深之度，殆非出于自杀无以求一己之心安而义尽也。”所以他说：“盖今日之赤县神州值数千年未有之巨劫奇变，劫尽变穷，则此文化精神所凝聚之人安得不与

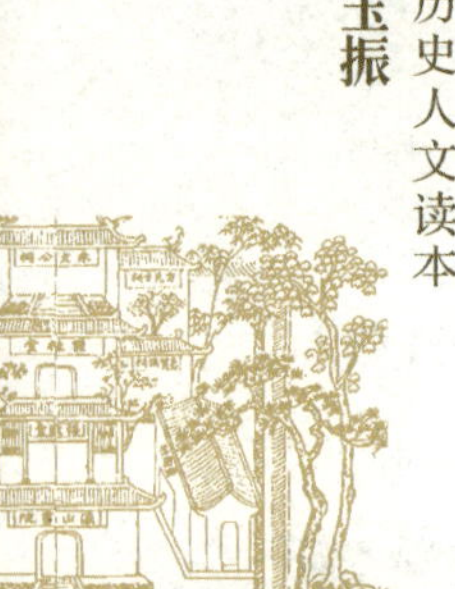

之共命而同尽？此观堂先生所以不得不死，遂为天下后世所极哀而深惜者也。”

王国维留给后人最宝贵的精神财富是什么？陈寅恪在 1929 年所作《王国维纪念碑铭》中首先提出“独立之精神，自由之思想”。在他看来，王国维的著作或许可以超越，但是这种独立和学术自由的精神却是值得永恒纪念和大书特书的。诚如《碑铭》所言：“先生之著述或有时而不章，先生之学说或有时而可商，惟此独立之精神，自由之思想，历千万祀，与天壤而同久，共三光而永光！”（沈小勇撰）

智言慧思

可爱者不可信，可信者不可爱。

——（民国）王国维《静安文集续编·自序》

阅读链接：

王元化主编：《王国维学术论著》，浙江人民出版社，1998 年版。

刘恒：《王国维评传》，百花洲文艺出版社，2010 年版。

陈鸿祥：《王国维传》，江苏文艺出版社，2010 年版。

蔡元培：大学生应养成学问家的人格

蔡元培，浙江绍兴人，生于清同治七年（1868），这位曾经被毛泽东誉为“学界泰斗、人世楷模”的教育家、革命家和政治家，为发展中国近代新文化教育事业作出了不可磨灭的贡献。他曾经是光绪年间的进士，也担任过翰林院的编修，后因对清政府的不满，投身民主革命活动。他曾赴德国留学，并接受西方人文学术和现代大学教育理念，在担任南京临时政府教育总长以及北京大学校长期间，他提出了许多崭新的教育方针，为改造中国旧教育、建立新教育作出了重要贡献。

蔡元培最具特色和影响的是他的教育思想。主持教育部工作期间，他就主张对教育进行大胆的改革。为此，他专门提出了停止祀孔，废除读经的教育主张。他非常赞同西方教育家关于全面进行体、智、德、美四项教育的思想。蔡元培将清学部规定的忠君、尊孔、尚公、尚武、尚实等五项教育宗旨修改为新的“五育并举”的主张。他在《对于新教育之意见》一文中提出，民主共和国的教育方针应包括：军国民教育、实利主义教育、公民道德教育、世界观教育及美感教育五个方面。“五者，皆今日之教育所不可偏废者也。”为此，他主持学制改革、课程修订，推行义务教育和社会教育，大力推进了中国传统教育的现代转型。

蔡元培的教育思想离不开他对教育本质目的的认识。在他看来，新教育的目的乃是“养成健全人格”。民国四年（1915），他在提交给巴拿马万国教育会议的论文《一九零零年以来教育之进步》中明确提出：“教育者，养成人格之事业也。使仅仅

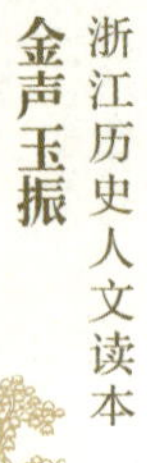

为灌注知识、练习技能之作用，而不贯之以理想，则是机械之教育，非所以施于人类也。”他相信，教育必须以完善受教育者的人格为旨归，不能以工具式教育为目的，不能以注入式教育为方法，正如他所言：“教育是帮助被教育的人，给他能发展自己的能力，完成他的人格，于人类文化上能尽一份子的责任。”（《教育独立议》）

民国六年（1917），蔡元培在教育总长范源廉的敦请和孙中山的劝促下，正式就任北京大学校长。北京大学前身是京师大学堂，此时的北京大学承清末以来的旧习气，学风、校风非常腐败，亟待改革。蔡元培改革北京大学的第一步是明确大学的宗旨，并为师生创造研究高深学问的条件和氛围。他在就任北京大学校长的演说中提出：“大学者，研究高深学问者也。”他要求学生要“抱定宗旨”，“为求学而来”;要“敬爱师长”，“砥砺德行”。他认为，“大学学生当以研究学术为天职，不当以大学为升官发财的阶梯”。在1918年北京大学的开学演说词中，蔡元培又重申：“大学为纯粹研究学问之机关，不可视为养成资格之所，亦不可视为贩卖知识之所。学者当有研究学问之兴趣，尤当养成学问家之人格。”

蔡元培在北京大学最突出、最为人称道的主张乃是坚持“思想自由、兼容并包”的办学方针。他认为，大学坚持思想自由，乃是世界大学的通例，“无论何种学派，苟其言之成理，持之有故，尚不达自然淘汰之运命者，虽彼此相反，而悉听其自由发展”（《致〈公言报〉函并附答林琴南君函》）。蔡元培在阐述

这一方针时，常以《礼记》中的名言为据："万物并育而不相害，道并行而不相悖。"蔡元培把"思想自由"与"兼容并包"融合为一体，主张教师的学术见解应不受任何拘束地自由讨论，主张不同学派和观点之间只有共同讨论或竞相争辩，方能取长补短，这种主张充分体现了现代大学教育与学术的精神所在。

蔡元培提出的办学方针与他对于现代学术和教育独立的认识密不可分。他主张教育独立，他认为："教育事业当完全交与教育家，保有独立的资格，毫不受各派政党或各派教会的影响。"（《教育独立议》）他的这种主张看到了现代教育特别是大学学术教育的规律，必将对繁荣学术起到巨大作用。正是在"思想自由、兼容并包"方针的指导下，蔡元培聘请一大批学识深厚的著名学者到北京大学任教，调整科系和课程设置，设置研究所，改革行政体制，实行教授治校与民主管理，一时北京大学学术气氛活跃，校风大为改观。"思想自由、兼容并包"也成为他最有影响、最见成效的办学方针。

梁漱溟曾说过："蔡先生一生的成就不在学问，不在事功，而只在开出一种风气，酿成一大潮流，影响到全国，收果于后世。"梁先生所谓的这种风气，正是现代大学的思想自由与兼容并蓄发展。当时的北京大学，既集中了许多新文化运动的著名代表人物，也有政治上保守而旧学深沉的学者；在政治倾向上，有的激进，有的保守，有的主张改良，百家争鸣，盛极一时。也正是在蔡元培这种开放的学术风气之下，陈独秀、李大钊、胡适、周作人等一大批名流学者登上北京大学讲坛，介绍世界学术思想，掀起了新文化的巨澜，使当时北京大学人才云集，思想前沿，学术繁荣，成为"五四"新文化运动的中心。

蔡元培主张学术立国，他专门提出了"学为学理，术为应用"等观点。在学术发展上，他认为，一个民族或国家要在世界上立得住脚，必须要以学术作为基础。他断言，学术昌明，国家才能强盛；学术幼稚和知识蒙昧的民族只会贫弱。作为知

阅读链接：

刘梦溪主编：《中国现代学术经典·蔡元培卷》，河北教育出版社，1996年版。

蔡元培：《蔡元培自述》，河南人民出版社，2004年版。

张晓唯：《蔡元培评传》，百花洲文艺出版社，2010年版。

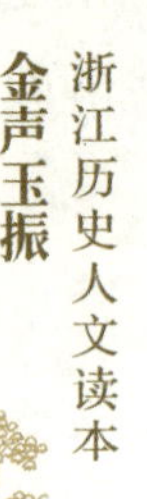

识界的领袖人物，蔡元培被称为中国新文化、新学风、新学府的开拓者，他的学术理想和教育主张使他成为我国现代“大学理念”或“大学精神”的奠基者。他所倡导的“兼收并蓄”“兼容并包”的学术自由和发扬科学民主的精神，直至今日，仍然为人们所称颂乐道。

蔡元培独立的人格魅力也使他不愧为后世的楷模。蔡元培并不迷恋官场，在戊戌变法失败后，他看透了清王朝的腐败，遂与清廷决裂，弃官南下，回到故乡办教育，加入同盟会，参与反清革命活动。他的革命活动为建立中国资产阶级民主制度立下了不朽功勋。作为中华民国首任教育总长和北京大学校长，他首开“学术”与“自由”之风，不畏困难，立志改革，革新北京大学。他为人清廉正直，刚正不阿，钟情教育，热爱学生。特别在五四运动爆发后，北京大学许多学生被捕，蔡元培同情学生，多方组织营救，后来学生释放后，北洋政府对校方施加压力，蔡元培愤懑辞职。

蔡元培在民国八年（1919）6月手写的辞职声明中，痛斥北洋军阀政府，他说“我是个痛恶官僚的人”，“我绝对不能再做不自由的大学校长”。蔡元培先生的人格魅力令人尊敬！（沈小勇撰）

世外心迹

中国式的宗教注重在现实世界中营造超凡出尘的远离俗人聚居的彼岸气氛。浙江的山水天然地具有这样的灵秀和神秘。

引　言

思想以价值为追求，学术以理性为准则，宗教则是以信仰为前提，以彼岸世界和来生幸福为追求。但彼岸和来生无法通过感官来把握，从而使人信服，因此中国式的宗教注重在现实世界中营造超凡出尘的远离俗人聚居的彼岸气氛。浙江的山水天然地具有这样的灵秀和神秘。魏伯阳、葛洪、陆修静、司马承祯就在这片清幽奇绝的山山水水之中点染勾画，寄情流连，于是，就有了《周易参同契》、抱朴道院、国清寺、天童寺、灵隐寺、桐柏观等。

“求真务实、知行合一”的浙江思想学术特征也深刻地影响了宗教，逻辑思辨成为宗教理论构建的支柱；天台智者大师把理性思辨和宗教体验结合起来，构建了“止观双行”的天台宗理论体系，这也是佛教史上唯一一个浙江土生土长的重要流派。莲池大师摒弃狂禅，推动“老实念佛”，弘一法师复兴律学，呼应严持戒律，都具有反对空谈、重视践履的特色。

关心人民疾苦、参与现实社会活动是浙江宗教的另一特点，傅大士、黄大仙、杜光庭、济公、太虚大师在现实苦难前不是闭上眼睛，而是积极追求以宗教来舒缓人的精神紧张，缓和社会矛盾。近代以来，天主教、基督教随着西学东渐的大潮涌入浙江大地，进一步丰富了浙江人的信仰世界。这些外来宗教在传播教义的同时，也深度地与社会相结合，开办各级各类学校、开办近代西式医院，以及其他各种公益社会事业，客观上都促进了浙江的近代化转型。浙江的宗教具有的强烈现实关怀，与浙江精神“以人为本”的特征是密切相关的。

（本专题由王宇主笔撰写并统稿，沈小勇、尹晓宁、吴晶参与撰写）

魏伯阳：万古丹经王

魏伯阳是东汉著名的炼丹家，据说他是被誉为“万古丹经王”的道家丹鼎派经典《周易参同契》的作者。在已有史料中对他的记载并不多，关于他的最早记载出现于东晋道士葛洪的《神仙传》中。据该书记载，魏伯阳为“高门之子，而性好道术，不肯仕宦，闲居养性”，时人都不知道他的来历。魏伯阳尝带领三个徒弟于山中炼制金丹，觉得其中两人对炼服金丹诚心不足，便想考验一下他们。他事先告诫弟子：“金丹虽成，当先试之，饲于白犬，犬即能飞者，人可服之，若犬死者，即不可服也。”他将一粒转数未足、和合未至的毒丹给入山时带来的一只白犬服用，结果白犬被毒死。魏伯阳于是对三位弟子说：“作丹恐不成，今成而与犬食，犬又死，恐是未得神明之意，服之恐复如犬，为之奈何？”弟子问他自己是否服用，魏伯阳回答：“吾背违世路，委家入山，不得仙道，吾亦耻复归，死之与生，吾当服之耳。”答毕便服下金丹，结果入口即死。其中两个弟子相顾说：“所以作丹者，欲求长生耳，而服之即死，当奈此何？”另外一个弟子认为自己的师父不是凡人，服金丹而死必是有意为之，随后也服下了金丹，金丹入口也随即死去。剩下的两个弟子认为服丹本为长生，服食即死，不如不服，尚可多活数十年，遂不服。于是二人出山，欲为魏伯阳和另一弟子置棺木。结果二人去后，魏伯阳即起，救起服下金丹的虞姓弟子和那只白犬而去，并留书给入山砍柴的樵夫，让他转交另外两位弟子。这二人见书，懊悔不已。有关魏伯阳的故事大抵如此而已。葛洪又说："伯阳作《参同契》《五相类》，凡二卷，其说如似解释《周易》，其实假借爻象以论作丹之意，而儒者不知神仙之事，多作阴阳注之，殊失其奥旨矣。"点出了其与《周易》的关系。

魏伯阳，名翔，字伯阳，号云牙子，是会稽上虞县人，其祖籍为郐国（今河南郑州南密县）。生于汉桓帝元嘉元年（151）。其父为时称"八俊"之一的上虞魏朗，与李膺、杜密等人齐名，故葛洪称其为"高门之子"。汉桓帝延熹十年（167），魏朗遭党祸被禁锢上虞家中；汉灵帝建宁二年（169），被害致死。此时，魏伯阳已成年。汉灵帝熹平五年（176），因党祸牵连家属，魏伯阳在高压下被迫隐遁山林修道，时年26岁。在18岁至26岁之间，魏伯阳的生活大致为进修学业，整理父亲遗稿并编辑成《魏子》一书传世，与淳于叔通之交往亦可能在这一时期，因而奠定了后来入山修道之志。宋代人曾云："云牙子游于长白之山，而遇真人告以铅汞之理龙虎之机焉，遂著书十有八章，言大道也。"游长白山之事别无旁证，但魏伯阳修道之初造访名山可能性很大，是否一定为长白山也无关紧要。魏伯阳的著作有《参同契》以及为"补塞遗脱"而作的《五相类》各一卷，此外《抱朴子·内篇·遐览》载有《魏伯阳内经》一卷。魏伯阳去世之年约在魏曹丕黄初二年（221）前后（萧汉明《魏伯阳及相关人物生平考》）。

《周易参同契》分上、中、下三篇和一首《周易参同契鼎器歌》，共约六千字，多用四字一句、五字一句的韵文及少数长短不齐的散文体和离骚体写成。该书"词韵皆古，奥雅难通"，"所述多以寓言借事，隐显异文"，令人"无下手处，不敢轻议"（朱熹语）。可见，要通晓这本书的意义是非常难的。《周易参同契》本只称《参同契》，

“周易”二字是后加的。朱熹《参同契考异》也说:“参,杂也;同,通也;契,合也。”而俞琰则是首先提出“参”与“三”通的人。其《周易参同契发挥》云:“参,三也;同,相也;契,类也。谓此书借大易以言黄老之学,而又与炉火之事相类,三者之阴阳造化殆无异也。”这恐怕是受了魏伯阳在自序中所言“歌叙大易,三圣遗言,察其旨趣,一统共伦”的启发,以大易、黄老、炉火为相契合,以易理阐释丹道。

关于金丹,历来有外丹和内丹之别。从历史发展看,《周易参同契》最初应是烧制外丹的理论,至后来,外丹逐渐衰落而内丹学兴起,《参同契》又成为内丹修炼的理论。此中并无矛盾,因为内外丹道理无不同。所不同者,内丹以头为鼎,以腹为炉,以精气为药,等等。

外丹术包括金丹术和黄白术。黄白术俗称炼金术,并不是《参同契》的重点。《参同契》主要论述的是炉火金丹,以今天看,是一系列“药物”的化学反应,分三个过程:先是在鼎中放入粉屑状铅围住中间水银,用炭火烧炼,使这三种物质相互含受,生成铅汞齐。铅汞齐中部分铅会被氧化成黄色的四氧化三铅,即铅丹,又称黄舆。然后,当烧炼的铅汞齐冷却凝固后,在潮湿的空气中放置经年累月,原先呈块状的铅汞齐便会因受潮崩解为灰黑色的粉末。这些粉末经过研磨,与水银混合装入鼎中,将鼎封住,连续加热12天,或其倍数,待反应完毕,开炉后看到一种紫色物质,是氧化汞、氧化铅、四氧化三铅等的混合物,即所谓“还丹”。以今天的观点看,炼制出来的丹药都是有毒物质，服用这种丹药，风险非常大。当然，外丹的炼制过程充满了神秘的二气五行、卦气纳甲之说，恐怕并非只是一系列化学反应那样简单。但无论如何，历史上多有因误服丹药而死的记载，这也使这种外丹术逐渐被内丹术所取代。

内丹修炼，以己身为炉灶，精气为药物，以神为运用，在体内炼化出不死丹药，羽化成仙。其模式是在体内模拟外丹的炼制，以人体作鼎炉，以后天的精、气、神作原料，用意念（元神）为“火”，把呼吸当“风”，通过这种“风”与“火”来掌握“火候”。“火候”在内丹修炼中至为重要，常是不传之秘。人体精气与元神结合，积气冲关，河车搬运，循经走脉，显现内景，并在一定的“火候”下结成“金丹”。通常，体内的炉为丹田，而安鼎之处则为泥丸宫。金丹之路，按照后人阐释，一般经过筑基炼己，打好修炼基础；炼精化气，俗称“小周天”；炼气化神，俗称“大周天”；炼神还虚，“阳神出壳”。也有在此后又有“炼虚合道”之说，此时“虚空粉碎，方露全身”。“虚空粉碎”多为禅家用语，这里体现出后来道家修炼，通过吸收佛家思想提升自己，走向三教合一的趋势。

魏伯阳的《周易参同契》是道教的重要经典，其中的炼丹术包含了古代化学、哲学、生命科学、宇宙学等诸多内容。中国的黄白之术通过阿拉伯人传到西方，成为西方的炼金术，而心理学家荣格更是将炼金术与他的重要发现——集体无意识联系起来。（尹晓宁撰）

阅读链接：

萧汉明、郭东升：《〈周易参同契〉研究》，上海文化出版社，2001年版。

抱朴道院与半闲堂

1600多年前的一天，杭州来了位中年男子，此人已游历了半个中国，又在广西、广东做了几年小官吏，此时辞官离开江苏老家经广东罗浮山来杭州隐居。有一天，他在游西湖的时候，发现西湖北岸的山岭盛产赭红色的岩石，近乎他苦寻的丹砂，且此地林泉清秀，风景幽雅，于是购地结庐，名为抱朴，在此潜居静息，炼丹修道。此男子就是东晋著名道士葛洪，这个抱朴庐就是现在杭州抱朴道院的前身。葛洪（284—364）坚信神仙可学，学仙修道的最重要方法是服食还丹金液。为此，他酷爱炼丹，长期从事炼丹实验。至今很多地方都传说有葛洪的炼丹遗迹，杭州的抱朴道院就是其一。抱朴道院是杭州西湖北岸宝石山西面的葛岭上一座有黄色游龙围墙的建筑。据抱朴道院石碑记载，葛洪在此栖居期间，常为百姓采药治病，在井中投放丹药，饮者不染时疫。他还开通山路，以便行人往来，为人们做了许多好事。因此，在他仙逝之后，人们将他住过的山岭称为葛岭，并建“葛仙祠”奉祀之。

世事如棋局局新，葛洪创建抱朴道院800多年后，南宋度宗咸淳七年（1271），道院的隔壁搬来了一位气焰熏天的大人

抱朴道院

物：贾似道。他一来就侵占了抱朴道院的部分地界，在葛岭上建造了一座豪华的别墅：半闲堂。贾似道把半闲堂当作自己欢娱享乐的温柔乡，每天在西湖北山下登船，坐船到西湖南岸上朝，散朝后坐船渡湖回到半闲堂。贾似道在半闲堂干了些什么好事呢？贾似道是笃信道教的，他招纳了一些道士在半闲堂作法诵经，还以自己的形象为蓝本塑造了神像放置其中。半闲堂还是他金屋藏娇之所，很多良家妇女被他百般罗致，有不从者就被杀戮。他还把皇宫中的宫女和一些妓女都招来此地，饮酒作乐。有了美女还不够，更需要珍玩字画来点缀。他的走狗陈振、谭玉、赵与柟四下搜罗奇器异宝。南宋大臣余玠死后，把皇帝御赐的玉带埋入墓中，贾似道竟命人掘开坟墓取出。大臣刘震孙家藏有玉钩桶，贾似道暗示他献出，他没有听从，竟被罢官。为了便于赏玩，贾似道特建多宝阁，陈列这些宝贝，每天登阁一观。拍马屁的门客、朝官，每天都来请安，称颂贾似道的“丰功伟绩”。贾似道干这些“好事”的同时，北方的元军已经南下攻掠两淮，南宋政权危在旦夕。

奇怪的是，贾似道一方面用他藏污纳垢的别墅和伤天害理的行为打破了抱朴道院的宁静，另一方面却又笃信道教，经常举行大规模的仪式祈福。明人田汝成《西湖游览志余》卷二十六曾有这样一段记载：一次，贾似道举行云水斋——就是为一千个云游的僧道提供斋饭。千人之数已足，门外来了一个衣衫褴褛的道人，请求加入。看门人告诉他，千人之数已足之际，难以容纳，这个道人坚决不走。不得已，贾府只好在大门外为他提供了斋饭。吃完饭，道士把盛饭的饭钵往桌上一扣，扬长而去。贾府家人想把这个饭钵反过来，发现奇重无比，好几个人都拿不起来。家人就向贾似道通报了这一奇闻。贾似道若有所感，自己去抠这个钵，一抠即起，钵下压着一张纸条，上写："得好休时便好休，收花结子在绵州。"这时贾似道才知道刚才的道人是真仙下凡，而阖府上下，肉眼凡胎，怠慢了他。贾似道后来在木棉庵被仇人打死，正应了这句"收花结子在绵州"。

这一记载当然只是一个民间传说，却很引人深思。这个求斋的道人，早不来晚不来，偏偏等到云水斋千人数足时才出现，就算是到了贾府也不会让他进门，而只能在门外吃斋，其实在暗示贾似道对道教的崇信是虚妄可笑的。以贾似道的资财，多饭一僧、增斋一道绝不致破产，何必把他拒之门外呢？他留给贾似道的谶语"得好休时便好休"，更是警告贾似道荣华富贵已达极致，所为的伤天害理之事已经恶贯满盈，如再不知悔改，不但有杀身之祸，南宋半壁江山也会被你断送。可惜贾似道没有领悟这个警告，继续在半闲堂过着骄奢淫逸的生活，终于使得这两句谶语成真了。

天道循环，报应不爽。葛洪当年建造抱朴庐，是痛感天下兵荒马乱，君主无道，为了躲避尘世喧嚣，名利纷扰，在葛岭上专心致志地炼丹，并且为民众治疗病痛。贾似道搬上抱朴道院隔壁后，却倒行逆施，穷奢极欲，所作所为完全与道教的信仰相悖，不管他用多少财富举行宏大的斋醮科仪，他的失败也是必然的。

阅读链接：
卢央：《葛洪评传》，南京大学出版社，2011 年版。
（明）田汝成：《西湖游览志》，东方出版社，2012 年版。

陆修静：江南道教的改革家

陆修静像

陆修静（406—477）是吴兴东迁（今湖州）人，属江南世家大族吴郡陆氏的一支。在巴蜀地区传播的天师道，经历曹魏和西晋，至东晋时在许多豪门士族中有了信徒，出现了许多著名的天师道世家，在上层社会中具有了一定的影响。由于天师道领袖利用道教不断地举行大大小小的起义，使天师道和统治者的关系处于紧张状态。换言之，道教在很大程度上仍然是一个社会组织，甚至具有政治军事共同体的色彩，世俗生活和宗教生活仍然纠缠在一起，宗教人士和普通信众也没有明显的分野，朝廷所承认的信仰只有儒教和佛教，道教由于其“草根性”，合法性尚未得到承认。

陆修静首先举起了“道教”的大旗。道教要和佛教、儒家平起平坐，三分天下，就必须转型为一种宗教，这就必须从两个方面入手：一是加强自身的建设，从经典、教士、场所三个方面入手。二是与皇权合作，寻找与世俗政权和平共处的模式。为此，他推行了重整道官、创立三洞、修定斋仪的对内整合三部曲。与这一进程相始终的，是他积极对外宣传道教，努力在上层社会营造道教的义理玄妙、清静无为的正面形象，吸引皇帝和士族接纳道教、崇奉道教。这样一来，他就不可避免地会与佛教发生正面碰撞。

泰始三年（467），宋明帝对道教发生兴趣，诏江州刺史王景宗以礼敦请在庐山隐居的陆修静出山，遭到婉言推辞之后，宋明帝几次派出使者，最后陆修静终于同意出山。行至九江时，九江王问陆修静“道佛得失、同异”，陆修静回答：“在佛为留秦，在道为玉皇，斯亦殊途一致。”（《三洞珠囊》卷二《敕追召道士品》引《道学传》）“留秦”即“拘留秦佛”（又译“俱留孙佛”），是过去七佛的第四佛。陆修静的意思是，道教的玉皇大帝和如来佛是同一人，不过是在中土和天竺不同的化身而已。显然，陆修静还是寻求与佛教和平共处，无意驳倒佛教。但从佛教这边来看，具有强烈草根色彩的道教没有资格与自己平起平坐。而这次宋明帝高调敦请陆修静入都，是道教地位抬升的危险信号。故而，陆修静一到都城，就与佛教高僧和信佛的士大夫发生了辩论。

陆修静到达都城建康后，被安排在华林后堂居住，陆修静对这一安排感到不快。而宋明帝表面上礼貌甚周，实际却是想摸摸道教的底，马上召集在朝的学士大夫，在庄严佛寺安排了辩论大会，辩论佛道之高下异同。据说：“时玄言之士，飞辩河注；硕学沙门，抗论锋出。掎角李释，竞相诘难。先生标理约辞，解纷挫锐。王公嗟抃，遐迩悦服。”（《三洞珠囊》卷二《敕追召道士品》引《道学传》）陆修静对佛教方提出的疑难一一回应，不落下风。宋明帝得知这次辩论的过程后感到陆修静的确实力不俗。十来天后，明帝亲自主持了在华林延贤之馆举行的第二场辩论。这次辩论规格更高，佛道双方在御前交锋。当佛教方提出，为什么道教从来不说“三世”（前世、今世、后世）

时，陆修静回答道，《老子》云："吾不知谁之子，象帝之先。""帝"相当于佛教的现在佛，"象帝之先"就是过去佛。《庄子》又说"方生方死"，"方生"指生之前，就是前世，"方死"指死之后，岂不是后世吗？所以说，佛教指责道教没有"三世"理论，是不对的。

陆修静不敢否定佛教的"三世"理论，反而为这种理论在老庄经典中寻求依据，表面上看，是一种露怯、服输的姿态，但结合道教当时的现状，如果能从当时的道教经典中构建起一个和佛教思维水平相当的教义理论体系，那也是很了不起的成就了。陆修静能够面对质疑，当场举出《老子》《庄子》语句回应，不但显示他才思敏捷，也反映了他对佛教理论有不俗的领悟。而在此前的道教团体内部，斋醮科仪才是重点。《老子》《庄子》虽然地位很高，但其所包含的宇宙论、本体论思想还没有得到重视。这样看来，陆修静也算是开风气之先了。

经过庄严佛寺、华林延贤之馆两次交锋之后，宋明帝和朝臣们对陆修静所代表的道教刮目相看，陆修静的待遇立刻有了质变。朝廷先是提出给予陆修静官职，后者表示无意出仕，明帝遂为陆修静建造了一座专门的道教场所——崇虚馆，陆修静在此馆传道，修道，培养弟子，编订道经。崇虚馆是南朝第一座官方建立的道观，成为南方黄老道派的活动中心，它的出现标志着官方对道教合法地位的最终承认。

陆修静在崇虚馆度过了生命中最后的 10 年。这 10 年中，刘宋宗室内部发生了大屠杀，社会重新处于动荡之中，朝廷忙于内讧，也无暇过问崇虚馆和道教的发展，陆修静的很多改革

（尤其是道官体制）恐怕来不及落实就夭折了。但是陆修静对内统一道门经教科仪，对外与佛教辩论的努力，却扎扎实实地留在了道教发展的史册上，尤其是对江南道教的统一和崛起居功至伟。

智言慧思

三者，谓道、德、仁也。仁，一也；行功德，二也；德足成道，三也。三事合乃得道也。若人但做功德而不晓道，亦不得道；若但晓道而无作功德，亦不得道。若但有道德而无仁，则至理翳没，归于无有。

——（南朝宋）陆修静《洞玄灵宝斋说光烛戒罚灯祝愿仪》

阅读链接

钟国发：《陶弘景评传（附寇谦之、陆修静评传）》，南京大学出版社，2005年版。

傅大士：乱世中的精神布施

傅大士像

六朝时期，国家南北分裂，生活在那个时代的人们过着生死无常的噩梦般的生活，于是佛教的神不灭论和因果报应学说就在各地盛行起来，连皇帝也信奉佛教。傅大士就在这个时代应运而生。傅大士（497—569），姓傅名翕，字玄风，号善慧。《续高僧传》称傅弘，又称善慧大士、鱼行大士、双林大士、东阳大士、乌伤居士。东阳郡乌伤县（今义乌）人。南朝梁代禅宗著名之尊宿，义乌双林寺始祖，中国维摩禅祖师。傅大士年轻的时候，常去捕鱼，每次捕到鱼后，都要把装鱼的竹笼沉到水下，使这些鱼有自由离去的机会。他认为鱼儿能游出的都游出去，留着不去的才算是因果所致。因此人们讥笑他是愚人。梁武帝普通元年（520），傅大士 24 岁时在松山（云黄山）下结庵修行，这就是以后的双林寺。

傅大士偕同妻子留妙光在此躬耕而居，过着农禅生活，有时还给别人打工。就这样，他白天劳作，晚上修学，勤奋过日子，并以救度众生为己任。有一次，有人来偷他所种的瓜果，大士非但没有加以责怪，反而给偷盗者装满了一篮子，叫他拿回家去，表现出大慈大悲的情怀。这样苦行修身了七年，渐渐地便有许多乡里人前来顶礼膜拜，在社会上产生了很大影响。后来傅大士的灵异事迹愈来愈多，愈传愈广，大家都认为他是弥勒化身，是十地菩萨。

到了梁武帝中大通六年（534）正月二十八日，傅大士认为进京弘法的时机已经成熟，就写了一道奏疏，遣弟子入都进呈梁武帝。文中向皇帝提出了“上中下”三种“善”，也就是三个层次的功德。所谓“上善”就是“以虚怀为本，不着为宗，无相为因，涅槃为果”，即参破佛教的最高奥妙，修成正果；“中善”是“以治身为本，治国为宗，天上人间，果报安乐”，意思是要将佛法推广到世间大众中去；“下善”就是“以护养众生，胜残去杀，普令百姓俱禀六斋”。“上善、中善”都是讲佛法的推广，而“下善”只是皇帝起码的责任，即给百姓一个安定的社会秩序。事实上，这“上中下”三善，梁武帝哪一样都没做到。而且梁武帝虽然崇尚佛教，但他冷遇南渡的达摩祖师，迫使达摩失望北返，就说明梁武帝崇尚的佛教偏重玄言义理而缺乏实修，心口不一，知行相反，故傅大士决心入朝以自己的力量扭转这种偏差。

同年十二月十九日，傅大士第一次到达金陵的蒋山。他和梁武帝第一次接触，即谈得很投机。梁武帝还招待他吃饭，命他住同泰寺，后徙钟山定林寺，并供给膳宿诸般费用。大同元年（535）正月，武帝幸华林园重云殿开法会，自讲《三慧般若经》。其时王侯满筵，公卿连席。皇帝为傅大士独设一榻，以大士绝世通人，故加殊礼。不一会，皇帝来到，王公大臣都去迎接圣驾，只有傅大士一人坐着不动，有一个大臣质问他：“为什么不臣天子，不友诸侯？”傅大士说：“敬中无敬，惟不敬无不敬心。”意思是表面上尊敬礼貌的人可能内心并不尊敬，表面上不行礼仪的人未必缺乏尊敬之心。听讲的僧俗众人到齐后，梁武帝升殿讲经，众人也随从上殿，傅大士一动不动。那个大臣又问他缘故，大士回答说:“法地若动，一切法不安。”讲经结束后，就是大众诵经礼赞，唯大士一声不吭，别人又好奇地打听原因，大士说:“语默皆佛事也。”群臣又开会辩论佛教的名相义理，昭明太子派人问傅大士：“何不论议？”傅大士说：“当知所说，非长非短，非广非狭，非有边非无边，如如正理，夫复何言？”

这次讲会上傅大士“怪异”的举动当然都是有所指的。傅大士认为，既然梁武帝是在讲经，那么这里就不是政治权威的中心，而是端正肃穆的“法地”，群臣不能再以世俗的奉承君王之礼跟着梁武帝跑来跑去，这种教俗混杂的讲经会，岂止是虚伪，简直是可笑。同样的，梁武帝及其大臣的佛事活动也是流于形式的，一群没有真正领悟佛教义理的人在那里装腔作势，故作虔诚，他们所热衷的辩论，也只是从概念到概念的空谈，缺乏自身真切的宗教体验。因此傅大士说，“长”与“短”、“广”与“狭”、“有边”和“无边”都是日常语言所使用的相对概念，而佛教涅槃的本义（“如如正理”）是超越日常语言之上的绝对真理，离开了实修所获得的领悟而迷恋于以日常语言辨析佛教的概念名理，是永远也不可能有进步的。

为了强调日常语言的局限性以及对修行造成的障碍，傅大士甚至采取了后世禅宗擅长的棒喝。有一次，梁武帝请大士讲《金刚经》，才升座，大士拿起戒尺，对着桌子一敲，便下座。皇帝让他弄呆了。在旁边的一个和尚问陛下：“会了么？”梁武帝很吃惊地说："还不会啊！"这个和尚就宣布："大士讲经已毕。"梁武帝一下子懵了，只得请傅大士再讲，大士这才索拍板升座，唱四十九颂便去。傅大士猛击戒尺，是觉得梁武帝障蔽太重，很难用语言劝解，故在梁武帝猝不及防的情况下，大喝一声，猛击一掌，希望他能有所悔悟。

但是，梁武帝辜负了傅大士的苦心，他不理国事，在建造寺院、供养僧人上面浪费了大量财力，加上内政外交的一系列错误决策，太清二年（548），发生了侯景之乱。侯景专事烧杀掳掠，江南赤地千里，白骨成堆。太清三年（549），梁朝即将灭亡，国家一片混乱。傅大士将所有资财都散给处在饥荒中的贫苦大众，并率领门徒辛苦劳作，拾橡果、煮野菜粥度荒，还要节约粮食救济贫困。大宝元年（550）春天，乡里无牛耕作，傅大士便将耕牛送给老百姓使役，自己用人工代耕。这期间大士不时拿出粮食、财帛举办法会，宣扬佛法。太建元年（569）四月二十四日，大士离开人世，终年73岁。

傅大士是南朝佛教史上的一位奇人，很多佛教研究者把他看做"原始禅宗"的先行者，他所创作的《心王铭》《还源诗》对唐宋禅宗有着很大的影响。同时，傅大士一生大部分时间的生活状态介乎居士和僧人之间，基本上没有脱离农业生产而过上纯粹的僧侣生活，因此他具有强烈的入世关怀，关心民众疾苦，政治得失。尽管他不能改变萧梁政权一步一步走向灭亡的局面，但他用自己的布施温暖了苦苦挣扎的普通民众，从而为那个风雨如磐的黑暗年代留下了一抹亮色。

阅读链接：

张勇：《傅大士研究》，巴蜀书社，2000年版。
赵福莲：《傅大士评传》，上海人民出版社，2012年版。

黄大仙：一种地方化的心灵慰藉

要了解黄大仙，先要从赤松子说起，因为没有赤松子，黄大仙就不可能成为神仙。

赤松子是中国文化传说中极为古老的神仙，根据西汉刘向《列仙传》的记载，赤松子早在神农时代就担任雨师的职务，负责行云布雨。他还服食水玉，把它教给神农，能够在烈火中任其烧烤。赤松子常常飞到昆仑山上，在西王母的石室里歇息，随风雨自由上下。炎帝的小女儿曾跟随他，亦成仙飞升而去。从《列仙传》可以看出，赤松子不但负责降雨，还精通医术，他的这些本领跟人们的生产生活有着密切的关系，这为后来黄大仙信仰的普遍流行打下了坚实的基础。

赤松子既然是神仙，就可不生不死，与天地同寿，故在神农之后的时代，都有他显现于大江南北的身影。

东晋葛洪《神仙传》卷二最早记载了黄大仙的踪影，但此时“黄大仙”还姓“皇”，而且是两兄弟，哥哥叫皇初起，弟弟叫皇初平。皇初平 15 岁时入山放羊，碰到一个道士，道士认为初平有成仙得道的资质，就带他到金华山石洞中修炼 40 余年，与家中失去联络。哥哥初起为了寻找失踪的弟弟，到处游历。一天在闹市中，求助于一个算卦的道人，道人告诉他："金华山中有一个牧羊儿，姓皇名初平，莫非就是你的弟弟？"初起大喜，急往金华山，果然遇见了弟弟，兄弟久别，悲喜交加。于是，初起问初平，既是放羊多年，为何金华山上无一只羊：

> 因问弟曰："羊皆何在？"初平曰："羊近在山东。"初起往视，了不见羊，但见白石无数，还谓初平曰："山东无羊也。"初平曰："羊在耳，但兄自不见之。"初平便乃俱往看之，乃叱曰："羊起！"于是白石皆变为羊，数万头。初起曰："弟独得神通如此，吾可学否？"初平曰："唯好道，便得耳。"初起便弃妻子，留就初平，共服松脂茯苓，至五千日，能坐在立亡，行于日中无影，而有童子之色。后乃俱还乡里，诸亲死亡略尽，乃复还去，临去以方授南伯逢。易姓为赤初平，改字为赤松子。初起改字为鲁班。其后传服此药而得仙者，数十人焉。

这个故事叫"叱石为羊"。皇初起遇到皇初平时，还是肉眼凡胎，而初平已经得道有年，因此初平所看见的世界与哥哥大不相同。初起所见为满山静止不动的白石，初平所见却是满山漫步的白羊。也就是说，并不是初平把石头变为羊，而是石头为现象，白羊才是本质。白石静，白羊动，这是现象世界的相对关系，凡夫俗子就受到这些相对关系的束缚；而一旦飞跃至"道"的境界中，这些现象世界的相对关系被颠倒、被超越，动即是静，静即是动，无动无静，亦动亦静。皇初起由此悟入，跟随弟弟学道。

按照这一记载，皇氏兄弟就是赤松子本人，至于引度皇初平成仙、指引初起寻弟的道人又是哪路神仙，就成了一个问题。但不管怎样，葛洪明确了皇氏兄弟成仙发生在金华山上，就为这座山增添了无数仙气。到了唐代的《元和郡县志》，就说："金华山，在县北二十里，赤松子得道处。"（《元和郡县图志》卷二十六"金华县"条）《元和郡县志》成书于唐宪宗元和年间，这一记载出现于葛洪之后，应该是受到了后者的影响。成书于北宋太宗朝的乐史《太平寰宇记》有这样的记载：

赤松涧。赤松子游金华山，以火自烧而化，故山上有赤松之祠。涧自山而出，故曰赤松涧。徐公湖。《郡国志》云:“在长山上，周回四百八十六步。昔山下居人徐公登山，至湖，逢见二人共博，自称赤松子、安期先生，酌湖中水为酒饮。徐公醉，及醒，不见二人，而宿莽攒聚其上。徐公方追悔，因名山焉。(《太平寰宇记》卷九十七《金华》)

在乐史的记载中，徐公在山上碰到了两位仙人，一个叫赤松子，一个叫安期先生，而葛洪版本中的两兄弟一个名叫赤松子，一个叫鲁班，二者非常接近了。

生活于南宋高宗朝的张淏在他的《云谷杂记》中明确指出，历史上有两个“赤松子”，一个是神农时代的那位雨师，另一位则是在金华山石室中成仙的“黄初平”：

其一则晋之黄初平，尝牧羊，忽为一道士将至金华山石室中，后服松脂茯苓成仙，易姓为赤，曰赤松子，即叱石为羊者，事见葛洪《神仙传》。今婺州金华山赤松观，乃其飞升之地，而往来赋咏者，多引用张子房事，误矣。(《云谷杂记·补编》卷二)

张淏的意思是，“黄初平”(请注意这里已经变成了“黄”)，葛洪版本的赤松子是金华山的“特产”，与上古的赤松子毫无关系。张淏是婺州武义县人，他如此强调金华山的得道成仙方面的“原创性”，也是可以理解的。

现在可以作这样的推测，葛洪版本代表了一个与刘向《列仙传》不同的神仙系统，在这个系统中，赤松子是在金华山得道的，但得道时间不详。可是刘向之说毕竟形成于葛洪之前，在世间颇有影响，因此刘、葛二说就在人们的观念中引起了某种程度上的混乱，张淏的“赤松子有二”之说，就是这种混乱的表现。

其实，赤松子既然是神仙，与天地同寿，尘世间的时间概念并不能束缚他的行动，刘向在《列仙传》中就记载了赤松子在西汉初化身黄石公点化了张良，因此他大可以穿越时空，显圣于金华山，度化皇氏兄弟。成书于宋代的倪守约《赤松山志》“二皇君”条就循着这一逻辑，对刘、葛两个“赤松子”故事进行了整合。倪氏首先对皇氏兄弟进行了时代定位：“明帝大宁三年四月八日，皇氏生长子，讳初起，是为大皇君。成帝咸和三年八月十三日生次子，讳初平，是为小皇君。”时间如此准确，成仙故事的可信度才更高。相应的，皇初平得道的过程就变成了：“小君年十五，家使牧羊，遇一道士，爱其良谨，引入于金华山之石室。盖赤松子幻相而引之。”葛洪版本中，那个引导皇初平的道士是无名无姓的，倪氏则将其看做是赤松子的化身。这样一来就变成了，赤松子长久以来就流连于金华山，在东晋时代遇到了皇氏兄弟，度其成仙。倪氏还指出，那个与二仙人喝酒醉卧的徐公也是被赤松子度化者之一。倪守约大概生活于南宋度宗咸淳年间，他的说法可以看做是对以前各种传说的综合。

皇氏兄弟“成仙”后，得到了当地百姓的香火崇奉，据倪守约讲：“自晋而我朝，香火绵滋，道士常盈百，敬奉之心未有涯。”南宋孝宗淳熙十六年（1189），朝廷封大君（皇初起）为冲应真人，小君（皇初平）为养素真人，“敕：黄老之学，虽以虚无为主，澹泊为宗，而原其用心，实以善利爱人为本。初起真君、初平真君，尔生晋代，隐于金华。叱石成羊，以为得道之验；汲井愈疾，益广救人之功。……初起真君可特封冲应真人，初平真君可特封养素真人”。这道告敕说明了两个问题：第一，此时朝廷尚未明晰地表示皇氏兄弟是赤松子的弟子，而只是说有两个“真君”“隐于金华”；第二，二皇君受到朝廷加封的理由是“善利爱人”，“汲井愈疾，益广救人之功”，在救死扶伤方面卓有建树。

"二皇君"被加封之后,声名威望骎骎有后来居上之势。据《赤松山志》载，赤松宫的前身即晋代的赤松子庙，奉祀的当是三位神仙师徒：赤松子与皇初平兄弟俩。自吴越王钱镠重建赤松宫开始至今，除南宋的"二皇君祠"、明代的"二仙祠"和现在的"二仙庙"之外，就逐渐只奉祀黄大仙即皇初平一位神仙了。回到葛洪版本的故事中，先得道的是皇初平，皇初起是在弟弟的点化下才入道门的，二者相比，皇初平法力道行更高，被葛洪称为赤松子的也是他，因此后来庙宇中供奉的主神"黄大仙"，渐渐就特指皇初平了。20世纪初，黄大仙又经广东流入香港，被香港文化所接纳，现在，黄大仙已经成为香港最受重视的民间信仰之一，而推本溯源，黄大仙的祖庭在金华山。

黄大仙信仰受到追捧的原因很多，但与其他深受民间欢迎的神仙（八仙、济公）一样，黄大仙的可贵之处不在于他本人的道行如何高深，而是他乐于利用自己的神通法术为老百姓尤其是金华当地的老百姓，排忧解难，行侠仗义。在典型的黄大仙民间传说《点泉抗旱》《剑劈大盆山》中，黄大仙为金华当地百姓抗旱救灾；《五仙岩寻药》是讲黄大仙为了给一个小村庄的居民治疗怪病而涉险采药之事；《羊伏箱》则是说神仙为了考验黄大仙，从一个恶霸地主那里取来一箱不义之财给他，试验黄大仙是否对财富动心，黄大仙不但毫不贪财，还让羊变成石头掩盖了这箱子财宝，躲过了地主的搜寻，最后把这笔钱分给了贫苦百姓。总之，黄大仙做的好事反映了古代人民心目中美好的道德理想，也成为金华居民在天界的利益代言人，因此奠定了黄大仙信仰的坚实基础。

从黄大仙信仰的形成过程可以看出，黄大仙本身就是赤松子，或者其在本质上就是赤松子的金华版本。那么，为什么赤松子需要一个金华版本？因为赤松子是记载于全国性文献（如刘向《列仙传》）中的神仙，他掌握降雨和善于采药炼丹的特长使得他能够造福百姓，同样，常年生活在困苦中的劳动人民需要得到本地化的心灵慰藉；可是，赤松子不能无缘无故地出现在金华，更不可能无缘无故地只钟情、垂爱这片土地上的人们，为了满足信仰的需要，因此需要一个金华本地的传说版本，从而合理地解释为什么赤松子会出现在金华、造福金华。另一方面，葛洪版本的“二皇君”故事出现在东晋，江南尤其是两浙地区成为东晋政权的腹地，随着文化繁荣、经济发展，这一地域的文化自觉也相应萌动起来。金华地区也需要一个抬高自身地位的文化标志。“黄大仙”的出现，正是满足了这两方面的要求。

阅读链接：

高致华：《金华牧羊——黄大仙大传》，宗教文化出版社，2006年版。

智顗：天台始祖

智顗像

智顗（538—597），祖籍颍川（今河南许昌），生于荆州华容（今湖北潜江西南），南朝陈、隋时代高僧，因隋炀帝授予他智者之号，故世称“智者大师”。他的佛学思想深邃博大，被后人赞誉为“东方小释迦”。他发明了“一念三千”“三谛圆融”等思想，创立了天台宗的思想体系，由此成为中国佛教宗派史上第一个宗派天台宗的始祖，也是实际的创始者。因智顗晚年居住浙江天台山，故该宗被称为天台宗。又因该宗的根本经典是《法华经》，因而也被称为法华宗。

一、“一心三观”的圆顿止观

智顗在 18 岁依湘州果愿寺法绪受戒出家，学习十戒道品律仪。20 岁时遵从法绪之命，跟从慧旷律师学习律法，受具足戒。

在陈天嘉元年（560），智顗来到慧思禅师座下，修学四安乐行、三三昧、三观三智。他悟性极高，证悟法华三昧，并被誉为“说法中最为第一”。

后智顗受请主瓦官寺开讲《法华经》，以殊胜思想，判释经教。智顗住瓦官寺前后8年，除讲《法华经》外，还讲《大智度论》和《次第禅门》。在金陵弘法的8年，智顗继承和发扬了南朝佛教的义学特色，同时，针对南方佛教偏重义理而忽略实修的特点，讲述了《释禅波罗蜜次第法门》。此次宣讲指出了禅定实践的基本方法。

陈太建七年（575），智顗以金陵喧闹，不宜修禅为由，隐居浙江天台山，长达10年之久。他目睹了北方灭佛事件的惨酷和南方佛教界崇尚空谈、不求修行的弊端，决心隐居天台进修止观以充实自己。在天台山，智顗于修习禅佛之外开讲《法华经》《维摩经》等，兴建放生池，以此广立功德；讲述《法华文句》，撰著《法华玄义》《摩诃止观》。他在教理、实践兼备的基础上阐扬《法华经》的奥妙，并由此形成了他的佛学思想体系。

天台依据经典，以《妙法莲华经》为宗经，以《大智度论》为指南，以《大般涅槃经》为辅佐，以《摩诃般若波罗蜜经》为观法。智顗论著尤以《法华经玄义》《法华经文句》《摩诃止观》最为宏要，世称“天台三大部”，而《观音玄义》《观音义疏》《金光明经玄义》《金光明经文句》《观无量寿佛经疏》则称为“天台五小部”。

智顗最重止观法门，他在成功融会北方重禅法和南方论义理的佛教两大主流的基础上，成功地建立了止观并重的佛教哲学。“止观”是佛教修行的两大支柱方法，“止”指心念专注一境，达到无念无想的寂静状态，而“观”指以智慧思维观察某一特定的对象或道理。智顗说：“若夫泥洹之法，入乃多途，论其急要，不出止观二法。所以然者，止乃伏结之初门，观是断惑之正要；止则爱养心识之善资，观则策发神解之妙术；止是禅定之胜因，观是智慧之由藉。若人成就定慧二法，斯乃自利利人，法皆具足。”（《修习止观坐禅法要》）智顗借此建构了一套“圆顿”的止观体系，全面体现了他独特的佛学思想，他的这套止观体系被称为“摩诃止观”。

智颛提出“圆融三谛”说和“一念三千”说，使他的止观学说完全成熟。依据智颛的解释，宇宙间的一切现象本具三种义谛，即“空谛”“假谛”和“中谛”。“空谛”乃是“真谛”，谓诸法自性本空乃是一切现象的真理；“假谛”乃是“俗谛”，谓因缘聚合时宛然于空中立一切法；“中谛”又叫“中道第一义谛”，谓诸法不离空假两边，也不即空假两边，非真非俗，即真即俗，清净洞彻，圆融无碍，故称“中谛”。智颛指出，三谛不异而异，相即无碍；异而不异，圆融自在。这就是天台宗著名的即空、即假、即中的“圆融三谛”思想。他提出的“一念三千”说，主要是指众生每起一念，皆具足三千如是的实相境界，一心即三千，三千即一心。三千种世间，即可看成是宇宙的全体。有情众生的任何一个闪念，便具备这三千种世间，此即谓“一念三千”。

“一心三观”的圆顿止观是天台智颛的核心思想。所谓“一心三观”，是观心法门的一种，要求在“一心”中同时体证“入空观”“入假观”“中道观”，在一念之中心里达到“即空、即假、即中”三谛圆融，甚至可以具足十法界、千种性相。正如智颛自己所说：“若观心具有性德三谛，性德三观，及一切法，无前无后，无有次第，一念具足；十法界法，千种性相，因缘生法，即空即假即中，千种三谛，无量无边法，一心悉具足，此即不次第观也。”（《观音玄义》卷下）这就是智颛倡导的“一心三观”

的圆顿止观。

二、首创中国化的佛教宗派

智顗强调“止观双修”的原则，发明了一心三观、圆融三谛、一念三千的道理，并以“五时八教”判释整体佛法。“五时八教”的判教学说之创立，乃是智顗为强调本宗派地位，调和佛教内部的不同说法。这种判教学说从时间上把佛教分为“五时”，即：华严时、鹿苑时、方等时、般若时、法华涅槃时。从教义内容上，把佛教分为“化法四教”与“化仪四教”。基于此，智顗提出“止观双修”的主张，并经过判教，将南方佛教重义理和北方佛教重禅定的不同风格糅合在一起，从而形成了具有自己独特个性的思想体系，建立了第一个中国化的佛教宗派——天台宗。

隋开皇十七年（597），智顗圆寂于天台山石城。隋文帝开皇十一年（591）十月，晋王杨广请智顗到扬州传戒，智顗曾为杨广授“菩萨戒”，并称他为“总持菩萨”。智顗圆寂后，在晋王杨广支持下，天台僧众于隋文帝开皇十八年（598）开始按智顗遗愿建寺。建成后，初名天台寺。隋炀帝大业元年（605），杨广称帝，遵智顗“寺若成，国即清，当呼国清寺”之遗言，赐额“国清寺”。智顗虽为天台宗的实际创立者，但是他说自己一生“归命龙树师”。在传承系谱上，该宗尊龙树为初祖，以北齐慧文为二祖，慧思为三祖，智顗是四祖。

从佛教传入到南北朝末年，大约有600年的时间，佛教的思想林林总总。智顗正是通过对这些不同的思想进行归纳整理而提出一套圆融无碍的佛学体系。圆顿止观、一念三千、三谛圆融等是智顗佛学思想体系的核心，其目的在于解明“中道实相”的奥义。天台智顗的三谛圆融、一心三观、一念三千等教义，开出了中国佛教思想的灿烂之花，而以“五时八教”判释佛陀一生弘化的教法，更成为中国佛教判教的主要思想。天台宗成为中国佛教创建最早的宗派，在它的影响下，华严宗、禅宗、净土宗等相继成立宗派，从而大大促进了中国佛教和佛教中国化的发展。

智颢自20岁出家以来，辗转于南北许多地方，居留时间或短或长，其中以在天台山为最长，前后长达12年。以天台山为中心，其教义播及海内外。作为一代名僧，智颢在浙江佛教发展史上的地位几乎无人可比。浙江佛教也因智颢在天台山的创教活动而在中国佛教发展史上占有显著位置。天台宗自智颢创立后，逐渐在日本岛及朝鲜半岛盛传。智颢对日本佛教的影响持续至今。1982年，日本天台宗延历寺座主山田惠谛率众到中国巡礼天台山，在国清寺树立了“最澄大师天台得法灵迹碑”。（沈小勇撰）

智言慧思

一念三千。

——（隋）智颢《摩诃止观》卷五上

阅读链接：

（隋）智颢：《天台八部》，西北大学出版社，2007年版。

潘桂明：《智颢评传》，南京大学出版社，2001年版。

张风雷：《智颢评传》，京华出版社，1995年版。

司马承祯：游走于终南天台之间

司马承祯像

对于道教文化接触较少的人，可能对司马承祯（？—735）这个名字略感陌生，但若提起成语“终南捷径”，却无人不知。实际上，司马承祯就是这个成语的创造者。唐代刘肃《大唐新语》卷十云：

卢藏用始隐于终南山中，中宗朝累居要职。有道士司马承祯者，睿宗迎至京，将还，藏用指终南山谓之曰：“此中大有佳处，何必在远？”承祯徐答曰：“以仆所观，乃仕宦捷径耳。”藏用有惭色。藏用博学工文章……及登朝，附权要，纵情奢逸，卒陷宪纲。悲夫！

卢藏用遇到了接受唐睿宗召见后立即离开长安的司马承祯，问他：“此中大有佳处，何必在远？”卢藏用的本意应该作两重理解：一方面他是指终南山山清水秀，亦称灵秀，并不逊色于天台山，司马承祯何必千里迢迢回到天台呢？更重要的是，这次出山应召面见睿宗，深受器重，那么就应该就近居住终南山，便于皇帝不时召对顾问，岂不甚美？司马承祯辛辣地回应他：在我看来，终南山哪里是修道之所，明明是仕途捷径啊！这个故事中出现了两座山，一座是卢藏用隐居的终南山，地处长安附近；另一座是司马承祯“将还”之“山”，也就是天台山。很显然，终南山代表了一种利用炼丹、辟谷之术攀附政治势力、求取世俗的荣华富贵的生活方式，天台山则代表了出尘忘世、闭关清修的生活方式，二者水火不容。据《大唐新语》载，和司马承祯一样，卢藏用也是道士，而且“博学工文章，善草隶，投壶弹琴，莫不尽妙，未仕时尝辟谷练气，颇有高尚之致”，但是他没有坚持修道，却投身仕途，依附权贵，卷入了当时的政治斗争，最后下狱。相比之下，司马承祯早在武则天、唐中宗两朝就受到皇帝召命，却屡不奉诏。睿宗景云二年（711），皇帝命其弟司马承祎来敦请出山，司马承祯完成觐见后，没有受到皇帝尊重的诱惑，坚持返回天台山，也是深知仕途险恶，红尘多事，是一种聪明的处世之道。

与政治权力中心的空间距离，只是天台山和终南山的一个显性区别，更重要的是，这个故事还从侧面反映了司马承祯对天台山的眷恋和喜爱。与司马承祯曾有交往的李白有《天台晓望》（《李太白文集》卷十九）诗云：

天台邻四明，华顶高百越。门标赤城霞，楼栖沧岛月。凭高远登览，直下见溟渤。云垂大鹏翻，波动巨鳌没。风潮争汹涌，神怪何翕忽。观奇迹无倪，好道心不歇。攀条摘朱实，服药炼金骨。安得生羽毛，千春卧蓬阙。

李白早晨登上天台山顶，首先看到的是中生代红色砂岩、砾岩层叠而成的山体与绚烂的朝霞浑然一体，仿佛从天到地都在燃烧；更远处，云海茫茫，一望无际。李白发现了《庄子·逍遥游》中所描述的那种不可思议的奇景——海上仙山若隐若现，翅膀垂天的大鹏翻飞，巨鳌搏浪，大海的浩瀚、神秘、奇伟给凡夫俗子强大的震撼和冲击。在这里，时间停滞，古今一瞬，小大不辨，沧海一粟，“大”与“小”、“古”与“今”、“寿”与“夭”的相对观念失去了意义，站立在天台山顶，人仿佛更加接近仙境。而对道教的修炼而言，首先是心灵挣脱了束缚，获得逍遥，才可能实现肉体挣脱束缚，飞升成仙。天台山的美景为打破心灵的世俗障蔽打开了第一道的束缚。

与看不到大海的终南山相比，天台山豁然显现的山海奇景颠覆了被平原和陆地所限制的视野，平原和陆地生活中形成的思维定势也被打个粉碎，在远离尘嚣之余，还给人一种心灵的博大感和逍遥感。司马承祯是河南温县人，自少笃学好道，无心仕宦之途。师事嵩山道士潘师正（584—682），得授上清经法及符箓、导引、服饵诸术，成为上清派传人，陶弘景之三传弟子。他一度遍游天下名山，及至初登天台山，那种飘飘欲仙的感受一定和李白一样，从此隐居在天台山玉霄峰，自号“天台白云子”。天台山仿佛蕴藏了无穷的能量，源源不断地支持司马承祯修道精进，他留恋这座山、依赖这座山。尽管一生受到武则天、睿宗、玄宗（开元九年、开元十五年）的四次召见，但无论君王怎样挽留，前三次都是匆匆而来，匆匆而去，可见这座山在他的心目中何等重要。景云二年（711），唐睿宗尊重其意愿，下诏在天台山敕建“桐柏观”，司马承祯在此传道授徒，弘扬了陶弘景开创的上清派，此观后来成为道教圣地之一。

景云二年（711），睿宗召见司马承祯时，向他询问“阴阳术数”之事。所谓“阴阳术数”，包括了天文推步、炼丹辟谷、风水堪舆、时辰宜忌、算命占卜等等，当时包围在睿宗身边的肯定有不少“阴阳术数”之士，满足君主对自身长命百岁、国家风调雨顺的需求。司马承祯的回答出乎睿宗的意料，“阴阳术数”都是异端，老子、庄子从来没有宣扬过这些东西：“《道经》（即《老子》）云：‘为道日损，损之又损，以至于无为。’且心目所知见者，每损之尚未能已，岂复攻乎异端，而增其智虑哉？”这些歪门邪道正应该极力摒弃，然后才能澄清对道体的体悟。睿宗非常吃惊，在他看来，这些“阴阳术数”能够解决现实生活中的具体问题，是治国所必需的：“理身无为，则清高矣；理国无为，如之何？”睿宗的意思是，你所说的“无为”“日损”只是对个人修身养性有用，治理国家可不能绝圣弃智，闭目塞听，还得靠这些有形的、具体的“阴阳术数”。司马承祯说，养生的道理和治国的道理殊途同归：“国犹身也。《老子》曰：‘游心于澹，合气于漠，顺物自然而无私焉，而天下理。’《易》曰：‘圣人者，与天地合其德。’是知天不言而信，不为而成，无为之旨，理国之要也。”治理国家虽然千头万绪，但根本却归结于帝王君主一心一念，《老子》教导心要淡然澄明，要体察民心、俯察物理，这样才能剔去自身的私心贪欲（譬如炼丹以求长生）的蒙蔽；如果君主真正能做到“一心无私”，何愁不国泰民安呢？问题的要害是，君主对修道是口惠而实不至，口说“清静无为”，行为上却贪婪嗜欲，迷恋小道法术。也许是看透了这一点，司马承祯对于驻足长安、常伴皇帝毫无兴趣。玄宗开元十五年（727），司马承祯最后一次应召入都，在拒绝玄宗留在长安的要求后，司马承祯同意在长安附近的王屋山自选佳地，由朝廷出面建造阳台观，供其居住。此后司马承祯有没有再回天台山，就无从得知了。

阅读链接：

卿希泰：《中国道教史》（第二册），四川人民出版社，1988 年版。

杜光庭：理身以理国

作为唐末五代最杰出的道教领袖，杜光庭（850—933）一生著述极多，对道教教义、道教地理、斋醮科仪、修道方术、仙话传说等作了多方面的深入研究，著述丰富，收入《道藏》的就有20多种。但他最著名的作品，却是一篇短短的《虬髯客传》。这是唐代传奇名篇之一，讲述的是李靖于隋末在长安谒见司空杨素，杨素家妓红拂倾慕李靖，随之私奔，途中结识豪侠张虬髯，后同至太原，通过刘文静会见李世民。虬髯本有争夺天下之志，见李世民气宇不凡，知不能匹敌，遂倾其家财资助李靖，辅佐李世民成就功业。后虬髯入扶余国自立为王。篇中故事情节和两个主要人物红拂妓、虬髯客均系虚构，主旨在表现李世民为真命天子，唐室历年长久非出偶然，由此宣扬唐王朝统治的合法性。作品描写人物颇为精彩，红拂的勇敢机智，虬髯的豪爽慷慨，刻画尤为鲜明突出，文笔亦细腻生动，艺术成就在唐传奇中属于上乘。后世明代张凤翼传奇《红拂记》、张太和传奇《红拂记》、凌蒙初杂剧《虬髯翁》都取材于此。1993年，著名作家王小波还以此为素材撰写了《红拂夜奔》，至今仍被王小波的崇拜者看做是经典之作。

那么，为什么道士杜光庭要写这么一篇武侠气息浓厚的传奇呢？这得从杜光庭的生平说起。

他生活于唐末五代初，深受唐僖宗的喜爱，曾居上都太清宫为内供奉，出入禁中。如果在承平年月，杜光庭完全可以过上潇洒的“道门领袖”“弘教大师”的生活，接受信众的膜拜、皇帝的眷顾。然而，杜光庭生不逢时。就在他受到僖宗赏识时，黄巢起义爆发了，起义军如风卷残云，迅速攻占长安，杜光庭随同僖宗仓皇出逃至四川。唐军收复长安后，杜光庭扈从僖宗离四川回京，可能是预见到李唐政权已经日薄西山，杜光庭恳请辞去官职，留居青城山从事道教理论研究并主持教务。他从二十六七岁入蜀到84岁去世，一直在巴蜀。

跟随唐僖宗颠沛流离的经历，使杜光庭不由得联想起在隋末农民大起义的大潮中崛起，横扫六合、统一南北的李世民，空前强盛的大唐帝国就是在隋末大乱的破砖烂瓦上崛起的，这样的明君英主、这样的左辅右弼，还能够重现吗？《虬髯客传》既是对太平盛世的记忆向往和凭吊，也是对山河破碎、生灵涂炭的哀悼和悲悯。

离开唐僖宗后，杜光庭直奔他心仪已久的巴蜀，因为早在他受到唐僖宗赏识入都以前，就已经在巴蜀的名山大川访游，加之此时割据巴蜀的王建政权对道教非常推崇，杜光庭一到成都，就成了王建的座上宾，赐金紫光禄大夫、谏议大夫，封蔡国公，赐道号广成先生。王建还下诏让杜光庭每遇起居朝贺可单独与皇帝交谈，不与其他道众、僧人齐班，享受最高礼遇。他晚年自号东瀛子，潜心修道，著述不辍，隐居四川青城山。长兴四年（933）卒葬青城山清都观侧。相对于日寻干戈的黄河流域，此时的巴蜀还算平静，杜光庭过上了相对安定的生活。但是，五代的割据政权有一个共同特点，就是对百姓横征暴敛，崇尚严刑峻法，王建政权又是其中特别苛刻残暴者，只要是盗贼，无论情节轻重，一律斩首。宋代僧文莹《湘山野录》卷下有这样一个故事。有一年蜀地饥荒，三个饥民偷窃了几斗糠，被抓获后送到王建宫内审讯。当时杜光庭正在殿上讲说道教义理，王建问他："这种事情该怎么处理呢？"杜光庭默然无语，这三个犯人立刻被斩首。接下去的事情就非常诡异了：

杜归旧宫道院，三无首者立于旁，哭诉曰："公杀我也。蜀主问公，意欲见救，忍不以一言活我，今冥路无归，将其奈何？"杜悔责惭痛，辟谷一年，修九幽脱厄科仪以拔之，其魂岁余方去。

在这个故事中，斩杀饥民的是王建，而不是杜光庭，作为道士的杜光庭没有能力去改变这种苛刻横暴的统治，三个冤魂不去向王建报复，却来纠缠杜光庭，不是非常荒谬吗？记录这个故事的文莹是位和尚，可能有意下笔嘲弄一下杜光庭这位"道门领袖"吧。但杜光庭无力在现实世界拯救这三个饥民，只能在他们死后用科仪超度冤魂，反映了杜光庭在这个小朝廷中的尴尬处境，那么面对民众的困苦，道教能够做些什么呢？

杜光庭在《道德真经广圣义》卷一《叙经大意解疏序引》中概括了《道德经》的 38 条教导，其宗旨就是"理身理国"，其中直接与统治者有关的就有 12 条：

"教以无为理国"，"教以道理国"，"教以理国理身尊行三宝（慈、俭、不敢为天下先）"，"教以修道于天下"，"教不以尊高轻天下"，"教诸侯以正理国"，"教诸侯政无苛暴"，"教诸侯以道佐天子，不尚武功"，"教诸侯守道化人"，"教诸侯不玩兵黩武"，"教诸侯不尚淫奢，轻徭薄赋以养于人"，"教诸侯权器不可以示人"。12 条教导虽然是依据《道德经》（《老子》）的本义而言，却无一不是针砭了晚唐五代军阀割据政权的种种弊端：老子教导不要穷兵黩武，这些军阀却以攻城略地为乐；老子教导"以道佐天子，不尚武功"，这些军阀却谋朝篡位，弑君自立；老子教导"不可崇尚奢淫，轻徭薄赋以养于人"，这些军阀却横征暴敛，骄奢淫逸；老子教导"权器不可以示人”，这些军阀却信任伶人宦官，权柄下移。晚唐五代大动乱的祸根，都是因为皇帝、藩镇违背了老子《道德经》的教导。因此，要结束这种动乱，必须从“理身”入手，如果君主、军阀们自身能够“绝除嗜欲”“不务荣宠”“保道养气，以全其生”“忘弃功名”，就不会为满足自身的欲望过度压榨百姓，不会为满足自身的虚荣心而挑起战争了。杜光庭的愿望是美好的，在残酷的五代社会却是行不通的，但起码说明，在高官厚禄的麻醉之下，他没有在人民痛苦的哀号前闭目塞听，还保留了一点关心社会疾苦的良心，这不能不说是难能可贵的。

阅读链接：

孙亦平：《杜光庭评传》，南京大学出版社，2005 年版。

孙亦平：《杜光庭思想与唐宋道教的转型》，南京大学出版社，2004 年版。

永明延寿：一心为宗，万法如镜

永明延寿禅师（904—975），五代末期法眼宗天台德韶法师的弟子，他是继隋智者大师以来，中国佛学的又一位集大成者。他提倡“禅教一致”“禅净双修”，指心为宗，被奉为净土宗六祖。清雍正帝曾有“因而识得永明古佛实为震旦第一导师。及观师著述，又识得《宗镜录》一书为震旦宗师著述中第一妙典”的赞叹。

永明延寿像

一、“举一心为宗，照万法如镜”

永明延寿，本是江苏丹阳人，后迁居浙江余杭（今杭州），自幼信佛，聪颖好学，16 岁时作《齐天赋》，献给吴越王，受到赞赏。自出家以后，修行非常用功，生活十分淡泊。据《五灯会元》中所记大师在寺院修行的生活写照，“执劳供众，都忘身宰。衣不缯纩，食无重味，野蔬布襦，以遣朝夕”。

宋太祖建隆元年（960），吴越忠懿王下诏邀请延寿大师往杭州，主持复兴灵隐寺的工作，梵刹因之得以中兴。一年之后，延寿大师迁往邻近的永明寺（即净慈寺）居住。延寿大师在永明寺居住达 15 年之久，这段时间他研习佛典，宣讲佛法，完成了他一生中许多重要事业。延寿大师又称“永明和尚”也是因此而来。忠懿王对大师的德行深为器重，诏赐名号为“智觉禅师”。“永明延寿大师”的名声也因此而远扬四方。

延寿思想的一个最大特点是从“心宗”出发来涵摄当时的各派理论。从延寿大师的代表作《宗镜录》中可以窥见其佛学思想的大概。他将当时盛行于世的佛教行法与理论融会贯通，使自己的思想体系别具特色，自成一家。他从“心宗”出发，其目的就是以禅宗的一心去融合佛教各个宗派，以一心去统摄佛教一切经教。正如他在其所编撰的《宗镜录》自序中所称：“举一心为宗，照万法如镜。”

在延寿看来，诸经教言说虽不无歧异，而源出与旨归皆无非一心。“何谓一心？谓真妄染净一切诸法无二之性，故名为一。此无二处，诸法中实，不同虚空，性自神解，故名为心。”“如来藏者，即一心之异名。”（《宗镜录》卷二）延寿以禅宗的一心去摄取一切经教，折中法相、三论、天台、华严等各宗派，旨在说明一切事理皆本一心，性相圆融，佛法一致，各宗所行的教法，最终都归“心宗”，所有佛陀所教的行法都能圆融互通，正如《宗镜录》卷二十四中所说，“此宗镜中，无有一法而非佛事”。

永明延寿大师主张万法唯心，禅教一致。他会通禅教，融通性相，主张“祖佛同诠”“禅教一体”的思想。在他看来，禅宗的本意并非排斥经教，后世禅者却以极端的态度对待经教，实际上违背了祖师的思想。为救时弊，延寿在一心为宗、理事圆融的基础上提出万善同归、禅净双修的主张，会通禅净。其

净慈寺

著作《万善同归集》云:“夫万善是菩萨入圣之资粮，众行乃诸佛助道之阶渐。若有目而无足，岂到清凉之池？得实而忘权，奚升自在之域？是以方便般若，常相辅翼；真空妙有，恒共成持。《法华》会三归一，万善悉向菩提；《大品》一切无二，众行咸归种智。”

延寿大师集禅门法眼宗第三代宗师与净土宗六祖为一身，会宗各家之说，导归西方净土，主张禅与净相结合，禅净双修是其佛学思想之特色所在。他指出:“禅宗失意之徒执理迷事，云性本具足，何假修求，但要亡情，即真佛自现。学法之辈执事迷理，何须孜孜修习理法，合则双美，离之两伤。理事双修，以彰圆妙。”(《万

阅读链接：

（五代）延寿：《永明延寿禅师全书》（全3册），宗教文化出版社，2008年版。

黄公元：《一代巨匠　两宗祖师——永明延寿大师及其影响研究》，宗教文化出版社，2009年版。

田青青：《永明延寿心学研究》，巴蜀书社，2010年版。

善同归集》卷中）在他看来，放弃修持、布施、持戒、诵经、念佛等，必然流于痴禅和狂妄；而若执事迷理，只重视事行，向外求佛求法，必然也忽略了旨在自悟自性的理行。

作为净土宗的祖师，最能凸显延寿净土思想的莫过于世人熟知的“四料简偈”，他着力矫正唐末以来学佛者重禅而轻净土之时弊。所谓“四料简”，即：“有禅无净土，十人九蹉路，阴境若现前，瞥尔随他去。无禅有净土，万修万人去，但得见弥陀，何愁不开悟。有禅有净土，犹如戴角虎，现世为人师，来生作佛祖。无禅无净土，铁床并铜柱，万劫与千生，没个人依怙。”这里主要就是针对那些以卖弄机锋为能事、不事实际修行的禅僧。也就是说，单纯参禅而不念佛的修行人，大多会误入歧途，前景不妙。只修净土宗的念佛法门、不事参禅的修行人，将来也能够往生极乐世界，并最终开悟。既不参禅也不念佛的修行人，只有下地狱接受各种煎熬这一前途。既参禅又念佛的修行人，是最高明的，今世能够做人师，将来能够成为佛祖。

二、“宗门之标准，净业之白眉”

永明延寿于天台德韶禅师处悟得玄旨，是法眼宗第三代祖师，同时也因劝人念佛，誓愿弘修净土法门而为净土宗第六代祖师。永明延寿的“禅法思想”主要体现在提倡禅教一致，其“净土思想”则体现在禅净双修。由于延寿提倡禅净双修，同时又大力倡导净土念佛，这不仅对禅门各派产生了深远的影响，对佛教其他宗派如天台宗、律宗等也产生了极大的影响，他们也纷纷旨归净土。他所倡导的禅教一致、禅净双修的思想对后世佛教产生了深远的影响，甚至奠定了宋明以降佛教的基本思想格局。

元代僧人优昙普度在《莲宗宝鉴》中赞叹永明禅师：“宗门之标准，净业之白眉。”永明延寿大师以禅宗法眼宗第三代祖师的身份弘扬净土，不遗余力地弘扬净土念佛法门，在改变禅宗对于净土念佛的观念方面起到了非常重要的作用，使禅宗、净土相互攻击的现状得到了根本改观。自永明之后，禅宗对于净土宗念佛的修行主张持认同态度；净土宗也改变了攻击禅宗的态度，对于禅宗人士欣然容纳接受。正是永明延寿大师开创了中国净土宗禅净双修的局面，也开创了中国净土宗发展的新方向。

杜继文、魏道儒《中国禅宗通史》说：“延寿以禅宗命家，属法眼血脉，但其弘扬范围之广、内容之杂，为此前禅宗诸家之所未有。禅教合一，禅诵无碍，禅净并修，禅戒均重，内省与外求兼行，是他所宗禅法的特点，为后来禅宗向佛教全体的整合，提供了完整的理论资料，并作了成功的示范。”延寿大师倡导并身体力行的“禅净双修”行法，理事双修、独立一帜，影响着后来无数的佛教修行者。无论是禅宗或者净宗的修行者，都十分景仰延寿大师。

清世宗雍正皇帝对延寿大师赞赏有加，他在御制《万善同归集》序文中云：“近阅古锥言句，至永明智觉大师，观其《唯心决》《心赋》《宗镜录》诸书，其于宗旨，如日月经天，江河行地，至高至明，至广至大，超出历代诸古德之上，因加封号为‘妙圆正修智觉禅师’。其倡导之地，在杭之净慈。特敕地方有司，访其有无支派，择人承接，修葺塔院，庄严法相，令僧徒朝夕礼拜供养。诚以六祖以后，永明为古今第一大善知识也！”又于《宗镜录》序文赞延寿大师曰：“实为震旦第一导师。”（沈小勇撰）

四明知礼：天台中兴之祖

“天台宗的兴起，可以说是江南佛教最辉煌的一页。天台之学，固可视为一全国意义上的佛教学派，然其仍具有浓厚的地域色彩，无论从其产生背景还是就其影响而言。”（严耀中《江南佛教史》）但从全国范围来说，天台宗自唐中叶以后，在禅宗等新兴宗派的冲击下，一直不振。入宋以后，“天台之学，独盛于四明”。这其中，承上启下的关键人物就是四明知礼（960—1028）。

知礼，字约言，是宋代天台宗的义学高僧，俗姓金，四明（今鄞县）人，7岁时（966）在汴京太平兴国寺出家。15岁（974）受具足戒，专研律部。20岁（979）从宝云尊者义通大师（927—988）学习天台教观，甫经一月，便能自讲《心经》。未久，名震四方，僧侣云集。淳化二年（991），住持乾符寺。至道元年（995），晋驻四明山保恩院。大中祥符二年（1009），保恩院重建落成，次年奉敕受“延庆寺”寺额，知礼于此专事讲忏40余年，学徒遍于东南。知礼与遵式并为“山家派”的中心人物，与“山外派”晤恩对立达40年。正是通过这场论战，确立了四明知礼在佛教史上的地位。这场论战所涉及的义理十分精微，缺乏天台宗知识的人很难理解，限于篇幅，本文无法充分展开，希望通过一则公案使读者窥见知礼的思想特质。

知礼有一个学生叫本如，刚拜入知礼门下时，就佛经的义理向老师提出了五个问题。知礼没有当场回答，却吩咐本如："如果能为我掌管三年寺院的杂事，我就告诉你。"本如服从师命，干了三年杂事，然后按照约定再次向知礼请益，知礼喝道："本如如！"本如当下有所领悟，作了一首偈颂："处处逢路头，头头是故乡。本来现成事，何必更思量。"（元袁桷《延祐四明志》卷十六《释道考·僧本如》）表面上看，这则公案中的知礼与本如的行为表现很像禅宗，但其中的道理却与知礼的一贯主张相通，而理解此中奥妙的关键在于知礼喝道的"本如"。"如"在佛教中的意义是不变、如常，本如在三年前向知礼请教，知礼认为他的修行还不足以理解高深的教理，命他抛弃经卷，专心打杂，实际上是要磨去本如的"妄心"，也就是俗话所说的"非分之想"；三年事毕，知礼大喝"本如如"，意思是"本如你没变"。三年之中，本如不可能没变，但妄心时起时伏，随着外物的起灭，变化多端，而真心是始终不变、真实无妄的，通过三年磨炼，本如的妄心消退，真心豁显。当然，这里还有一个前提，本如的悟性也非比凡人，知礼大喝之下，他顿时明白三年之前和三年之后的变化，从而领会了"常"与"变"、"真"与"妄"的辩证关系。

在山家、山外论战中，知礼代表的山家派主张"观妄心"，反对山外派的"观真心"。"妄心"是凡夫俗子日常变动不居的思虑，它虽然是虚妄、无明、不真实的，但却是人的思虑知觉可以观察、反省、检点的，凡人想要成佛，功夫的下手处只能是"妄心"。知礼说："今欲显于妙理，须破染中因果，将总无明心一念阴识为境，以十乘观破之，使染中妙理显现，成于佛界常住之阴。"（《十义书》卷上）明确地指出修行者超凡入圣，跳出轮回，必须以十乘妙观为能观（认识主体），以无始无明为所观（认识客体），从中摄取"一念阴识"（凡人日常生活中的一闪念）为观境，逐步体悟性具本有一圆

阅读链接：
陈荣富：《浙江佛教史》，华夏出版社，2001年版。

融无碍的诸法实相，修证佛果，从而有力地反驳了山外派只讲观“真心”，不讲观“妄心”的主张。本如开悟这件事，就典型地反映了知礼引导弟子通过观“妄心”认识佛理的主张。

由于知礼代表的山家派的观点基本上遵循了智者大师“止观双行”的基本教义，最后山家派战胜了山外派，成为天台宗的主流。在论战中，山家派的议论大多出自知礼，主要观点收于他所撰述的《十义书》《观心二百问》等典籍中。《十不二门指要钞》为其代表作，其他如《观音玄义》《金光明经玄义》等注疏之作，尤其是《观经疏妙宗钞》等，具独特的见解，在批判山外派诸说的同时，宣扬了天台宗的教义。

经过山家、山外论战，知礼在晚年名声大震，地位崇隆，但是他对世人不真心皈依佛教的现实情况似乎并不满意。真宗天禧元年（1017），知礼突然对门徒说：“为得半首偈颂，值得亡身；为求一句经文，可以投火。佛法之高深如此，为警醒世人对佛法的懈怠之心，我将焚身自杀。到时候，你们不要胡乱哭闹，望各自努力，振兴佛教。”然后便与十位心志相同的僧人共修法华忏，只待三年期满，就举火自焚。当时朝廷已经准备赐予知礼紫色袈裟，却传来了知礼欲自焚的消息。秘书监杨亿连忙提笔写信劝知礼不要自寻短见，为复兴天台宗继续努力。知礼仍是固执前言，不肯让步，必要自杀警世。杨亿没办法，只好致信郡守李夷庚及天竺寺沙门慈云就近相劝。李夷庚及慈云接到杨亿的信，不敢怠慢，急忙前去劝阻。知礼仍是不从。这时，正好有太宗的驸马李遵勖的紧急信件递到。知礼拆开一看，信中也是劝阻之意，长叹一声，说：“唉，既是朝野人物皆极力劝阻，我不敢拂拒各位的美意，只好取消前言了。”至此，经过朝廷、僧众及民间信徒的百般相劝，知礼的性命总算留住了。这件事情说明了知礼弘扬佛法的愿心确实是非常强烈的，他在当时社会的影响力也是无与伦比的。

既然自焚警世做不到，知礼采取了以推广放生池的途径来劝导世人。宋真宗天禧元年（1017），敕令天下重修放生池。天禧三年（1019），天台宗奏请以杭州西湖为放生池，自制《放生慈济法门》，于每年四月初八举行放生会。天圣三年（1025），知礼奏请在佛诞日于南湖成立永久的放生会，并编制了放生文作为法会的仪轨。在知礼的影响下，明州和附近一带州县建放生池蔚然成风，越州诸暨县知县潘华甚至下令县城内不准捕池沼江湖内之鱼类。潘华离任那天（真宗景德四年十月十日）忽然夜梦：“江湖中鱼约计数万悉号泣云：‘长者去矣，吾众烹矣。’哭声沸天，所不忍闻。”知礼知道这件事后，在仁宗天圣元年（1023）写了一篇短文解释此事：“盖鱼性、佛性、宰邑（指潘华）之性，本不二焉。在事强分二，无二也。佛既先觉，立法教人，观乎物性，起同体悲，安其危，示其乐，俾其复本，与佛齐致。故流水救鱼已得成佛，鱼亦当成，不二之验矣。今所梦者，岂孤然哉？乃由佛广放生之教。鱼蕴得脱之缘，人有增善之分，共而成之，其理必也。”（知礼著，宗晓编《四明尊者教行录》卷一《梦鱼记跋》）潘华能够梦到鱼来哭泣，是因为人性、鱼性、佛性从根源上说是相通的。佛教主张草木鸟兽、一切万物，众生平等，都是同类，不同的是，人能够自我觉悟成佛；故人不能杀生，因为杀生就是杀自己的同类，会增加业障，永堕轮回。

由于四明知礼的巨大贡献，宋真宗感佩其德，赐号“法智大师”，尊为天台宗第十七祖。又因为他长住四明延庆寺，世称“四明尊者”。天圣六年（1028），知礼称念“阿弥陀佛”数百声后示寂，世寿69。

正觉禅师中兴天童寺

南宋建炎三年（1129），金兵大举南下，连续攻克扬州、建康，宋高宗赵构仓皇出逃。建炎三年（1129）十二月左右，南宋小朝廷逃到明州（今宁波），金兵随即追到。这时明州城内并无牢固的守卫力量，导致满城惊惶，居民流散避祸，明州周边大大小小的寺院也陷入了巨大的恐慌之中，绝大部分寺院都自动解散，放出僧人云游他乡。日日梵钟经呗的明州，一下子陷入沉寂。

这时，天童寺的正觉禅师（1091—1157）刚刚被推举为该寺住持不久，也有僧人建议解散云游，以避兵祸。这时高宗已经带着小朝廷自明州登船出海，明州失去皇帝后，城门洞开，正觉禅师却说："明日寇至，寺将一空。即今幸其尚为我有，可不与众共之乎？"（宋王伯庠《敕谥宏智禅师行业记》）意思是，明天敌人就要杀到，我寺可能被焚劫一空，大家以寺为家这么多年，难道就没有一点感情吗？乘现在寺院还是我们的，离它的末日还有一天时间，大家一定要共同珍惜这最后的时刻，怎么能轻易离开呢！第二天，金兵果然气势汹汹杀到，前锋部队登上了塔岭，远远地可看到天童寺，然而此时，奇迹出现，金兵“若有所见，遂敛兵而退，秋毫无所犯，人皆叹服，以为神助”。为什么金兵会突然退去？这至今是个历史之谜，反正历史的记载表明，天童寺确实在这次入侵中没有受到大的损失，至于是不是老天保佑，就不得而知了。

正觉禅师面对战争为什么如此镇定呢？这得从他来天童寺之前的经历说起。

正觉禅师，俗姓李，隰州人。他来天童寺之前，不但禅修精深，而且曾住持江州圆通、能仁寺、安定长芦寺。当时宋金交战，社会动荡，流寇遍地，其中有一股袭扰长芦寺。祸到临头，正觉禅师没有丝毫慌乱，安坐在禅堂之上，接待了这股流寇的头领李在，向他晓之以理、动之以情，说服他不要抢劫寺院和周边居民。最后，这个头领不但没有抢劫寺院，反而在向寺院贡献了粮食和金钱后，平静地撤离了。建炎三年（1129）秋，正觉禅师辞去长芦寺住持后云游四方，准备到普陀山参拜，途经天童寺打尖。巧的是此时天童寺住持之位刚刚空缺，众僧人早已闻听正觉护寺保僧的大名，此番正觉经过本寺，即商量一定要让他答应担任本寺住持。正觉听到风声后，马上起身准备离寺，被众僧人团团围住。众僧整夜苦苦哀求，加上明州知州也出面敦请，正觉才不得不答应掌管寺务。

渡过金兵之祸后，正觉禅师声名鹊起，天童寺迎来了一个大发展的黄金时期。金兵退后，很多逃散的僧人直接投奔天童寺，常年居住的僧人从不到 200 人迅速突破了 1200 人。这种情况下，各种供应就成了大问题。一日，主管后勤的僧人向正觉禅师报告，本寺粮仓眼看就要见底，请示应对之策。禅师微笑道：“人各有口，非汝忧。”话音甫落，山门来报，嘉禾那边的施主施舍了千斛米粮，粮船已经靠岸，马上可以搬取。当然，1000 多人的常年口食不可能完全依赖施舍，在正觉领导下，天童寺在两山之间可以障蔽海潮侵袭的平地上，开垦种稻，使得寺院每年的粮食收成三倍于前，彻底解决了寺院的粮食危机。随着僧人数量稳步增长，天童寺的硬件建设势必也要跟上。正觉在长芦寺时见到的禅房都很小，一间只能容纳四五个人。

来天童寺后，僧人规模已非长芦寺可比，正觉就设计建造了一个可以容纳千僧坐禅的大会堂，据说“雄丽深稳，实所创见”。一个叫王伯庠的官员拜访天童寺时，看到：“自小白舍舟道，松阴二十余里，雄楼杰阁，突出万山之中，固已骇所未见。入门，禅毳万指，默座禅床，无謦欬者。”（《宏智禅师广录》）几千僧人合坐一堂，默然无语，连一声咳嗽都听不见。王伯庠自诩遍历天南海北的寺院，也没有见过如此壮观的景象。

关于正觉禅师在天童寺的故事，很多听上去都不可思议，颇有同时代人美化的嫌疑，但是天童寺在正觉时代快速扩张，软件硬件全面升级，却是一个不争的事实。而支持这些软硬件升级的资源，一方面靠的是正觉禅师利用自身的威望和天童寺的悠久传统四处化募而来；另一方面，也仰仗正觉禅师在加强寺院内部管理和资源开发方面的高超艺术。但无论是争取外部支持还是加强内部管理，都取决于一颗爱寺、护寺、兴寺的心。正觉禅师在建炎三年（1129）底拒绝解散僧徒，表现出与寺共存亡的坚决态度，不但凝聚了天童寺僧人齐心协力干事业的精气神，也震动了整个明州佛教界，使得金兵撤退后大量外来僧人投奔天童寺，寺院规模的大幅扩张自然提升了寺院的声望和地位，从而推动了资源化募顺利展开，有力支持了寺院建设，使天童寺的发展走上一条良性互动之路，实现了在南宋初期的中兴。

反过来，如果当年不是天童寺僧人用真心实意打动了路过的“外来和尚”正觉禅师留任住持，那么天童寺的中兴又从何而来呢？正觉禅师对佛教事业的忠诚，对寺院兴旺的热情，难道不也是受到了天童寺僧人诚心的感召吗？从这个意义上说，既是正觉禅师中兴了天童寺，也是天童寺选择正觉禅师，二者互为条件，互为因果，值得今人深长思之。

智言慧思

理事双修，以彰圆妙。

——（南宋）延寿《万善同归集》卷中

阅读链接：

杜洁祥：《中国佛寺史志汇刊》第一辑第13—14册《天童寺志》，明文书局，1980年版。

《天童寺志》编纂委员会编：《新修天童寺志》，宗教文化出版社，1997年版。

张悦鸣主编：《天童禅寺》，宁波出版社，2008年版。

陈荣富：《浙江佛寺史话》，宁波出版社，1999年版。

道济（济公）：癫狂与神通

一般认为，著名的济公和尚的蓝本是南宋的道济禅师（1148—1209）。关于道济（济公）的传说太多，有信史可考的文献很少，现存南宋僧人释居简的《湖隐方圆叟舍利铭》是较早、较为可靠的记载。释居简是道济的师侄，两人曾同住于净慈寺，是一位有修为的佛门大德高僧。据释居简的记载，道济是台州人，远祖李文和，是宋代佛教护法。道济18岁落发杭州灵隐寺，受业于灵隐寺高僧慧远瞎堂禅师，后到净慈寺常住，嘉定二年（1209）卒。因行为奇特，他被称为颠僧。释居简描述道：

> 狂而疏，介而洁，着语不刊削，要未尽合准绳，往往超诣，有晋宋名缁逸韵。信脚半天下，落魄四十年。天台雁宕，康庐潜皖，题墨尤隽永。暑寒无完衣，予之，寻付酒家保。寝食无定。勇为老病僧办药石。游族姓家，无故，强之不往。

“狂而疏”，即行为狂放，疏于检点；“介而洁”，即清高孤傲，落落寡合；“着语不刊削”意思是语言放肆，往往耸人听闻；“信脚半天下，落魄四十年”是说道济漫游天下，到处留下题跋墨宝。无论寒暑，身上没有完整的衣物，就算给他钱，也马上变为酒

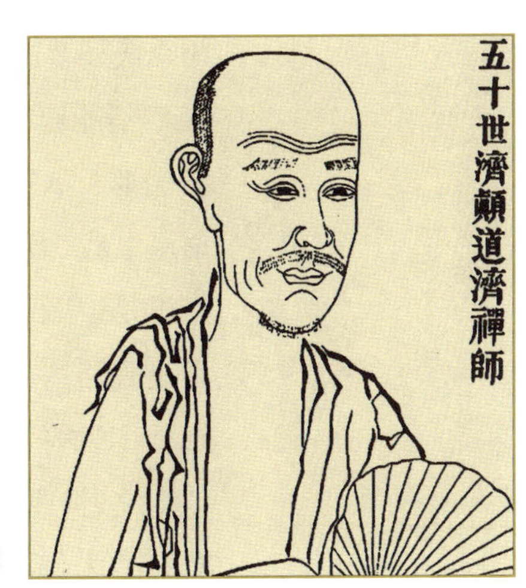

道济禅师像

资，居住饮食的场所也是往来不定的。但是，“勇为老病僧办药石。游族姓家，无故，强之不往”，对年老多病的僧人，道济勇于为他们寻医觅药；对那些高官显贵之家，如果他不乐意，谁也没法强迫他去。居简还说，道济跟四川的祖觉和尚关系密切，祖觉生性诙谐，二人可能因此十分投缘。从上面这段简短的文字可以看出，后世济公传说中的很多基本要素已经具备了：生性滑稽诙谐，喜行侠仗义，不守戒律，行为古怪。但是，后世济公神通广大的法力却是南宋的道济禅师所没有的。由于现在已经无法清楚的原因，济公在民间传说中被塑造成了一个神通广大的罗汉形象。现存最早的济公小说沈孟柈《钱塘湖隐济颠禅师语录》大概形成于明隆庆年间，但小说中的很多称谓、地名、物名却是宋元时代的，可以推论，其中的某些故事情节从宋元时代就开始流行了。

从这些传说看，济公既“颠”且“济”，他的扶危济困、除暴安良、彰善罚恶等种种美德，在人们的心目中留下了独特而美好的印象，人们因此怀念他、神化他。但是，他行事的方式又是癫狂的。据《灵隐寺志》记载：“济颠祖师，名道济，台

阅读链接：
奚德基、许尚枢：《济公与济公文化研究》，中国文联出版社，2006年版。

州李氏子。初参瞎堂，知非凡器，然饮酒食肉，有若风狂，监寺至不能容，呈之瞎堂（慧远），批云：法门广大，岂不容一颠僧耶？人遂不敢言。”据沈孟柈叙述的《钱塘湖隐济颠禅师语录》载，当时慧远长老批的这十个字中，“颠”字写成了“真”，意思是“颠中有真”。明人吴之鲸《武林梵志》也说：“（道济）举止脱略，与小乘执相诸僧忤，乃讦其犯斋及不循律仪过，远批云：‘法门广大，岂不容一颠僧？’意以颠含真义，而远亦似知之，惟庸众之终不释然。”为什么济公的“颠”反而是“真”呢？因为佛教最终是要度世人跳出六道轮回，看破世俗红尘，要引导凡夫俗子认识到现实世界是现象性的、不真实的，故需要颠倒现实世界中的相对关系（生与死、贵与贱、脏与净等等），打破人的思维定势。在传说中，济公可以爬到酱缸上大便，也可以用浓痰治病，这些怪异的、颠倒的行为都是要开示众人，耳目所见的世界是不真实的、虚妄的。但是，当济公颠倒佛门戒律，酒肉穿肠时，经常向俗人显示不可思议的法力（即“神通”），是不是也损害了佛教自身呢？

近代高僧、弘一法师的师父印光法师（1861—1940），对当时流行济公小说深为担忧。他认为，戒律不可不持，神通不可苟显，神通与癫狂是相辅相成的，绝不能把二者割裂开来。印光大师说，道济禅师（济公）显示大神通，是为了“一切人生正信心”，兴起对佛教的信仰。但是，济公绝不能堂堂正正地显示神通，而要以饮酒食肉的癫狂行为作为掩护。因为：“其饮酒食肉者，乃遮掩其圣人之德，欲令愚人见其颠狂不法，因之不甚相信。……凡佛菩萨现身，若示同凡夫，唯以道德教化人，绝不显神通。若显神通，便不能在世间住。唯现作颠狂者，显则无妨。”按照佛教义理，诸佛菩萨法力无边，深井运木之类小小神通自然不在话下，但是菩萨不是为了神通而神通，而是通过神通来显示佛法精微，引导俗人皈依佛教正信，而皈依之后的漫长修行过程中，神通便告退隐，不再是修行者追求的目标。济公随缘说法，并不是见人就帮，他每次出手都是有目的、有对象的，只有见到了“利根之人”，有开悟的可能性，他才显示神通。至于那些资质低下、根器普通的俗人，济公只显示自己的癫狂。因为佛教认为神通是一种超自然力量在历史时空的运用，如果没有正确的信念，神通运用会变成满足世俗欲望的手段，甚至由此迷恋此岸世界和肉身，对后一种人过分显示神通，是十分危险的。

明白了这一点，就能够理解普通僧人绝不能学习济公饮酒食肉的癫狂。印光法师说：“世间善人，尚不饮酒食肉，况为佛弟子，要教化众生，而自己尚不依教奉行；则不但不能令人生信，反令人退失信心，故饮酒食肉不可学。”（《印光大师文钞》增广卷一《复庞契贞书》）在济公传说中，济公吃了鸽子肉，能吐出活的鸽子飞走，你也学济公吃肉，能口吐出活的否？济公喝了酒，能替佛装金，能将无数大木从井里运来，汝喝了酒，连井水也运不出来。济公从来没有为了神通而神通，为了癫狂而癫狂。相反，癫狂与神通相辅相成，没有神通，万不可癫狂；不以癫狂为掩护，也绝不能显示神通。总之，既癫狂又神通，只有济公这样的罗汉转世才能行得，普通学佛者不可学、不必学、不应学。

印光大师对济公传说的评价，决不仅对佛教信众有很大的启发，也蕴涵了一些重要的人生哲理，人对真理的认识必要经过由表及里、由粗到精的若干阶段，在特定的阶段，只能达到特定的认识程度，必须拾级而上循序渐进，切不可一蹴而就。

莲池大师：老实念佛

莲池大师像

人们喜欢说："小和尚念经，有口无心。"这句俗语反映了一个有趣的问题。表面上看，念经是最简单、最常见的修行方法，各宗各派都认同，但是这种最简单的修行方法也最容易敷衍了事。因此，人们脑中容易形成这样一种思维定势，既然念经是僧人的必修功课，念经也就没什么了不起。偏偏佛教各派中，有一派是专门以口念佛号为根本的，这就是净土宗。自隋唐中国本土的佛教宗派天台宗、禅宗、华严宗等兴起以来，有的宗派以逻辑精密为特色（华严宗），有的宗派止观双运、形式圆备严谨（天台宗），有的宗派离去文字、高妙难悟（禅宗）；相比之下，净土宗只是口念佛号，像"小和尚念经"一样，似乎过于轻易了。

莲池大师（1535—1615）是明代高僧，仁和（今杭州）人。

俗姓沈，讳袾宏，字佛慧，别号莲池以志所归。因他久居杭州云栖寺，又称云栖大师。他是中国净土宗第八代祖师。与紫柏真可、憨山德清、藕益智旭并称为明代四大高僧。在莲池大师活跃的晚明，禅宗和净土宗是当时佛教最主要的两大宗派。然而，禅宗中自呵佛骂祖一路而来的“狂禅”形成了一股强大的潮流，其末流无所不至，毁身破戒、败坏家风、逞口舌之强、不重实修的不在少数。作为对禅宗非常了解的大师，莲池对此颇为忧虑，他认为净土宗也许可以拯救禅宗的弊端。

净土宗是汉地传播最广的一个佛教宗派，一心称念西方极乐世界“阿弥陀佛”名号，以往生极乐净土为宗旨。净土宗之所以兴起，与此宗本身方便广大、稳当妥帖的特色有关。佛经中对西方极乐世界的赞叹，以及现实中大量的往生瑞相也对广大信众具有强大的吸引力。净土宗的修行方法，最常见的便是持名念佛，即一心称念阿弥陀佛圣号，或称“南无阿弥陀佛”，或称“阿弥陀佛”。净土宗认为，“阿弥陀佛”的洪名本身就包含甚深法义和极大加持力，纳须弥于芥子，通过念佛，久久成片，可以消除妄念，达一心不乱，入念佛三昧，圆明妙觉之心、本来面目自然呈现，横超生死，获得往生。所以佛家大德常说，一句“阿弥陀佛”本身，便是“无上甚深微妙禅”，不能因外在形式的简单而轻视之。

莲池大师深知净土法门易行难信，似浅实深，有时候反倒使一些爱动脑筋的佛教徒尤其是禅门行者闻而生疑。因此，仅凭一味倡导，难以使他们信服，必须说到究竟处，才能清除疑惑。疑惑除，才能有信、愿、行。比如《阿弥陀经》说执持名号当“一心不乱”，这是什么意思呢？莲池大师在《阿弥陀经疏钞》说，净土宗倡导的口念佛号，最直接的效果就是，在念诵佛号的同时，修行者的心意能够逐渐集中，不会散乱，不容易受到外界的干扰，不容易产生妄念，这样才能专注于佛理的“正境”。在《净土疑辩》中，莲池大师对某些禅宗行者只知说大话而轻视净土的认识做了有力的批驳。他引《楞严经》“归元性无二，方便有多门”的话来说明禅宗净土殊途同归，并无二致。“禅者净土之禅，净土者禅之净土。”但某些参禅者妄生分别，以为看过两本经论，记得几则公案，说些无相话，便真能“自心随处净土”，那绝对是自欺欺人，是非常危险的。有些禅宗徒认为净土很简单，自心如果领悟，随处都是净土世界，不必非等到死后才往生净土。莲池大师说，你怎么知道自心已经开悟呢？你能不能做到忍受恶臭，在厕所起居打坐？能不能做到和猪牛马同槽饮食？能不能到墓地中和臭腐尸骸睡在一起？能不能做到侍奉脓血不止、屎尿失禁的重症病人呢？上述这些苦、累、脏、臭之事，一时一地做到，不算什么，能不能积年累月，毫不动摇？能不能毫无怨言，欢喜安稳？莲池大师说，我看没几人做得到，大多数人只是表面上忍耐勉强，心中却别扭得很。为什么心中会别扭呢？因为你修行没有到家，现象世界中的美与丑、香与臭、脏与净的相对概念（“分别识”）还主宰着你的心灵，因此你还牢牢地被束缚在此岸世界（此土）之中。禅宗的某些人，过于强调在今生今世立地成佛，实际上，“此土众生，多是先生西方，然后了悟”，往生西方是净土的不二法门。

莲池大师的上述批评主要是针对禅宗中的一些末流，并不是他在根本上否定禅宗，相反他希望通过推广净土宗来弥补禅宗末流的流弊。同时，莲池大师还积极推行严格的戒律修行，来辅助禅宗和净土两种修行。莲池大师晚年在杭州梵村游历，见云栖一带山水幽寂，有意在此修行。不久，在信徒的帮助下，他在这里建立了云栖寺。云栖寺虽然成为明代有名的大丛林，但与明代杭州一带其他的寺院不同，那些寺宇多飞檐翘角，宏伟壮丽，独云栖外无宏伟的山门，中无大殿，只有禅堂安置僧人坐禅，法堂供奉经像，其建筑只是能够遮风避雨而已。与简陋的建筑相比，云栖寺的僧规极严。莲池曾订《僧约》十条曰：敦尚戒德约、安贫乐道约、省缘务本约、奉公守正约、柔和忍辱约、威仪整肃约、勤修行业约、直心处众约、安分小心约、随顺规制约。如有违犯，立即出院。又订《修身十事》：不欺心、不贪财、不使奸、不用谋、不惹祸、不侈费、不近女、不外骛、不避懒、不失时。云栖门风整肃，冠于当时。

明万历四十三年（1615）六月下旬，莲池大师预知阳寿将尽，先入城告别诸弟子，还在山后具茶汤设供话别众僧，并表示自己将不参加当年的盂兰盆会。七月初一，上堂对众人说："明日要远行。"次夜，莲池大师已显示微疾，瞑目静坐于丈室。次日夕，诸弟子等请留遗训，大师睁眼开示："大众老实念佛，莫捏怪，莫坏我规矩！"言毕逝世。"捏怪"是指禅宗中的末流，"莫坏我规矩"是要求僧众持守戒律，"老实念佛"就是力行口念佛号的净土修行。在莲池看来，"老实念佛"最简单、最枯燥，也最容易动摇。（尹晓宁撰）

阅读链接：

陈永革：《晚明佛教思想研究》，宗教文化出版社，2007年版。

大方井天主教司铎公墓

在杭州西郊美丽的西溪湿地大方井，有一个天主教司铎公墓，自明代以来许多著名的传教士都被葬在这里，其中绝大部分是耶稣会士。那么，杭州为什么会出现这样一个公墓呢？这要从天主教耶稣会传入中国说起。

明嘉靖十三年（1534），西班牙人伊纳爵·罗耀拉（Ignaciode Loyola）创立了以教育和传教为主要任务的耶稣会，并于明嘉靖九年（1540）获得教皇批准。耶稣会创立后即积极向海外传教。明万历十年（1582），罗明坚（Michele Ruggieri）、利玛窦（Matteo Ricci）进入中国内地，使天主教在中国站稳了脚跟。利玛窦为耶稣会中国传教区第一任会长，他融合中西文化的传教方式吸引了徐光启、李之藻、杨廷筠等为代表的士大夫阶层中的部分成员皈依天主教，这些教徒为明清天主教在中国的传播作出了重要贡献。其中，杨廷筠（1562—1627）就是杭州仁和县人。杨廷筠字仲坚，号淇园居士、井寒子、郑园居士、沁园居士、弥格子等，教名弥格尔（Michael），万历二十年（1592）进士，曾任湖广道监察御史、四川道掌道事、南直隶副使、江西副使等职。他早年信奉王阳明的“王学”，并与明末高僧云栖

大方井天主教司铎公墓（韩毓华摄）

祩宏、虞淳熙等佛教领袖有交往，曾参加释祩宏组织的放生会，可谓出儒入佛。

明万历三十年（1602）后的数年间，时任湖广道监察御史、四川道掌道事等职的杨廷筠几次入京述职和接受新的任命，与利玛窦相识。与徐光启、李之藻不同，杨廷筠对利玛窦带来的西方科学不敏感，倒是对其所谈论的天主教教义等义理之说更感兴趣。明万历三十七年（1609），杨廷筠在官场受排挤回乡，于杭州讲学。万历三十九年（1611）四五月间，受洗不久、时任开州（今河北濮阳）知州的著名科学家李之藻因父亲去世回到杭州，邀请神父郭居静、金尼阁和修士钟鸣仁至杭州开教。五月八日在其家中举行了第一场弥撒，这一天被后人称为杭州天主教开教日。加入天主教后不久，杨廷筠就发起组建慈善团体仁会和仁馆，并接受艾儒略（Jules Aleni）的建议出千金置产，行长久行善之策，每年将利息施与贫困者。除将家中佛堂改为天主教圣堂外，他还兴建了四座教堂。又出资建造司铎住院，并在大方井建天主教教士公墓。

杨廷筠不仅热情传教，而且资助教会各种活动，并在发生教案时挺身而出保护传教士。据《杨淇园先生超性事迹》一文所记，有一天杨廷筠在散步时看到一个穷信徒因无地无法埋葬父亲的棺材，很是伤感。杨廷筠对他说："若翁即吾翁也，忍令至此。"于是在桃源岭大方井杨家的祖坟地周围购买了墓地，用于安葬穷苦的天主教教友。天启二年（1622），传教士钟鸣仁去世，杨廷筠也将他下葬于此，成为第一个葬于大方井的传教士。杨廷筠死后，其次子将该地赠与传教士，作为传教士的专用墓地。后来杨廷筠的长子又购买附近的一些田产用于建守墓房。

进入清朝，大方井墓地又有扩展，其中推进的关键人物是殷铎泽（1625—1696）。殷铎泽，字觉斯，意大利人。崇祯十五年（1642）加入耶稣会，清顺治十六年（1659）来华，是17世纪后期在杭州传教的关键人物。康熙十三年（1674），他被派到杭州，在洪度贞去世后接手杭州传教区，并从此一直在杭州传教。殷铎泽在杭州20多年，是清初杭州天主教会的核心人物，并于康熙十五年（1676）被选为中国与日本传教会务巡阅使，康熙二十六年（1687）被选为耶稣会中国副省区会长。康熙十七年（1678）他在大方井购地扩建传教士公墓，并将所有已逝世之传教士遗骸集中移葬该处。清康熙十七年（1678），时任耶稣会中国副省区会长的殷铎泽又购地扩大墓区，兴建了一个地下墓窟及一座小教堂，为就棺于此的卫匡国举行了迁葬礼，并将散落在杭州各处的传教士灵柩迁入。

18 世纪初期，由于罗马教皇禁止中国信徒祭祖祀孔，使得“礼仪之争”激化，原本对传教士很宽容的康熙皇帝宣布禁教。雍正和乾隆时期禁教更严，杭州的传教士大多离去，墓地也逐渐荒芜。咸丰十一年至同治三年（1861—1864），太平军占领杭州，墓地遭到破坏。同治十三年（1874）重修。民国二十五年（1936）6 月，司铎方豪来到这里，记下了 21 具骨瓮上的题名。“文化大革命”期间再遭毁灭性破坏，整个墓窟被夷为平地，墓室中的骨瓮被砸碎，遗骸被抛之四野。20 世纪 70 年代中国与意大利建立外交关系，意大利政府和学术界多次提出寻找明代来华的意大利传教士卫匡国的墓地。1980 年意大利总统山德罗·佩尔蒂尼（Sandro Pertini）访华时再度表达了这一意愿。1984 年杭州市人民政府根据历史资料修复了卫匡国墓。墓地约 148 平方米，在群峰环绕之间，有古樟翠柏映衬。墓坐东朝西，略呈方形。风格中西合璧，外形是中国式的，只是墓顶多了十字架，墓室则为欧洲风格。原左右两壁间分嵌康熙年间所立石碑两块，右碑题“天学耶稣会泰西修士受铎德品级诸公之墓”。现正前方高耸一座石牌楼，外题“天主圣教修士之墓”，内题“我信肉身之复活”。牌楼后是石墓。墓室前面有两块石碑，上面记录着曾经长眠于此处的传教士姓名、籍贯、卒年和享年等。他们是明代的罗儒望（1566—1623，字怀中，Joãoda Rocha，葡萄牙人），金尼阁（1577—1628，字四表，Nicolas Trigault，比利时人），郭居静（1560—1640，字仰凤，Lazzaro Cattaneo，意大利人），钟鸣仁（1562—1622，名巴相，字念江，葡萄牙文名 Fernandez，广东人），游文辉（1575—1633，字含朴，欧洲人称其为 Manuel Pereira Yeou，澳门人），伏若望（1591—1638，字定源，João Froes，葡萄牙人），阳玛诺（1574—1659，字演西，Emmanuel Diaz，葡萄牙人），庞类思（1607—1630，字克己，澳门人）；清代的卫匡国（1614—1661，字济泰，Martino Martini），洪度贞（1616—1673，字复斋，Humbert Angeri，法国人），徐日昇（1645—1708，字寅公，Tomás Pereira，葡萄牙人)，法安多(1663—1706，字圣学，意大利人)，艾斯玎(1656—1711，AugustinBarelli，意大利人)。

除耶稣会传教士外，这里也埋有其他修会传教士的遗骸。1987年该墓地被列为市级文物保护单位，两年后升格为省级文物保护单位。(吴晶撰)

阅读链接：

赵晖：《耶儒柱石：李之藻、杨廷筠传》，浙江人民出版社，2007年版。

丁韪良与宁波话的拼音化

清嘉庆十二年（1807），第一个基督教传教士马礼逊来到中国，但足迹未至浙江。十九世纪三十年代，德国籍基督教传教士郭实猎在浙江沿海活动，不过他的活动与当时英国侵略中国的军事行动交织在一起，二者相互利用。鸦片战争以清廷签署丧权辱国的和约收场，道光二十二年（1842）的《南京条约》规定宁波为五个通商口岸之一。此后传教士作为侵略军先锋和帮凶的色彩逐渐退去，而主要以传教、教育、医疗等事业作为依托，因此他们无形中对中西文化交流，尤其是浙江近代文化的转型起到了一定的作用。这其中，丁韪良是一个特别突出的人物。丁韪良，原名 William Alexander Parsons Martin，字冠西，号德三。美国基督教长老会（基督教的一个派别）传教士。1850—1860 年在宁波传教。由于他熟谙汉语，善操方言，咸丰八年（1858）中美谈判期间，曾任美国公使列卫廉译员，参与起草《天津条约》。此后他从宁波转到了北京，在那儿传教并开办学校。同治二年（1863），丁韪良开始着手翻译美国人惠顿的《万国公法》，该书受到恭亲王等人的赏识，由总理衙门拨专款付印出版。同治八年（1869），出任京师同文馆总教习。光绪二十四年（1898），京师大学堂成立，光绪皇帝授丁韪良二品顶戴，并任命他为京师大学堂首任总教习。丁韪良号称清末在华外国人中首屈一指的“中国通”，但他极端仇视义和团，八国联军攻占北京城之后，丁韪良主张“以华制华”，因此他是一位充满争议的历史人物。

道光三十年（1850）六月二十六日，丁韪良夫妇到达宁波，在此生活了 6 年。丁

阅读链接：

龚缨晏：《浙江早期基督教史》，杭州出版社，2010 年版。

陈村富：《转型期的中国基督教——浙江基督教个案研究》，东方出版社，2005 年版。

丁韪良：《花甲忆记——一位美国传教士眼中的晚清帝国》，广西师范大学出版社，2004 年版。

韪良想要在当地居民中传教，但首先碰到的巨大困难就是语言问题——他们不懂宁波话。因此，丁韪良向自己雇用的厨子虚心求教，从最基本的日常语言学起。丁韪良在晚年回忆录《花甲记忆》中说：

> 我们学会的第一句宁波话是“zaban”（柴爿），厨子拿来一根柴火棍子，让我们明白他想要买柴火来烧饭。第二句宁波话是“fanping”（番饼），那厨子用手指绕成一个圈表示钱，然后指着柴火棍子，这两者之间的联系使人一目了然。

厨子只通晓生活必需的日常语言，对于意义比较复杂的宁波话，丁韪良要向更有文化的当地人学习：

> 我们请到了一位连一个英语单词都不懂的汉语老师，而我们获得知识的钥匙就是一句“keh-z-soh-go-i-sze”（这是啥个意思），这句话是一个传教士朋友教给我们的。汉语课是从实物开始的，老师先说一声“wongki”（黄狗），见我们听不懂，就牵来一只小狗，说声“这就是”，便爆发出一阵大笑，因为他突然想到居然有人会愚蠢到连“wongki”都听不懂。有时模仿足以代替解释。例如他来回奔跑，时而喘气，时而鸣叫，使我们明白“holungtsaw”（火轮车）就是指火车。

这种教学办法虽然有效，但是对教师的体力是一个很大的考验，这位老师无法承受就辞职了，换了一个新的老师。经过艰苦的学习，“迷雾开始消散，而我们随后的学习进展从一个使人厌倦的任务变成了令人兴奋的消遣”（《花甲忆记》）。由于超群的语言天赋，丁韪良迅速掌握了宁波话，并可以用流利的宁波话讲道，听众反应热烈，离去时常赞叹“听道比看戏还有趣”。

但是丁韪良觉得，西方人掌握宁波话不能只靠看图说话和比比画画，应该发明一套西方人看得懂的拼音方案，这样即使没有当地人教授，也能独立地掌握基本宁波话的发音。为此他试制了一套简便方法：用拉丁字母来标注宁波方言。他以包括德语在内的欧洲语言中的元音作为基础，加上其他一些变音符号，很快就编出了一套音标，能够复制从老师嘴唇里说出来的话语。但丁韪良突然想到，如果宁波话教师也会用这套拼音方案，那么标注读音就更准确，学习效率也更高。恰恰这时丁韪良聘请了一位姓鲁的宁波话教师，接受能力很强，只用了一两天，他就掌握了音标，能写出单独的词组。一星期以后，丁韪良就从他那里收到了一张拼音化宁波话书写工整的便条，邀请丁韪良夫妇到他家共进“tiffin”（午餐）。丁韪良意识到试验已经成功，就在驻宁波的传教士群体中推广。

咸丰元年（1851）一月底，丁韪良发起了一个“学社”，其宗旨就是为了研究、推广一个可以把宁波话写下来的拼音系统，传教士们陆续加入，并在教学实践中不断完善优化。很快，他还用拼音字母刻了一套活字，用来印刷拼音化的宁波话的书籍。虽然这种书籍一开始仅仅在传教士群体内部流通，但发挥了很大的作用。咸丰二年（1852），丁韪良用拼音化的宁波话写出了一部书，书名叫 *Di-hishülin-kohkwu-kyingz-t'iyiu-tinkôngtsing*（《地理书连万国古今事件》）。这部书专门介绍世界历史和全球地理，共 185 页，咸丰九年（1859）在宁波重印。咸丰三年（1853），他又在宁波出版了 *Digyiudu*（《地理图》）。

由于年代久远，丁韪良发明的宁波话拼音方案已经失传，但他激励了其他传教士继续努力将基督教教义和西方科学文化知识翻译成这种口语化的文字，从而方便向普通宁波老百姓传播，由此留下了一批宁波方言拼音著作，因此，在近代汉语拼音运动史上，宁波有着十分重要的地位，这可能是丁韪良当初没有想到的。

太虚大师：回归正信，走向人间

大家都知道太虚大师是近代杰出的佛教改革家，但并不为人所知的是，太虚大师也是一位出色的文章家，他从小完全接受了传统文化的熏陶，进入民国以后，太虚大师就擅长用明白晓畅的白话文发表自己的观点。太虚大师有一篇很好的文章，名叫“我的宗教经验”，回顾了他如何从迷信神通起步，逐渐走向正信的佛教，最后走向人间佛教的心路历程，文字清通可读，下面就引用其中重要的片段，略加申说。太虚大师说，他出家的动机并不特别高尚：

> 我初出家，虽然有很多复杂的因缘，而最主要的还是仙佛不分，想得神通而出家。所以受戒、读经、参禅，都是想得神通。出家的最初一年，是在这样莫名其妙的追求中度过的。第一年已经读熟了《法华经》，每日可背诵五六部。第二年夏天听讲《法华经》，始知佛与仙及天神不同。曾住禅堂参禅，要得开悟的心很切，一方面读《楞严经》,一方面看语录及《高僧传》等。第三年又听讲了《楞严经》，对于天台教观已有大体的了解，并旁研及贤首五教仪、相宗八要等。而参究话头的闷葫芦，仍挂在心上。

太虚大师出家的初衷是想得“神通”，就是希望掌握呼风唤雨、撒豆成兵之类的仙术，时至今日，很多信佛之人还是把“神通”当做是佛教最基本的教义，到寺院里一味祈求加官晋爵、财源广进、多子多孙，把现实中庸俗的名利当做是佛祖、菩萨的恩赐。这种信仰已经背离了佛教救苦度难、悲悯世人的本质而沦为一种迷信。民国二年（1913），太虚大师发表了佛教“三种革命”主张，其中关于“教理革命”的主张是这样的：“关于教理的革命，我认为今后佛教应多注意现生的问题，不应专向死后的问题上探讨。过去佛教曾被帝王以鬼神祸福作愚民的工具，今后则应该用力研究宇宙人生真相，指导世界人类向上发达而进步。总之，佛教的教理，是应该有适应阶段思潮底新形态，不能执死方以医变症。”太虚大师在改革佛教的历程中，深刻体会到了普通民众的迷信对佛教的伤害，降低了佛教的社会地位，而他自己在出家的早期也受到过这种迷信的困扰。他说：

> 秋天去往藏经阁看藏经，那时喜欢看《憨山集》《紫柏集》及其他古德诗文集与经论等。如此经过了几个月，同看藏经的有一位老首座告诉我说：“看藏经不可东翻西找，要从头依次的看到尾。”当时我因找不到阅藏头路，就依他的话，从《大藏经》最前的《大般若经》看起。看了个把月，身心渐渐的安定了。四百卷的《大般若》尚未看完，有一日，看到“一切法不可得，乃至有一法过于涅槃者，亦不可得”！身心世界忽然的顿空，但并没有失去知觉。在这一刹那空觉中，没有我和万物的世界对待。一转瞬间明见世界万物都在无边的大空觉中，而都是没有实体的影子一般。这种境界，经过一两点钟，起座后仍觉到身心非常的轻快、恬适。在二三十天的中间，都是如此。

真正信仰佛教，就要潜心阅读佛教经典，研习观想佛经中的义理。经过一段时间的修行，太虚突然有所觉悟，在一刹那间失去了知觉，而进入一种领悟的境界。太虚领悟到，佛祖为什么要留在人世间不辞辛苦救度世人，就是因为佛祖已经泯灭了“人”与“我”、“法”（世界万物）与“我”的区别，“我”就是世界，世界就是“我”，因此他人的痛苦、世界的苦难、社会的堕落，就是“我”的痛苦、“我”的苦难、“我”

的堕落；“我”之所以还没有感受到他人的痛苦，从而漠视他人和社会的问题，是因为“我”还没有打破自身与世界的隔阂。太虚大师之所以能在以后的岁月中提出“人间佛教”的思想，其基础就在于这次领悟。如果没有真切地体验到“我”与世界融为一体没有分别的境界，就不可能踏出山门，走向社会，拥抱火热的现实生活。当然这种领悟是在一霎那间得到的，只持续了一两个钟头，但太虚说“身心非常的轻快、恬适”。这次领悟还给予太虚大师很多能力上的提升。他自述：

《大般若经》阅后改看《华严经》，觉到华藏刹海，宛然是自心境界，莫不空灵活泼；从前所参的禅话，所记的教理，都溶化无痕了。我从前的记忆力很强，只要用心看一遍就能背诵。但从此后变成理解力强而没有记性了。我原没有好好的读过书，但从那一回以后，我每天写出的非诗非歌的文字很多。口舌笔墨的辩才，均达到了非常的敏锐锋利。

太虚在以后的佛教改革道路上，善于演讲和写作，尤其是擅长用晓畅流利的白话文宣传自己的思想主张，容易为社会大众所理解，而这些能力的获得都得益于这次开悟。不过，到此为止，太虚大师还是在闭门坐禅，为个体生命的成就而奋斗，他走向社会的契机是遇到了华山法师：

我现在想起来，当时如从这种定慧心继续下去，三乘的圣果是可以成就的。可惜当时就改了途径，因为遇到了一位华山法师；他那时就在杭州办僧学校，暂来藏经阁休息。大家说起我的神慧，他与我谈到科学的天文、地理与物理、化学等常识，并携示《天演论》、康有为《大同书》、谭嗣同《仁学》、章太炎《文集》、梁启超《饮冰室》等书要我看。我起初不信，因为我读过的书，只是中国古来的经史诗文与佛教经籍。当时与他辩论了十几天，积数十万言。后来觉他颇有道理，对于谭嗣同的《仁学》，尤极为钦佩，由此转变生起了以佛法救世救人救国救民的悲愿心。

太虚遇到华山法师的时间大概在光绪三十四年（1908）。作为一个传统的僧人，太虚的知识结构仍囿于中国古典的经史子集和佛经，对于当时社会上出现的新兴思潮和西方先进科学技术几乎懵然无知。华山法师当时在杭州兴办的僧人学校，就是要向僧人传播新鲜的知识和文化，打破佛教界闭目塞听、与世隔绝的状态。一开始太虚并不理解华山法师，但是经过激烈的辩论，他领悟到佛法不仅是成就一个个体的生命，更要救国救民。从此，太虚走上了弘扬人间佛教，推进佛教改革的伟大征程。

佛教是中国历史上最悠久的宗教信仰之一，时至今日，它的信徒之众、传播之广、寺院之多，仍然在当代中国社会发挥举足轻重的作用。但是，表面上的繁荣并不能掩盖这样一个事实，“烧香拜佛”“见庙磕头”仍然是普通信众的主流行为方式，而对于佛教义理的深切理解和信仰，仍然是一种奢侈品。正因为如此，重温太虚大师的宗教体验，不能不说是十分必要的。

阅读链接：

太虚大师：《太虚大师选集》（全三册），台北正闻出版社，1988 年版。

邓子美、陈卫华：《麾下一代新僧——太虚大师传》，青海人民出版社，1999 年版。

陈永革：《人间潮音——太虚大师传》，浙江人民出版社，2003 年版。

弘一法师：遗世而独立

弘一法师像

林语堂曾经这样评价弘一法师，他“是我们时代里最有才华的几位天才之一，也是最奇特的一个人，最遗世而独立的一个人。他曾经属于我们的时代，却终于抛弃了这个时代，跳到红尘之外去了”。弘一法师，这位中国近现代文化史上在书画、诗文、戏剧、音乐、艺术、金石、教育各个领域都有极深造诣的不可多得的艺术全才，最终选择了出家为僧，皈依佛门。赵朴初先生这样评价大师的一生：“无尽奇珍供世眼，一轮明月耀天心。”

一、由“艺术”而“宗教”

弘一法师，俗名李叔同，生于清光绪六年（1880），祖籍浙江平湖，出生于天津，他父亲为李鸿章同年进士，曾官吏部主事，致仕后经营盐业，兴办银行，为津门富豪。李叔同 14

岁陪他的生母南迁上海，入南洋公学从蔡元培先生受业，与邵力子、黄炎培、谢无量等同学。这是当时上海最先进的学校。年轻的李叔同精通诗词、字画等艺术，成为上海艺术界的一颗新星。

母亲去世后，他选择了东渡日本留学。在日本期间，他涉猎西洋油画、音乐、戏剧等多个领域。在上野美术学校西画科从黑田清辉等画家学习，同时又入音乐学校研究乐学与作曲，并从日本戏剧家藤泽浅二郎学习戏剧。在日本，李叔同“早浴，和服，长火钵”，过着地道的日式生活。他和其他留日同学组织了“春柳社”演出戏剧。他还在东京独立主编《音乐》小杂志。李叔同在日本的学习使他取得了很大的艺术成就。正如他的弟子、著名画家丰子恺所说，他是我国最早出国学文艺的留学生之一，是最早提倡话剧、最早研究油画，也是最早研究西方音乐的艺术教育家之一。

李叔同回国后，国内爆发了辛亥革命，他选择了在多地学校讲授美术、音乐等，并在杭州任教于浙江两级师范学校（后改组为浙江第一师范学校），担任音乐、美术教师，实践他早年确立的“以美淑世”“经世致用”的教育救国理想。在执教期间，李叔同创作颇丰，发表了很多著名歌曲。“长亭外，古道边，芳草碧连天；晚风拂柳笛声残，夕阳山外山。天之涯，地之角，知交半零落；一觚浊酒尽余欢，今宵别梦寒。”这首歌是广为人知的《送别》，词作者正是李叔同。

大概在民国五年至民国六年（1916—1917）间，李叔同已具有了出世的思想。他曾到虎跑的大悲山断食修养，自感身心灵化。民国六年（1917），李叔同以居士身份到虎跑定慧寺习静，并皈依了定慧寺老和尚了悟法师为在家弟子，取名演音，号弘一。这段时间，他与马一浮交往甚密，在佛教上颇受马一浮的影响和启示。五四运动的前夕，也就是民国七年（1918），李叔同在杭州定慧寺出家，正式皈依佛门。

李叔同出家后，发愿精研戒律，并且严格依照戒律修持，衣食住行非常简朴，虔诚得近乎苦行僧。自民国七年（1918）39 岁在杭州出家，到 63 岁在泉州圆寂，僧腊25年，出家后的弘一法师自始至终过着依律修持的生活。弘一法师为弘扬律宗，曾立下四誓：一、放下万缘，一心系佛，宁堕地狱，不做寺院住持；二、戒除一切虚文缛节，在简易而普遍的方式下令法音宣流，不开大法，不做法师；三、拒绝一切名利的供养与沽求，度行云流水生涯，粗茶淡饭，一衣一衲，鞠躬尽瘁，誓成佛道；四、为僧界现状，誓志创立风范，令人恭敬三宝，老实念佛，精严戒律，以戒为师。

正如夏丏尊所形容的，一代才华横溢的艺术家李叔同从“翩翩浊世佳公子”，一变而为“戒律精严之头陀”。对于李叔同的出家，正如丰子恺在《我的老师李叔同》一文中所说：“李先生的放弃教育与艺术而修佛法，好比出于幽谷，迁于乔木，不是可惜的，正是可庆的。”

二、以“出世”而“入世”

李叔同出家后，有感于佛门堕落情况严重，他决心重振佛教戒律，大力弘扬南山律宗的戒律。由于当时的戒律文意古奥，与现实生活差距甚远，无法真正让人奉行，弘一法师用了几年时间，对这些戒律进行注解和阐释，并写成了《四分律比丘戒相表记》，在佛教界产生很大影响。20多年精诚庄严的自律苦修，弘一法师使断绝数百年的律宗得以复兴，佛门称弘一法师为“重兴南山律宗第十一代祖师”。

除了研习律宗外，弘一法师还弘扬净土宗的“念佛禅”，他主张大声称念“阿弥陀佛”。弘一法师的佛学修行自成特色，

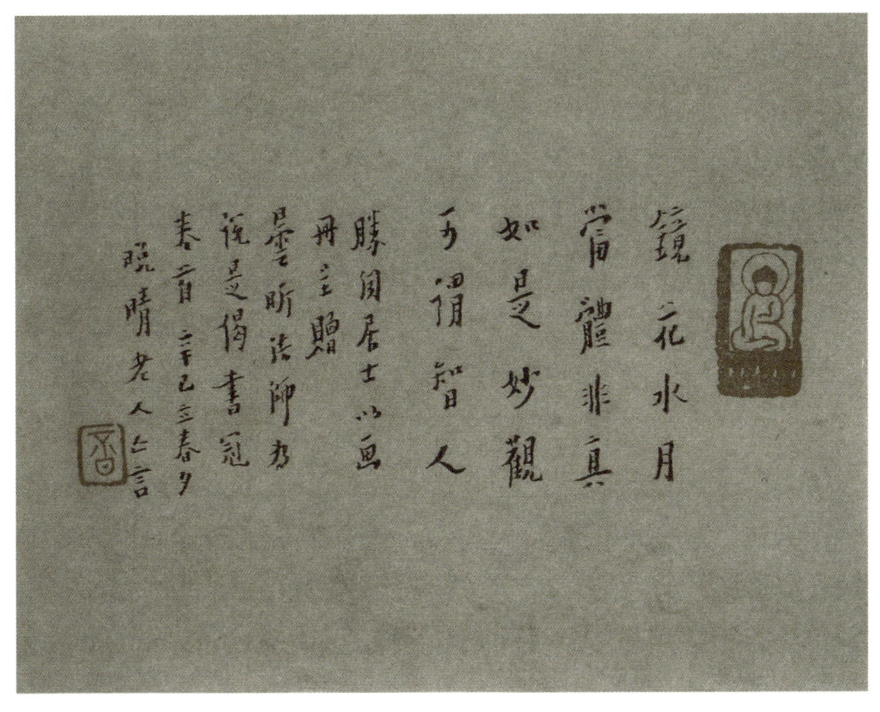

弘一法师书法作品

正如林子青所概括的："弘一大师的佛学思想体系，是以华严为境、四分律为行、导归净土为果的。也就是说，他研究的是华严，修持弘扬的是律行，崇信的是净土法门。他对晋唐诸译的《华严经》都有精深的研究。曾著有《华严集联三百》一书，可以窥见其用心之一斑。"

出家之后的李叔同，尽管是一位刻苦修行的行脚僧，也没有选择高树法幢，广授徒众，但他并非完全不问世事，与世隔绝，而是始终以一个文化人与爱国僧人的身份，与外界保持着联系，关心人生苦痛和世事沧桑变化，践行人间佛教理想。除了他的两位得意门生丰子恺和刘质平以外，他与诸多文化界名人如马一浮、夏丏尊、鲁迅、郁达夫、郭沫若等都有不同程度的交往。著名美学家朱光潜曾评价他说："佛

终生说法，都是为救济众生，他正是以出世精神做入世事业的。”（《纪念弘一法师》）

他的这种以出世之身做入世之事的精神，突出地表现在爱国爱教方面。作为一个佛教爱国者，他多次提出“念佛救国”的口号。据载，“七七”事变发生后，他在泉州承天寺与弟子们同桌共食，想到自己的祖国被日军侵占和欺凌时，不由得悲痛万分，激动地对弟子们说：“吾人所吃的是中华之粟，所饮的是温陵之水，身为佛子，于此之时，不能共纾国难于万一，为释迦如来张点体面，自揣不如一只狗子。狗子尚能为主守门，吾人一无所用，而犹腼颜受食，能无愧于心乎？”民国二十七年（1938）10月，为勉励泉州承天寺僧众发扬爱国爱教精神，他举笔题词“念佛不忘救国，救国必须念佛”，词末又跋“佛者，觉也，觉了真理，乃能誓舍身命，牺牲一切，勇猛精进，救护国家，是故救国必须念佛”。

弘一法师在出家之后，就毅然放弃了他曾醉心研究过的话剧、油画、西洋音乐诸艺术，但唯独于书法研习不辍，老而弥笃。他曾自述：“夫耽乐书术，增长放逸，佛所深诫。然研习之者，能尽其美，以是书写佛典，流传于世，令诸众生欢喜受持，非无益矣。”（《李息翁临古法书·自序》）出家之后的李叔同，书法风格也与此前不同，深受宗教思想的影响。他的书法炉火纯青，一尘不染，给人一种淡薄、自然、清寒、悲凉的感觉，正如大师自己所解释的那样：“朽人之字所示者，平淡、恬静、冲逸之致也。”

民国三十一年（1942），弘一法师在泉州温陵养老院圆寂，时年63岁。弘一法师逝世之前神智很清醒，提笔在片纸上写“悲欣交集”四个字，便转入涅槃了，乃成为法师的绝笔。就这样，这位曾经“二十文章惊海内”，集诗、词、书画、篆刻、音乐、戏剧、文学于一身的艺术大师，恬然安静地离开了人世。太虚大师曾为赠偈：“以教印心，以律严身，内外清净，菩提之因。”（沈小勇撰）

智言慧思

先器识而后文艺。

——弘一法师引古语

阅读链接：

李叔同：《李叔同诗文遗墨精选》，中国文联出版社，2003年版。

金梅：《悲欣交集——弘一法师传》，上海文艺出版社，1997年版。

陈慧剑：《悲欣交集——弘一大师李叔同的前世今生》，丰子恺插图，陕西师范大学出版社，2005年版。

灵隐寺：东南第一山

“东南山水，余杭郡为最。就郡言，灵隐寺为尤。”（白居易《冷泉亭记》）灵隐寺是杭州最早的古寺，也是中国佛教禅宗十大古刹之一，有“东南第一山”之美誉。灵隐寺至今已有约1700百年的历史。据载，东晋咸和三年（328），天竺僧人慧理法师游至武林，见飞来峰而叹曰：“此为天竺灵鹫峰小岭，不知何代飞来？”遂在飞来峰下大兴建寺，连建五刹。所谓“佛在世日，多为仙灵所隐”，灵隐因此而得名。历经千余年风雨，五刹兴废更迭，独灵隐寺延存至今，诚如《寺志》所言：“或废或更，而灵隐独存，历代以来，永为禅窟。”（孙治、徐增《灵隐寺志》）

一、千年古刹风云

灵隐寺在历史上由于其独特的佛教地位，为历朝历代统治者所重视，影响深远。据史料记载，在南北朝时期，当时门阀士族提倡佛教，信奉佛法，广建庙宇，梁武帝曾下旨赐田灵隐寺，寺庙得到空前发展。隋朝时期，隋文帝在社会上恢复发展佛教，主张佛教南北禅宗合一，并亲自派名僧慧诞来杭州弘扬佛法，在灵隐寺前建神尼舍利塔。到了唐代，灵隐寺发展已具有相当规模，殿宇壮丽，佛学兴盛。唐长庆时，灵隐寺僧人道峰法师专修“华严宗”，一时讲经说法，信徒甚众。据白居易《华严经社石记》载：唐长庆二年（822），道峰开讲《大方广佛华严经》时，听众达数千人之多，盛况空前。至唐武宗时，史有“会昌法难”，朝廷力主排佛，灵隐寺遭遇了空前打击，寺庙毁坏，僧人离散。后来虽经恢复发展，也仅能延续香火而已。到了五代时期，吴越国王重视佛教事业，寺庙发展得到大大改观，灵隐寺在钱王支持下建成“灵隐新寺”。其时，灵隐寺已成为吴越名刹，一时吸引各方佛徒，灵隐寺再一次佛光重现。

北宋时期，苏轼在《题灵隐寺》中有“高堂会食罗千夫，撞钟击鼓喧朝晡”的形象描绘，可见当时灵隐僧众云集的非凡盛况。南宋建都临安（今杭州），宋高宗和宋孝宗时常到灵隐寺进香祈福，一时香火旺盛。明洪武三年（1370），明太祖曾召灵隐寺住持见心来复法师赴京说法，在朝野上下引起轰动，影响甚广。明太祖还亲封他为“十大高僧”之一。清朝时期，康熙、乾隆皇帝多次来到灵隐寺，并留下多篇记游诗文。据《云林寺志》记载:清康熙二十八年（1689），康熙帝南巡杭州时，

灵隐寺俯瞰

初次到灵隐礼佛。因当时灵隐住持谛晖奏对称旨，康熙即席手书“云林”二字，从此灵隐寺亦称为“云林禅寺”。此后，康熙皇帝在三十八年（1699）、四十二年（1703）、四十四年（1705）、四十六年（1707）又多次到灵隐寺。乾隆年间，乾隆帝分别在乾隆十六年（1751）、二十二年（1757）、二十七年（1762）、三十年（1765）、四十五年（1780）、四十九年（1784）南巡驾幸灵隐。灵隐寺地位可见一斑。

二、名僧云集之地

灵隐古刹自创建以来，可谓高僧云集，人文荟萃，以佛据地，儒释道相映交融，蔚然成为文化大观。后人评说灵隐寺“理公为祖，延寿为宗，具德中兴”，这句话道出了灵隐寺千年发展的主要文脉。慧理祖师作为灵隐寺的开山始祖，为灵隐的香火存续奠定了基础。永明延寿禅师是唐末五代时禅宗高僧，曾住持灵隐，扶衰救弊，提倡“禅教一致”“禅净双修”，指心为宗，四众钦服，被奉为净土宗六祖。正如《寺志》记载，在“建隆元年，钱忠懿王请重创灵隐，灵隐之兴由此，故后称住持灵隐者，以为第一代也”（孙治、徐增《灵隐寺志》）。明末清初之时，具德法师主持灵隐复兴大业，他奉行三峰师说，又以重建灵隐古刹为己任，在苦心经营 18 年后，成就卓然，使灵隐焕然一新，他本人被后世奉为临济宗 32 世祖。

可以说，灵隐寺在历史长河中成为浙江佛教文化的典型标志、全国名流高僧辈出的文化荟萃之地。在灵隐寺千年发展史

灵隐寺天王殿南立面

上，历代著名高僧还有：西岭和尚道标（号称唐代“三大诗僧”之一）、赞宁大师（曾为宋时最高僧官）、契嵩法师（被宋仁宗赐号“明教大师”）、重显法师（后人尊为“云门中兴”的高僧）、慧远禅师（被宋孝宗封为“瞎堂禅师”）。此外，还有横担天下的道冲住持、人称“高谊可风”的谛晖住持、重开灵隐气象的巨涛住持以及“六祖转世”的慧明住持、临难受命的却非住持、大德风范的大悲住持等。

近代以来，灵隐的古刹遗风吸引着一批批名僧学者慕名前来修持研法。从《寺志》记载可见，近代高僧名流如弘一法师、太虚法师、巨赞、苏曼殊、马一浮、班禅九世、班禅十世等均与灵隐寺结下深缘（《灵隐新志·卷三》）。

民国七年（1918），李叔同在灵隐寺依慧明法师受具足戒。据弘一自述：“灵隐寺是杭州规模最大的寺院，我一向是对他很欢喜的。”正是在慧明法师的授戒和影响下，弘一成为一代闻名遐迩的高僧。太虚大师是民国时期的名僧，一生致力于佛教改革。曾于民国十年（1921）出任杭州净慈寺住持，与灵隐寺却非方丈为至交法友，曾应邀任灵隐寺座元（即首座）。据载，蒋介石到南京复职行经杭州时，曾至灵隐寺专访太虚大师。

民国二十年（1931），巨赞来杭至灵隐寺要求出家，遇到太虚大师，太虚十分欣赏其才华，遂将他留下并介绍给灵隐寺方丈却非披剃出家。近代作家、诗人苏曼殊可谓多才多艺，曾住灵隐寺专门撰写《梵文典》8卷，由章太炎作序，成为我国佛学史上有一定影响的重要文献。现代理学大师马一浮与灵隐寺结缘很深，灵隐寺慧明长老与之结方外交，马一浮还应邀在灵隐寺开讲《复性论》。（沈小勇撰）

阅读链接：

（清）孙治初辑，徐增重修：《灵隐寺志》，杭州出版社，2006年版。

冷晓：《灵隐寺》，杭州出版社，2004年版。

冷晓编纂：《灵隐新志》，香港百通出版社，2003年版。

国清寺：隐者的栖息

国清讲寺位于天台县城北3500百米的五峰山南麓，创建于隋开皇十八年（598），是中国佛教天台宗之发祥地，也是韩国、日本佛教天台宗祖庭。寺周五峰环抱，双涧萦流，古木参天，伽蓝巍峨。与山东长清灵岩寺、江苏南京栖霞寺、湖北当阳玉泉寺并称“天下四绝”。智者大师在南朝陈太建七年（575）入天台山巡游，在石桥过夜时，遇到了一位名叫定光的老僧，他对智者大师说：“山下有皇太子基，可造寺院。”智者感到很奇怪，那块地彼时并无片瓦，连搭个茅草屋都困难，什么时候能建造起一座宏伟的寺院呢？定光说：“现在不是时候，等到南北朝分裂的格局终结后，自然有贵人来造此寺。”定光还预言：“寺若成，国即清。”

天台国清寺古塔

智者大师从此就发愿要建造一座寺院作为天台宗的根本道场。隋灭陈后，在晋王杨广（后来的隋炀帝）的大力支持下寺终于建成了。当然，对什么叫“国即清”，可能不同的人有不同的理解：隋虽然灭陈统一南北，但隋炀帝的暴政使得隋朝成为短命的王朝，尤其在隋炀帝统治时期，遍地兵戈，横征暴敛，民不聊生，很难说“国即清”；但是，从结束分裂、统一南北的立场说，被隋朝终结的陈是一个更加腐朽、更加暴虐的政权，而隋朝的统一南北为后来光辉盛大的唐帝国版图打下了一个坚实的基础，从这个意义上说，隋灭陈确实可称得上“国即清”。

从智者大师、灌顶大师开始，国清寺历朝历代都产生过名重天下的高僧大德。但细细检点国清寺的历史，更令人回味的却是一些隐者的形象，这些隐者或者无名无姓，或者不为人知。第一位隐者自然就是那位提示智者大师的定光和尚，关于他并无其他记载，当时天台山还有若干佛教寺院，定光可能是那里的僧人，也可能是游方来此，但是他的“寺若成，国即清”得到应验，奠定了国清寺的基础，对国清寺可谓居功至伟。

到了唐玄宗时，著名的天文学家、数学家一行和尚奉命编修《大衍历》，为此他遍访名师，学习天文算法。到天台山国清寺时，他看到寺中有一僧院内植古松十数，门前有溪水自西向东流过。一行站在门口，还没决定进去时，听到有一僧人在院中布筹演算，而且对徒弟说：“今日当有弟子自远求吾算法也，已合到门，岂无人导达也？”说话间，他又拿下一筹，并说：“门前水当却西流，弟子也到了。”一行闻言大喜，赶紧趋入，向这位僧人学习，“尽受其术而去”（《旧唐书·一行传》），而门前的小溪也变为自东向西流了。现在国清寺门前的小溪旁还立着“一行到此水西流”的石碑，说的就是这件事。可是，这样一位算法高深的数学家却连名字也没留下来。

国清寺最著名的隐者当属丰干、寒山、拾得。关于这三个人的公案、轶事非常多，这里无法一一介绍，只指出一点，即他们都曾在国清寺生活过。传说丰干曾骑着老虎踏入山门，吓坏了一众僧人。丰干收养了一个孤儿，起名为“拾得”，拾得长大后就在国清寺后厨帮工。寒山不是国清寺的僧人，但经常跑到国清寺后厨找拾得，拾得就用寺院中的剩饭剩菜供养他。寒山言行怪异，每到国清寺，“或长廊徐行，叫唤快活，独言独笑”，又常“与牧牛子而歌笑……自乐其性”。他的装束也很滑稽：

天台国清寺山门

阅读链接：

丁志魁：《国清寺志》，华东师范大学出版社，1995 年版。

“桦皮为冠，布裘破敝，木屐履地。”有一天，寒山问拾得说：“如果世间有人无端地诽谤我、欺负我、侮辱我、耻笑我、轻视我、鄙贱我、恶厌我、欺骗我，我要怎么做才好呢？”拾得回答道：“你不妨忍着他、谦让他、任由他、避开他、耐烦他、尊敬他、不要理会他。再过几年，你且看他。”这样睿智的对话，相信很多都发生在国清寺的后厨吧。不过，寒山在国清寺中并不为大多数僧人理解，经常受到驱逐和打骂，他却驻立抚掌，报之以呵呵大笑。到了清朝，雍正皇帝自诩为这三位隐者的知音，由此启动了雍正十一年（1733）对国清寺的重修，丰干、寒山、拾得也突然“阔”了起来，国清寺中出现了专门纪念他们三人的“三贤堂”“寒山亭”“拾得亭”。

回顾历史可以看出，国清寺虽然是天台宗创始人智者大师设计规划的，但在以后漫长的岁月中，由于天台宗自身的盛衰和社会政治环境的变化，其性质多次改易，时而为禅宗的禅寺，时而为天台宗的讲寺。客观地看，这种“摇摆”倒不一定是什么坏事，国清寺既具有天台宗教法严谨的一面，又有禅宗活泼的一面，这两种气质相辅相成，相得益彰，使得国清寺的魅力更加吸引世人。当年时常来“骚扰”国清寺而一度受到寺僧驱赶的寒山也留下了一首正儿八经赞美国清寺的七律：“丹丘回耸与云齐，空里五峰遥望低。雁塔高排出青嶂，禅林古殿入虹霓。风摇松叶赤城秀，雾吐中岩仙路迷。碧落千山万仞现，藤萝相接次连溪。”

青松勁挺姿凌霄恥
屈盤種種出枝葉牽
連上松端秋花起絳烟
旖旎雲錦殷不籠不
自立舒光射丸丸見
生子致鶴鬆縮頸還

吕祖谦文选

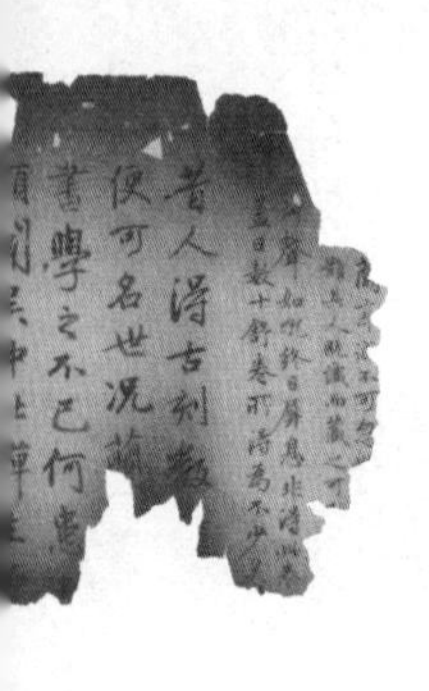

此处编选的吕祖谦作品片段，大多采自《杂说》《丽泽论说集录》《舍人官箴》《官箴》，所据版本为黄灵庚、吴战垒主编的《吕祖谦全集》（浙江古籍出版社，2008 年版）。

1. 彼世人所见不明，或反以轻捷便利为可喜，淳厚笃实为迟钝，殊不知淳实之人，所见所为虽后于小人，及其养之既熟，扩而充之，必有大过人者；便捷之人，所见所为虽常先淳笃者，要亦止于是而已。学者幸而禀淳厚笃实之资或反自恨不如轻捷者而与之角，则非徒不能及之，而是自害耳。（《丽泽论说集录》卷六）

2. 与君子居，则以小过为大过；与小人居，则以小善为大善。盖立乎众君子之间，所见所闻皆善也。苟己有纤芥之过，是以一浊而汙百清也，人必竞以为怪矣，故过虽小而必自以为大焉。立乎众小人之间，所见所闻皆不善也。苟己有纤芥之善，是以一清而形百浊也，人必竞以为高矣，故善虽小而必自以为大焉。大抵士之与小人处者，其善易为，故其心易足，其名易彰，故其心易骄。易足者，怠之本也；易骄者，傲之本也。既怠且傲，其去小人不远矣。呜呼！士之不幸而与小人处者，岂必随其为恶哉！虽自守

为善，而冥冥之中已为所移矣。戒之哉！（《东莱吕太史外集》卷五《杂说》）

3. 多欲者，畏人亦多。少欲者，畏人亦少。无所不欲者，无所不畏。无所欲者，无所畏。（同上）

4. 后之学者，苟志于为学，非特讲论之际始是为学，闻街谈巷语，句句皆有可听；见舆台皂隶，人人皆有可取。如此，安得德之不进！（《丽泽论说集录》卷七）

5. 今人读书，全不作有用看。且如人二三十年读圣人书，及一旦遇事，便与闾巷人无异。或有一听老成人之语，便能终身服行。岂老成之言过于六经哉？只缘读书不作有用看故也。（《丽泽论说集录》卷十）

6. 仕宦须脱小规模：一、仰羡官职；二、随人说是非；三、乘空接响，揣量测度；四、谓求知等事为当为之事。（同上）

7. 学者之患，在于讳过而自足。使其不讳过，不自足，则其成德夫岂易量！譬诸人之成室，方其作也，一柱之不良，一梁之不正，斤削研刻之；或失其道，唯恐旁观者之不言，随言随改，随改随正，略无所惮。其心以谓吾知良吾室而已，凡所以就其良而去其不良者，无所不至，此善学而逊志之说也。若夫聚不良之木，用不良之匠，为不良之室，专心致志，自以为是，而以人言为讳；及其成也，自以为是，惟恐人言其非。如此则必至于颓败而后觉悟，岂不哀哉！（同上）

8. 看史须看一半便掩卷，料其后成败如何，其大要有六：择善、警戒、阃范、治体、议论、处事。（同上）

9. 凡世俗所谓不妨有例、不见得、未必知、众人都如此、也是常事之类，皆不可听。（同上）

10. 或有言病太刚太直者，先生（编者按：吕祖谦）曰：“刚无病，所病者乃暴而非刚；直无病，所病者乃讦而非直。”（同上）

11. 为学只为放过去多，因举《孟子》攘鸡一段，须是不放过始得。人才说“这次且恁地，后次改”，此等人后次定不会改。（同上）

12. 人之一身必有事。未及第时，谓科举妨为学。已及第后，又为做官，为治家，几时得无事？（同上）

13. 或问："今欲作一件好事，众人皆谓不然，如何？"先生（编者按：吕祖谦）云："只是自家诚意未至。"又问："众人做底不做，众人说底不说，便觉突兀，如何？"先生曰："这个里面有一毫，外面见一毫，不可掩。须做合当做底事，看始得，若有一毫欲异众，外面形迹便露，此极可验。"（同上）

14. 士大夫喜言风俗不好，风俗是谁做来？身便是风俗。不自去做，如何得会好？（同上）

15. 凡使人，须度其可行，然后使之；若度其不可而强使之，后虽有可行者，人亦不信。且如立限令三日可办，却只限一日，定是违限，其势不得不展，自此以后，虽一日可到之事，亦不信矣。（同上）

16. 两人不足，自处其间，甲必来说乙不是，乙亦来说甲不是，若都不应和，人将以为我深，或以为党庇。应和之语，须是如与甲同坐，对乙面前也说得，方可。（同上）

17. 听人说话，或有不中节者，亦无都不应答之理。说十句中，岂无一句略可取？将此一句推说应之，亦于其人有益。（同上）

18. 处家之道，须是量度人之根器，固是纲纪不可不正且肃。恐有人受不得时，却是败坏。譬如水满平堤，便须量其势，放一二板水以泄其盛，不然，崩溃四出，不可救矣。处家平时不放一分，他日却用放五分不得。（同上）

19. 当官之法，唯有三事：曰清，曰慎，曰勤。知此三者，则知所以持身矣。然世之仕者，临财当事不能自克，常自以为不必败。持不必败之意，则无不为矣，然事常至于败而不能自已。故设心处事，戒之在初，不可不察。借使役用权智，百端补治，幸而得免，所损已多，不若初不为之为愈也。司马子微《坐忘论》云:“与其巧持于末,孰若拙戒于初。”此天下之要言，当官处事之大法。用力寡而见功多，无如此言者。人能思之，岂复有悔吝耶？（《东莱吕太史别集》卷六《舍人官箴》）

20. 事君如事亲，事官长如事兄，与同僚如家人，待群吏如奴仆，爱百姓如妻子，处官事如家事，然后为能尽吾之心。如有毫末不至，皆吾心有所不尽也。故事亲孝，故忠可移于君;事兄弟，故顺可移于长;居家治，故事可移于官。岂有二理哉？（同上）

21. 前辈尝言，小人之性，专务苟且，明日有事，今日得休且休。当官者不可徇其私意，忽而不治。谚有之曰：“劳心不如劳力。”此实要言也。(同上)

22. 当官既自廉洁，又须关防小人。如文字历引之类，皆须明白，以防中伤，不可不至谨，不可不详知也。(同上)

23. 前辈尝言，吏人不怕严，只怕读。盖当官者详读公案，则情伪自见，不待严明也。(同上)

24. 当官者先以暴怒为戒。事有不可，当详处之，必无不中。若先暴怒，只能自害，岂能害人？前辈尝言，凡事只怕待。待者，详处之谓也。盖详处之，则思虑自出，人不能中伤也。尝见前辈作州县或狱官，每一公事难决者，必沉思静虑累日，忽然若有得者，则是非判矣。是道也，唯不苟者能之。(同上)

25. 处事者，不以聪明为先，而以尽心为急;不以集事为急，而以方便为上。(同上)

26. 当官取庸钱、般家钱之类，多为之程而过受其直，所得至微而所丧多矣。亦殊不知此数亦吾分外物也。(同上)

27. 畏避文法，固是常情。然世人自私者，率以文法难事委之于人。殊不知人之自私，亦犹己之自私也。以此处事，其能有济乎！（同上）

28. 当官大要，直不犯祸，和不害义，在人消详斟酌之尔。然求合于道理，

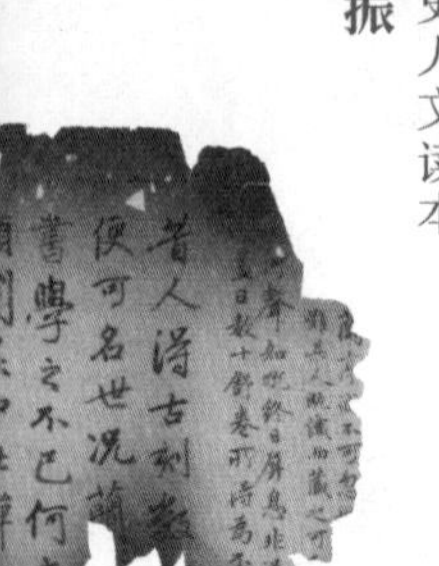

本非私心专为己也。(同上)

29. 当官处事，但务着实。如涂擦文书，追改日月，重易押字，万一败露，得罪反重，亦非所以养诚心、事君不欺之道也。百种奸伪，不如一实；反复变诈，不如慎始；防人疑众，不如自慎；智数周密，不如省事：不易之道。(同上)

30. 事有当死不死，其诟有甚于死者，后亦未必免死；当去不去，其祸有甚于去者，后亦未必得安。世人至此，多惑乱失常，皆不知义命轻重之分也。此理非平居熟讲，临事必不能自立，不可不预思。古之欲委质事人，其父兄日夜先以此教之矣。中材以下，岂临事一朝一夕所能至哉。教之有素，其心安焉，所谓有所养也。(同上)

31. 忍之一事，众妙之门。当官处事，尤是先务。若能清、慎、勤之外，更行一忍，何事不办?《书》曰："必有忍，其乃有济。"此处事之本也。谚有之曰："忍事敌灾星。"少陵诗云："忍过事堪喜。"此皆切于事理，为世大法，非空言也。王沂公尝说："吃得三斗酽醋，方做得宰相。"盖言忍受得事也。(同上)

32. 凡治事有涉权贵，须平心看理之所在。若其有理，固不可避嫌故使之无理。直须平心看，若有一毫畏祸自恕之心，则五分有理便看作十分有理。若其无理，亦不可畏祸，曲使之有理。政使见得无理，只须作寻常公事看，断过后不须拈出说。寻常犯权贵取祸者，多是张大其事，邀不畏强御之名，所以彼不能平。若处得平稳妥帖，彼虽不乐，视前则有间矣。然所以不欲拈出者，本非以避祸，盖此乃职分之常。若特然看做一件事，则发处已自不是矣。(《东莱吕太史别集》卷六《官箴》)

陈亮文选

此处所节陈亮作品片段采自邓广铭编《陈亮集》(增订本),河北教育出版社,2003 年版。

1. 臣不佞,自少有驱驰四方之志,常欲求天下豪杰之士而与之论今日之大计。盖尝数至行都,而人物如林,其论皆不足以起人意,臣是以知陛下大有为之志孤矣。辛卯、壬辰之间,始退而穷天地造化之初,考古今沿革之变,以推极皇帝王伯之道,而得汉、魏、晋、唐长短之由,天人之际,昭昭然可察而知也。始悟今世之儒士自以为得正心诚意之学者,皆疯痹不知痛痒之人也。举一世安于君父之雠,而方低头拱手以谈性命,不知何者谓之性命乎!(《陈亮集》卷一《上孝宗皇帝第一书》)

2. 天下大势之所趋,天地鬼神不能易,而易之者人也。自有天地,而人立乎其中矣。人道立而天下不可以无法矣。人心之多私,而以法为公,此天下之大势所以日趋于法而不可御也。圣人论《易》之法象而归之变通,论变通而归之人,未有偏而不举之处也。故三代未尝不立法,而无任法之弊;三代未尝不用人,而无任人之失;未尝不以人行法,而无所谓人法并行之说。

自秦坏天地之大经,而天下之变始开矣。汉,任人者也;唐,人法并行者也;本朝,任法者也。天下之大势一趋于法,而欲一切反之于任人,此虽天地鬼神不能易,而人固亦不能易矣。任人任法,与夫人法并行之外,又将何所出以正天地之常经耶?虽有圣智,安得而不病其难也!然尝思之:法固不可无,而人

亦不可少。闻以人行法矣，未闻使法之自行也。立法于此，而非人不行，此天下之正法也。法一立而人主以用人为己忧，兢兢然惧任官之非其人而法不能行也，故上当其忧而下任其责，天下所以常治而无乱也。病无其人而一委于法，此一时之私心也，法一详而人君以用非其人为未害，纤悉委曲，条目备具，彼固不能尽出吾法之外也，故上无近忧而下不任责，天下之事所以常可虞也。故有以人行法之法，有使法自行之法。(《陈亮集》卷十一《人法》)

3. 因以为：人眇然一身，与天地并立而为三才，其阙一不可之本为安在？又以为：洪荒之初，圣贤继作，道统日以修明，虽时有治乱，而道无一日不在天下也；而战国、秦、汉以来，千五百年之间，此道安在？而无一人能识其用，圣贤亦不复作，天下乃赖人之智力以维持，而道遂为不传之妙物。儒者又何从而得之，以尊其身而独立于天下？六经诸史，反复推究，以见天运人事流行参错之处，而识观象之妙，时措之宜，如长江大河，浑浑浩浩，尽收众流而万古不能尽也。而后知人之职分，圣贤之所用心，而人心之危不可以一息而不操也。苟有用心之地，则凡天下之学皆可因之以资吾之陟降上下焉。(《陈亮集》卷三十六《钱叔因墓碣铭》)

4. 眼光有棱，足以照映一世之豪；背胛有负，足以荷载四国之重。出其毫末，翻然震动。不知须鬓之既斑，庶几胆力之无恐。呼而来，麾而去，无所逃天地之间；挠弗浊，澄弗清，岂自为将相之种！故曰：真鼠枉用，真虎可以不用。而用也者，所以为天宠也。(《陈亮集》卷十《辛稼轩画像赞》)

5. 其服甚野，其貌亦古。倚天而号，提剑而舞。惟禀性之至愚，故与人而多忤。叹朱紫之未服，谩丹青而描取。远观之，一似陈亮；近视之，一似同甫。未论似与不似，且说当今之世，孰是人中之龙、文中之虎！（《陈亮集》卷首《自赞》）

6. 二十年之间，道德性命之说一兴，迭相唱和，不知其所从来。后生小子读书未成句读，执笔未免手颤者，已能拾其遗说，高自誉道，非议前辈，以为不足学矣。世之为高者，得其机而乘之，以圣人之道为尽在我，以天下之事无所不能，能麾其后生以自为高而本无有者，使惟己之向，而后欲尽天下之说一取而教之，颀然以人师自命。虽圣天子建极于上，天下之士犹知所守，吾深惑夫治世之安有此事乎，而终惧其流之未易禁也。（《陈亮集》卷二十四《送王仲德序》）

7. 为士者必以文章行义自名，居官者必以政事书判自显，人各务其实而极其所至，各有能有不能，卒亦不敢强也。自道德性命之说一兴，而寻常烂熟无所能解之人自托于其间，以端悫静深为体，以徐行缓语为用，务为不可穷测以盖其所无，一艺一能皆以为不足自通于圣人之道也。于是天下之士始丧其所有，而不知适从矣。为士者耻言文章、行义，而曰"尽心知性"；居官者耻言政事、书判，而曰"学道爱人"。相蒙相欺以尽废天下之实，则尔终于百事不理而已。（《陈亮集》卷二十四《《送吴允成运干序》）

8. 世之学者，玩心于无形之表，以为卓然而有见，事物虽众，此其得之浅者，不过如枯木死灰而止矣；得之深者，纵横妙用，肆而不约，知所谓文理密察之道？泛乎中流，无所底止，犹自谓其有得，岂不可哀也哉！故格物致知之学，圣人所以惓惓于天下后世，言之而无隐也。

夫道之在天下，何物非道，千途万辙，因事作则，苟能潜心玩省，于所已发处体认，则知"夫子之道，忠恕而已"非设辞也。

儒释之道，判然两途，此是而彼非，此非而彼是。而溺于佛者，直曰"其道有吾儒所未及者"，否亦曰"其精微处吻合无间"，而高明之士犹曰"儒释深

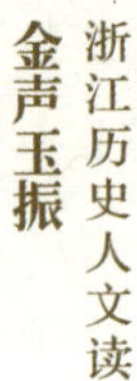

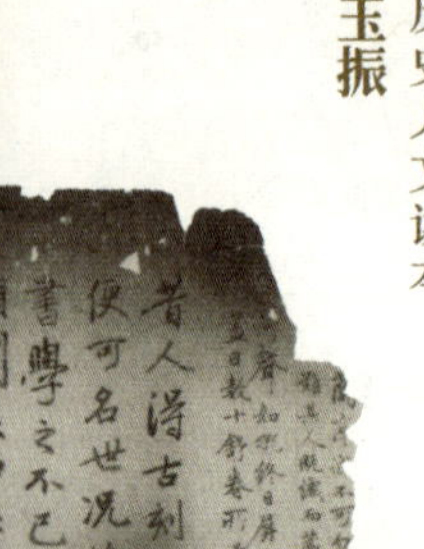

处，所差秒忽耳”。此举世所以溺焉而不自知；虽知其非者，亦如猩猩知酒之将杀己，且骂而且饮之也。(《陈亮集》卷二十七《《与应仲实》)

9. 亮大意以为本领闳阔，工夫至到，便做得三代；有本领无工夫，只做得汉唐。而秘书必谓汉唐并无些子本领，只是头出头没，偶有暗合处，便得功业成就，其实则是利欲场中走。使二千年之英雄豪杰不得近圣人之光，犹是小事，而向来儒者所谓“只这些子殄灭不得”，秘书（编者按：指朱熹）便以为好说话，无病痛乎？

来书（编者按：指朱熹来信）所谓“自家光明宝藏”者，语虽出于释氏，然亦异于“这些子”之论矣。天地之间，何物非道？赫日当空，处处光明。闭眼之人，开眼即是，岂举世皆盲，便不可与共此光明乎！眼盲者摸索得着，故谓之暗合，不应二千年之间有眼皆盲也。亮以为：后世英雄豪杰之尤者，眼光如黑漆，有时闭眼胡做，遂为圣门之罪人；及其开眼运用，无往而非赫日之光明，天地赖以撑拄，人物赖以生育。今指其闭眼胡做时便以为盲，无一分眼光；指其开眼运用时只以为偶合，其实不离于盲。嗟乎，冤哉！彼直闭眼耳，眼光未尝不如黑漆也。一念足以周天下者，岂非其眼光固如黑漆乎！天下之盲者能几？赫日光明未尝不与有眼者共之，利欲汩之则闭，心平气定，虽平平眼光亦会开得。况夫光如黑漆者，开则其正也，闭则霎时浮翳耳。仰首信眉，何处不是光明？使孔子在时，必持出其光明以附于长长开眼者之后，则其利欲一时涴世界者，如浮翳尽洗而去之，天地清明，赫日长在，不亦恢廓洒落、闳大而端正乎！今不欲天地清明，赫日长在，只是"这些子殄灭不得"者便以为古今秘宝，因吾眼之偶开便以为得不传之绝学，三三两两，附耳而语，有同告密；画界而立，一似结坛，尽绝一世之人于门外，而谓二千年之君子皆盲眼不可点洗，二千年之天地日月若有若无，世界皆是利欲，斯道之不绝者仅如缕耳。此英雄豪杰所以自绝于门外，以为立功建业别是法门，这些好说话且与留着妆景足矣。若知开眼只是个中人，安得撰到此地位乎！（《陈亮集》卷二十八《答朱元晦秘书·又乙巳秋书》）

10. 文武之道一也，后世始歧而为二：文士专铅椠，武夫事剑楯。彼此相笑，求以相胜。天下无事则文士胜，有事则武夫胜。各有所长，时有所用，岂二者卒不可合耶？吾以谓文非铅椠也，必有处事之才；武非剑楯也，必有料敌之智。才智所在，一焉而已，凡后世所谓文武者，特其名也。

吾鄙人也，剑楯之事，非其所习，铅椠之业，又非所长，独好伯王大略，兵机利害，颇若有自得于心者，故能于前史间窃窥英雄之所未及，与夫既已反之而前人未能别白者，乃从而论著之；使得失较然，可以观，可以法，可以戒，大则兴王，小则临敌，皆可以酌乎此也。命之曰"酌古论"。（《陈亮集》卷五《酌古论》序）

叶适文选

这里选录的叶适作品的片段，主要采自《水心文集》《水心别集》，所据版本为王孝鱼点校的《叶适集》(中华书局，1961年版)。

1. 士患不贤与无德，贤有德矣，进而至公卿之位，则为其事；不至者，世以为有命焉。夫贤有德，岂必为公卿哉？孟子称“禹、稷与颜回同道”，当其时，盖已有流俗之论，而孟子言之如此。悲夫，直以贫贱不如富贵！此流俗之细尔，犹不病德也。至谓贤而贱终不如贤而贵，有德而富犹过于有德而贫，以夫区区自为轻重，转讹习陋，而使天下言贤有德者，必将兼出于富贵而后止，则流俗之为害大矣。然则以不至公卿为命者，是畏贫贱而乐富贵，非命之正也。(《水心文集》卷九《乐清县学三贤祠堂记》)

2. 古之善政者，能防民之佚游，使从其教，节民之醉饱，使归于德。何者？上无所利以病民也。及其后也，因民之自游而为之御，招民以极醉而尽其利，民犹有不得游且醉，则其赖于生者日已薄，而人之类可哀也已。(《水心文集》卷九《醉乐亭记》)

3. “但存方寸地，留与子孙耕。”余孩稚时，闻田野传诵，已识其趣。出游四方，所至闾巷，无不道此相训切。今葛君自得，遂取以名堂，盖其词意质而劝戒深，殆非文于言语者所能窥也。凡人衣食居处嗜好之须，当身而足，则所留固狭矣。然而念迫于室家莫之赢焉，爱牵于子孙不能业焉，四民百艺，朝营暮逐，各竞其力，各私其求，虽危而终不惧，已多而犹不足者，以其所留不止于一身故也。嗟夫，若是则诚不可禁已！虽然，其留者则必与是心俱。彼心不丧、术不谬，阡连陌接，谷量山积，而隐诸方寸之小无惭焉，可也。不然，则货虽留而心不足以留也。留之家，家不能受；留之子孙，子孙不能守。甚至刑祸戮辱，水火盗贼，俄反顾失之，皆是也。故广欲莫如少取，多贪莫如寡愿，有得莫如无争。货虽不留，心足以留也。岂惟田野闾巷，而士君子何独不然？（《水心文集》卷十《留耕堂记》）

4. 夫书不足以合变，而材之高下无与于书，此为不知书者言也。使诚知之，则非书无以合变，而材之高下固书之浅深系焉。古之成材者，其高有至于圣，以是书也；静有以息谤，动有以居功，亦书也；泊无所存，而所存者常在功名之外，亦书也。百家众作，殊方异论，各造其极，如天地之宝并列于前，能兼取而无祸，皆书之余也。书之博大广远不可测量如此。（《水心文集》卷十《叶岭书房记》）

5. 世之论常曰："吏必设学，而教且养人最急。"不知吏当先自教且自养，急顾有甚于人者。何也？彼虽知以学为吏，烛物之智浅，察已之功不深，意则以教且养者厚民，实则以教且养者病民矣，乌得勉而进哉。且自一令长以上，所关于民，杀活成败，不可预测。若但竖数十屋而官，群数十士而饭，而曰教养尽是矣，何其易也！故明恕而多通，吏之所以自教；节廉而少欲，吏之所以自养。少欲则民有余力，多通则民有余情。然后推其所以自养者，亦养人廉，推其所以自教者，亦教人恕，此忠信礼义之俗所由起而学之道所由明也。（《水心文集》卷十《瑞安县重修县学记》）

6. 力学莫如求师，无师莫如师心。《易·蒙》之义曰："山下出泉。"蒙泉之在山，虽险难蔽塞，然而或激或止，不已其行，终为江海者，盖物莫能御，而非俟夫

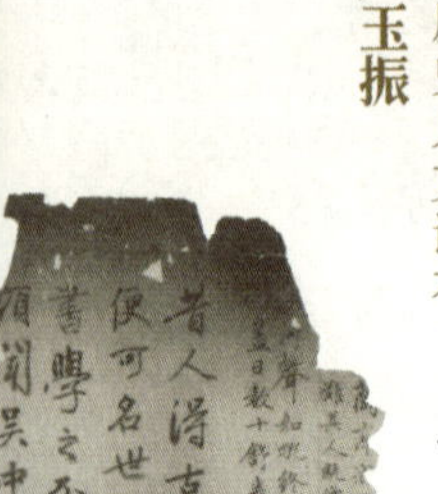

有以导之也。故“君子观其象而以果行育德”。人必知其所当行，不知而师告之，师不吾告，则反求于心，心不能告，非其心也。得其所当行，决而不疑，故谓之“果行”。人必知其所自有，不知而师告之，师不吾告，则反求于心，心不能告，非其心也。信其所自有，养而不丧，故谓之育德。学而至于能果行育德，则不可胜用矣。然则三士之归，求其心而已，无师非所患也。(《水心文集》卷十二《送戴许蔡仍王汶序》)

7. 世常曰:“仕不举职为可耻。”然而有人之过,有法之患。夫法不为人计也，所以待有罪而已。世不独贪贿不材而后得罪于法也，廉善有能亦未免焉。人之情无以劝，而法有所待，则虽名司显吏将畏悔而不勇为者多矣。(《水心文集》卷十五《宋武翼郎新制造御前军器所监造官郡君墓志铭》)

8. 士多以意为善，鲜以力为善也。诚得其意，圣贤何远？如意之而未至焉，遂又以意为力也，则善非其善，窒其材，枉其德矣。今夫意之者，如望远焉。目之所至，身可至乎？天下之理备矣，尺度按之，规矩占之，若称物然，斤石之差，必以其力，不可诬也。以力从意，不以意为力，力所不及，圣贤犹舍诸。力之所及，则材为实材，德为实德矣。(《水心文集》卷十五《彭子复墓志铭》)

9. 余每患世之夫妇殊性。有所经营，其夫欲广，妇必曰狭；肴设于外，夫欲崇侈，妇必以俭；人有求假，夫子欲与，妇辄吝固。论已定，虑已行，妇从中沮止，十事稀八九坏矣。虽然，阳疏而阴密，一于张施而无以挚聚，则家亦或不成，未可尽非也。若夫德与夫同，趋好不异，夫有滞意，委曲以申之，夫虽开喻，斥夫反过，洗其陋，完其鄙，

袭其锲，补其薄，人以是为非妇人之常也。然而益厚其家，非禀挚之卓，安能？（《水心文集》卷十七《戴夫人墓志铭》）

10. 夫事虽材而后集，然必挠材以赴事；材虽事而后显，然必生事以示材。此常人之同患，非知道者不能免也。今夫达甫（编者按：孟导字达甫）能养其材而不因于事，因于事而不过其材，则庶几古人之意矣。（《水心文集》卷二十五《孟达甫墓志铭》）

11. 志复君之雠，大义也；欲挈诸夏、合南北，大虑也。必行其所知，不以得丧、壮老二其守，大节也。春秋战国之材，无是也，吾得二人焉，永康陈亮、平阳王自中。（《水心文集》卷二十四《陈同甫王道甫墓志铭》）

12. 人之所以贵于君子者，以其存心也。心之所存，高出于道德，卑弱于功名，旁达于技艺，而微极于幽远，举无非是心者。盖亦博矣。然大要皆以社稷生民为主，而一身之利害不参焉。自昔唐虞三代之君子，随世就功，因事用力，其存心有小大，故所成就有厚薄，不可掩也。（《水心文集》卷二十七《寄王正言书》）

13. 凡所谓豪杰者，卓然兴起者，世间常理也。君臣、父子、夫妇、朋友、宾主之大伦也，慈孝、恭敬、友悌、廉逊、忠信之大节也，所谓豪杰者，卓然兴起，不待教诏而自能，不待勉强而自尽，通达无间而可以显仁藏用者，故孟子谓："不待文王而兴。"此某所以愿望于朋友。……夫不能共由此道，则当各行其志而已。至于以机变为经常，以不逊为坦荡，以窥测隐度为义理，以见人隐伏为新奇，以跌荡不可羁束为通透，以多所疑忌为先觉，此道德之弃才也。为之必不成，行之必不遂，读书之博只以长傲，见理之明只以遂非。（《水心文集》卷二十七《答少詹书》）

14. 国家之用贤才，必如饥渴之于饮食，诚心好之，求取之急，惟恐不至，口腹之获，惟恐不尽。及其醉饱之余，嗜好衰息，方复调适众味，和剂八珍，祈恳而后进，勉强而后餐。其不弃去者，寡矣。故上有失士之患，而士有不遇时之悲。至使官职旷阙，治功陵夷，雅俗隳坏，遗风不接，由其始用之非诚心，善人之类遭厌薄而散漫也。（《水心文集》卷二十七《上执政荐士书》）

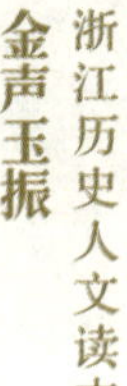

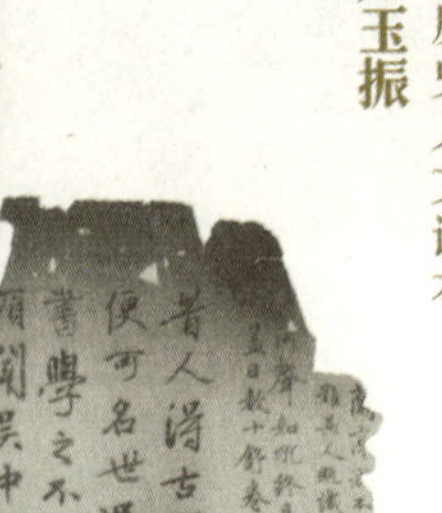

15. 读书不知接统绪，虽多无益也。为文不能关教事，虽工无益也。笃行而不合于大义，虽高无益也。立志而不存于忧世，虽仁无益也。(《水心文集》卷二十九《赠薛子长》)

16. 一人之身，众人之身也。一身之家，天下之家也。一士之学，万世共由之学也。不以其身丽众人之身，必自成其身，其身成而能合乎众人之身矣。若夫私其身者，非也。不以其家累天下之家，必自治其家，其家治而能合乎天下之家矣。若夫私其家者，非也。不以其学诿万世共由之学，必自善其学，其学善而能合乎万世共繇之学矣。若夫私其学者，非也。师虽有传说，虽有本，然而学者必自善。自善则聪明有开也，义理有辨也，德行有新也，推之乎万世所共由，不异矣。谓必用一说一本者，以学为诿者也；不一说不一本而不至乎其所共由者，以学为私者也。(《水心文集》卷二十九《题薛常州论语小学后》)

17. 理财与聚敛异。今之言理财者聚敛而已矣。非独今之言理财者也，自周衰而其义失，以为取诸民而供上用，故谓之理财，而其善者则取之巧，而民不知上有余而下不困，斯其为理财而已矣。故君子避理财之名而小人执理财之权。夫君子不知其义而徒有仁义之意，以为理之者必取之也，是故避之而弗为。小人无仁义之意而有聚敛之资，虽非有益于己而务以多取为悦，是故当之而不辞，执之而弗置。而其上亦以君子为不能也，故举天下之大计属之小人，虽明知其负天下之不义而莫之却，以为是固当然而不疑也。呜呼，使君子避理财之名，小人执理财之权，而上之任用亦出于小人而无愧，民之受病、国之受谤，何时而已！(《水心别集》卷二《财计上》)

杨简文选

此处所录25条作品片段采自《慈湖遗书》卷十七《纪先训》，系杨简记录下来的父亲杨庭显的训诫，其中亦有杨简自己的言论。所据版本为《影印文渊阁四库全书》本。

1. 吾（编者按：杨简之父杨庭显自称）少时初不知己有过，但见他人有过。一日自念曰："岂他人俱有过而我独无耶？殆不然。"乃反观内索，久之乃得一。既而又内观索，又得二三。已而又索，吾过恶乃如此其多！乃大惧，乃力改。

2. 人戒节，要先于味。盖味乃朝晚之事，渐渍夺人之甚。于此淡薄，则余过亦轻。

3. 凡可怒者，以其小人也。然怒或动心，则与小人相去一间耳。

4. 人为景所夺，则有喜、不喜之心。其喜在清风明月，在画堂花烛，在玳筵绮席，在异香美色、饥时饮食、寒时衣裘、炎暑风凉、凛冽火阁；其不喜者，天色晦昧，人情背违，柴门茅舍，恶衣恶食。不美人意处，更省之，此二者之心无自而生。

5. 善学者以平昔所见屏之千里之外，视己空空绝无所知，而读圣人之书，则所学正矣。

6. 怒人而人不畏，以其失理也。未怒而人已畏，以其得理也。

7. 人关防人心，贤者关防自心。天下之心一也，戒谨则善，放则恶。

8. 吾家子弟或忝科第，未可遽入仕，必待所学开明，从而自试。上不误君

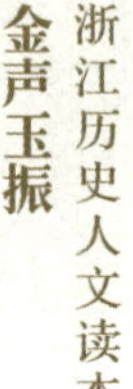

上任委之心，下不失民人倚赖之意，九泉乃祖于此无憾矣。

9. 世间多材多艺者不少，学者回顾己之愚拙，未可以为愧。材艺之士多为材艺所惑，不能进学，未若愚拙有心于道。

10. 学者虚己如无知，遇事则谋于人，如此者三年，大智必发。

11. 吾（编者按：杨简之父杨庭显自称）自幼年以生计不足为忧，复思古者乐贫之士处贫必得其理，因读《论语》，有若言："盍彻乎？"每每在怀。一日忽有所得。夫盍彻，正而已矣。宿昔之忧日见消释，而动止轻清，盖得理则无所施而不利，复何忧哉！

12. 处高堂则气宽，居茅屋则气隘；对风月则气清，当晦昧则不爽，类皆如此，以其有我也。

13. 或无公论，必任私意，顺之则喜，不顺之则不喜，是使人皆无公论也。在家无公论，则一家无公论。在国无公论，则一国无公论。家国欲治，其可得乎？

14. 人爱儿女太过，其后翻成怨恶者，盖爱极则怨生，乃自然之势。善养儿女则以理，不以私意。

15. 或谓儿女奴婢由我所治，此乃无识人之所见。治之不当，自己先已失治，岂能治人？吾处世不敢辄嗔人，亦不憎恶人，常爱人，常敬人。

16. 吾饮馔不敢尝时新，衣服喜补绽，于器用亦然，无求新弃旧之意。吾得此意，敢保老景不为人所厌。

17. 财物是末事，爵位是末事，知此几事是末，则知本矣。

18. 君子无所欲，亦无所不欲，第由理而行耳。

19. 人之处世何如此之难？兹盖独任己智，倚于一隅，不得自然，而与天理相违之所致也。学者当如何？未若以自己私见屏于千里之外，使胸中了无所有，则所谓天理者见矣。天理即吾心也。

20. 人方饥，忽三杯殽馔，莫被他谑；盛暑炎燠，风亭水榭，荐杯以沉李浮瓜，偃息以纱厨湘簟，莫被他谑；朔雪飘零，入红炉画阁，笑语之余，浅斟低唱，莫被他谑。皆为物所转，故不能逃有无难易。

21. 事即学也，事学有二，则学亦劳矣。

22. 事无大小，有志者皆得之。窃盗取地窟，一錾复一錾，不敢作声，不敢思量他事，但一心求彻。学者似之，不患所学不成也。

23. 因及娄师德唾面自干语，曰："且道唾面从那里来？"有对者，俱未当意。徐曰："从动心处来。此心才动，唾即劈面而来也。"

24. 道无大小，何处非道，当于日用中求之。衣服饮食，道也；娶妻生子，道也；动静语默，道也。但无所贪，正而不邪，则道不求而自得。

25. 向有郡守以善听讼称。有哑者执白纸，遽令枷项示众，乃密使人伺之道路。有云："哑者诚屈，昨日遭某人拳，今日却枷项。"伺者以言入，遂直其讼。太守以为得计，郡中亦称之。吾窃不取。是使部民习诈，非善教也。

袁采《世范》选录

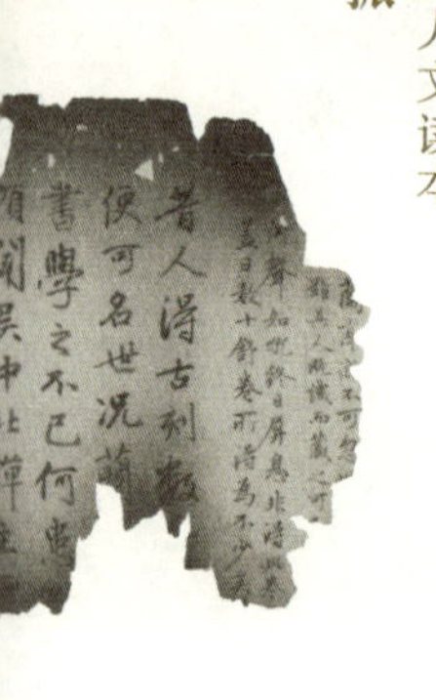

袁采，字君载，衢州人，南宋孝宗隆兴元年（1163）进士，累官知乐清县、监登闻鼓院。袁采不是一个思想家，但他留下的一部家训《世范》在历史上却与颜之推的《颜氏家训》齐名。此书共60则，主要是对人情世故的观察心得，反映了儒学“修身、齐家”的思想，这里节选若干则。所据版本为《丛书集成初编》第974册，中华书局，1985年版。

一、性不可以强合

人之至亲，莫过于父子兄弟。而父子兄弟有不和者，父子或因于责善，兄弟或因于争财。有不因责善、争财而不和者，世人见其不和，或就其中分别是非而莫名其由。盖人之性，或宽缓，或褊急，或刚暴，或柔懦，或严重，或轻薄，或持检，或放纵，或喜闲静，或喜纷拏，或所见者小，或所见者大，所禀自是不同。父必欲子之性合于己，子之性未必然；兄必欲弟之性合于己，弟之性未必然。其性不可得而合，则其言行亦不可得而合。此父子兄弟不和之根源也。况凡临事之际，一以为是，一以为非，一以为当先，一以为当后，一以为宜急，一以为宜缓，其不齐如此！

若互欲同于己，必致于争论，争论不胜，至于再三，至于十数，则不和之情自兹而启，或至于终身失欢。若悉悟此理，为父兄者，通情于子弟，而不责子弟之同于己；为子弟者，仰承于父兄，而不望父兄惟己之听，则处事之际，必相和协，无乖争之患。孔子曰："事父母，几谏，见志不从，又敬不违，劳而不怨。"此圣人教人和家之要术也，宜熟思之。

二、父子贵慈孝

慈父固多败子，子孝而父或不察。盖中人之性，遇强则避，遇弱则肆。父严而子知所畏，则不敢为非；父宽则子玩易，而恣其所行矣。子之不肖，父多优容；子之愿悫，父或责备之无已。惟贤智之人即无此患。至于兄友而弟或不恭，弟恭而兄或不友；夫正而妇或不顺，妇顺而夫或不正，亦由"此强即彼弱，此弱即彼强"，积渐而致之。为人父者，能以他人之不肖子喻己子；为人子者，能以他人之不贤父喻己父，则父慈而子愈孝，子孝而父益慈，无偏胜之患矣。至于兄弟、夫妇，亦各能以他人之不及者喻之，则何患不友、恭、正、顺者哉！

三、人贵能处忍

人言居家久和者，本于能忍。然知忍而不知处忍之道，其失尤多。盖忍或有藏蓄之意，人之犯我，藏蓄而不发，不过一再而已。积之既多，其发也，如洪流之决，不可遏矣。不若随而解之，不置胸次，曰："此其不思尔！"曰："此其无知尔！"曰："此其失误尔！"曰："此其所见者小尔！"曰："此其利害宁几何！"不使之入于吾心，虽日犯我者十数，亦不至形于言而见于色。然后见忍之功效为甚大，此所谓善处忍者。

四、顺适老人意

年高之人，作事有如婴孺，喜得钱财微利，喜受饮食、果实小惠，喜与孩童玩狎。为子弟者，能知此而顺适其意，则尽其欢矣。

五、父母不可妄憎爱

人之有子，多于婴孺之时爱忘其丑，恣其所求，恣其所为。无故叫号，不知禁止，而以罪保母。陵轹同辈，不知戒约，而以咎他人。或言其不然，则曰："小未可责。"日渐月渍，养成其恶，此父母曲爱之过也。及其年齿渐长，爱心渐疏，微有疵失，遂成憎怒，摭其小疵以为大恶。如遇亲故，妆饰巧辞，历历陈数，断然以大不孝之名加之，而其子实无他罪。此父母妄憎之过也。爱憎之私，多先于母氏，其父若不知此理，则徇其母氏之说，牢不可解。为父者须详察此，子幼必待以严，子壮无薄其爱。

六、背后之言不可听

凡人之家有子弟及妇女好传递言语，则虽圣贤同居，亦不能不争。且人之做事不能皆是，不能皆合他人之意，宁免其背后评议？背后之言，人不传递，则彼不闻知，宁有忿争？惟此言彼闻，则积成怨恨。况两递其言，又从而增易之，两家之怨至于牢不可解。惟高明之人，有言不听，则此辈自不能离间其所亲。

七、子孙常宜关防

子孙有过，为父祖者多不自知，贵官尤甚。盖子孙有过，多掩蔽父祖之耳目。外人知之，窃笑而已，不使其父祖知之。至于乡曲贵宦，人之进见有时，称道盛德之不暇，岂敢言

其子孙之非！况又自以子孙为贤，而以人言为诬。故子孙有弥天之过，而父祖不知也。间有家训稍严，而母氏犹有庇其子之恶，不使其父知之。富家之子孙不肖，不过耽酒、好色、赌博、近小人、破家之事而已。贵宦之子孙不止此也。其居乡也，强索人之酒食，强贷人之钱财，强借人之物而不还，强买人之物而不偿；亲近群小，则使之假势以陵人；侵害善良，则多致饰词以妄讼；乡人有曲理犯法事，认为己事，名曰“担当”；乡人有争讼，则伪作父祖之简，干恳州县，求以曲为直；差夫借船，放税免罪，以其所得为酒色之娱，殆非一端也。其随侍也，私令市贾买物，私令吏人买物，私托场务买物，皆不偿其直；吏人补名，吏人免罪，吏人有优润，皆必责其报；典买婢妾，限以低价，而使他人填赔；或同院子游狎，或干场务放税，其他妄有求觅，亦非一端，不恤误其父祖，陷于刑辟也。凡为人父祖者，宜知此事，常关防，更常询访，或庶几焉。

八、媒妁之言不可信

古人谓“周人恶媒”，以其言语反覆。给女家则曰：“男富。”给男家则曰：“女美。”近世尤甚。给女家则曰：“男家不求备礼，且助出嫁遣之资。”给男家则厚许其所迁之贿，且虚指数目。若轻信其言而成婚，则责恨见欺，夫妻反目，至于仳离者有之。大抵嫁娶固不可无媒，而媒者之言不可尽信。如此，宜谨察于始。

九、处富贵不宜骄傲

富贵乃命分偶然，岂宜以此骄傲乡曲！若本自贫窭，身致富厚，本自寒素，身致通显，此虽人之所谓贤，亦不可以此取尤于乡曲。若因父祖之遗资而坐享肥浓，因父祖之保任而驯致通显，此何以异于常人！其间有欲以此骄傲乡曲，不亦羞而可怜哉！

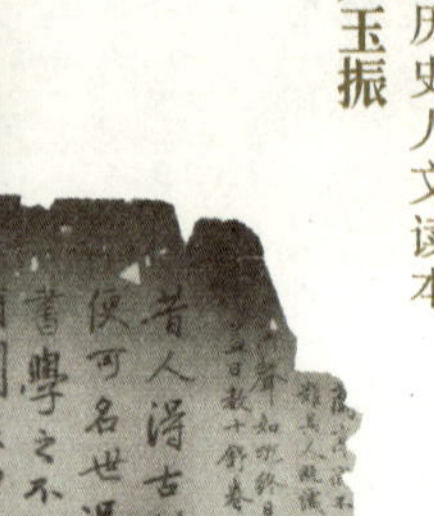

十、礼不可因人分轻重

世有无知之人，不能一概礼待乡曲，而因人之富贵贫贱设为高下等级。见有资财有官职者，则礼恭而心敬。资财愈多，官职愈高，则恭敬又加焉。至视贫者、贱者，则礼傲而心慢，曾不少顾恤。殊不知彼之富贵，非我之荣，彼之贫贱，非我之辱，何用高下分别如此！长厚有识君子必不然也。

十一、穷达自两途

操履与升沉自是两途。不可谓操履之正，自宜荣贵，操履不正，自宜困厄。若如此，则孔、颜应为宰辅，而古今宰辅达官不复小人矣。盖操履自是吾人当行之事，不可以此责效于外物。责效不效，则操履必怠，而所守或变，遂为小人之归矣。今世间多有愚蠢而享富厚，智慧而居贫寒者，皆自有一定之分，不可致诘。若知此理，安而处之，岂不省事。

十二、世事更变皆天理

世事多更变，乃天理如此。今世人往往见目前稍稍荣盛，以为此生无足虑，不旋踵而破坏者多矣。大抵天序十年一换甲，则世事一变。今不须广论久远，只以乡曲十年前、二十年前比论目前，其成败兴衰何尝有定势！世人无远识，凡见他人兴进及有如意事则怀妒，见他人衰退及有不如意事则讥笑。同居及同乡人最多此患。若知事无定势，则自虑之不暇，何暇妒人笑人哉！

十三、人不可怀慢伪妒疑之心

处己接物，而常怀慢心、伪心、妒心、疑心者，皆自取轻辱于人，盛德君子所不为也。慢心之人，自不如人而好轻薄人。见敌己以下之人，及有求于我者，面前既不加礼，背后又窃讥笑。若能回省其身，则愧汗浃背矣。伪心之人，言语委曲，若甚相厚，而中心乃大不然。一时之间人所信慕，用之再三则踪迹露见，为人所唾去矣。妒心之人，常欲我之高出于人，故闻有称道人之美者，则忿然不平，以为不然；闻人有不如人者，则欣然笑快。此何加损于人，只厚怨耳！疑心之人，人之出言未尝有心，而反覆思绎曰："此讥我何事？此笑我何事？"则与人缔怨，常萌于此。贤者闻人讥笑，若不闻焉，此岂不省事！

十四、居官居家本一理

士大夫居家能思居官之时，则不至干请把持而挠时政；居官能思居家之时，则不至狠愎暴恣而贻人怨。不能回思者皆是也。故见任官每每称寄居官之可恶，寄居官亦多谈见任官之不韪，并与其善者而掩之也。

十五、兴废有定理

起家之人见所作事无不如意，以为智术巧妙如此，不知其命分偶然。志气洋洋，贪多图得，又自以为独能久远，不可破坏，岂不为造物者所窃笑！盖其破坏之人或已生于其家，曰子曰孙，朝夕环立于其侧者，皆他日为父祖破坏生事之人，恨其父祖目不及见耳！前辈有建第宅，宴工匠于东庑，曰："此造宅之人。"宴子弟于西庑，曰："此卖宅之人。"后果如其言。近世士大夫有言："目所可见者，谩尔经营；目所不及见者，不须置之谋虑。"此有识君子，知非人力所及，其胸中宽泰与蔽迷之人如何？

十六、不可轻受人恩

居乡及在旅，不可轻受人之恩。方吾未达之时，受人之恩，常在吾怀，每见其人，常怀敬畏。而其人亦以有恩在我，常有德色。及吾荣达之后，遍报则有所不及，不报则为亏义。故虽一饭一缣，亦不可轻受。前辈见人仕宦而广求知己，戒之曰："受恩多则难以立朝。"宜详味此。

十七、民俗淳顽当求其实

士大夫相见，往往多言某县民淳，某县民顽。及询其所以然，乃谓见任官赃污狼籍，乡民吞声饮气而不敢言，则为淳；乡民列其恶而诉之州郡监司，则为顽，此其得顽之名，岂不枉哉？今人多指奉化县为顽，问之奉化人，则曰："所讼之官皆有入己赃，何谓奉化为顽？"如黄岩等处人言皆然。此正圣人所谓"斯民也，三代之所以直道而行也"。何顽之有！今具其所以为顽之目：应纳税赋而不纳及应供科配而不供，则为顽；若官中因事广科，从而隐瞒，其民户不肯供纳，则不为顽。官吏断事，出于至公，又合法意，乃任私忿，求以翻异，则为顽；若官吏受财，断直为曲，事有冤抑，次第陈诉，则不为顽。官员清正，断事自己，豪横之民无所行赂，无所措谋，则与胥吏表里，撰合语言，妆点事务，妄兴论诉，则为顽；若官员与吏为徒，百般诡计掩人耳目，受接贿赂，偷盗官钱，人户有能出力为众论诉，则不为顽。

胡三省《资治通鉴注》选录

此处所据《资治通鉴》版本为中华书局1956年版点校本。

1. 英宗皇帝命司马光论次历代君臣事迹为编年一书，神宗皇帝以鉴于往事有资于治道，赐名曰《资治通鉴》，且为序其造端立意之由。温公之意，专取关国家盛衰，系生民休戚，善可为法、恶可为戒者以为是书。治平、熙宁间，公与诸人议国事相是非之日也。萧、曹画一之辩不足以胜变法者之口，分司西京，不豫国论，专以史局为事。其忠愤感慨不能自已于言者，则智伯才德之论，樊英名实之说，唐太宗君臣之议乐，李德裕、牛僧孺争维州事之类是也。至于黄幡绰、石野猪俳谐之语，犹书与局官，欲存之以示警，此其微意，后人不能尽知也。编年岂徒哉！

世之论者率曰："经以载道，史以记事，史与经不可同日语也。"夫道无不在，散于事为之间，因事之得失成败，可以知道之万世亡弊，史可少欤！为人君而不知《通鉴》，则欲治而不知自治之源，恶乱而不知防乱之术。为人臣而不知《通鉴》，则上无以事君，下无以治民。为人子而不知《通鉴》，则谋身必至于辱先，作事不足以垂后。乃如用兵行师，创法立制，而不知迹古人之所以得，鉴古人之所以失，则求胜而败，图利而害，此必然者也。(《资治通鉴》卷首《新注资治通鉴序》)

2.（汉成帝元延元年）时吏民多上书言灾异之应，讥切王氏专政所致。

（胡三省注）元帝师萧望之，成帝师张禹，皆敬重之矣。元帝不能听望之

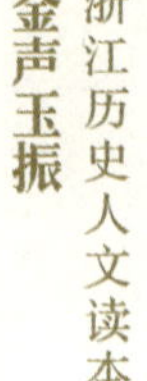

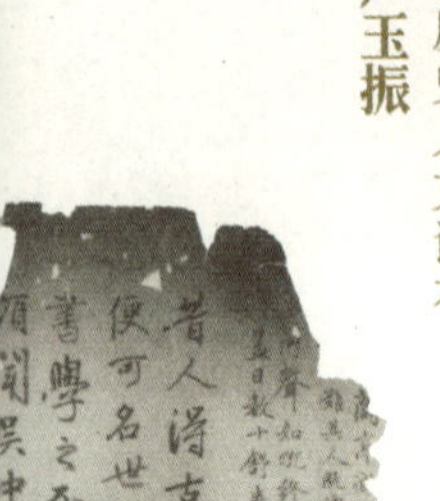

言疏许、史而去恭、显，成帝则听禹言而不疑王氏。望之以此杀身，禹以此苟富贵。汉祚中衰，实由此也。又成帝之时，吏民犹讥切王氏，平帝之末，吏民以王莽不受新野田上书者至四十八万七千五百七十二人。何元、成之时吏民犹忠于汉，平帝之时吏民则附王氏也？政自之出久矣，人心能无从之乎？有国家者尚监兹哉！（《资治通鉴》卷三十二）

3.（汉献帝建安十年）秘书监、侍中荀悦作《申鉴》五篇，奏之。

（胡三省注）荀悦《申鉴》，其立论精切，关于国家兴亡之大致，过于彧、攸。至于揣摩天下之势，应敌设变，以制一时之胜，悦未必能也。曹操奸雄，亲信彧、攸，而悦乃在天子左右。悦非比于彧、攸，而操不之忌，盖知悦但能持论，其才必不能办也。呜呼，东都之季，荀淑以名德称，而彧、攸以智略济。荀悦盖得其祖父之彷佛耳，其才不足以用世，其言仅见于此书。后之有天下国家者，尚论其世，深味其言，则知悦之忠于汉室而有补于天下国家也。（《资治通鉴》卷六十四）

4.（梁武帝大同十一年）上（编者按：指梁武帝）年老，几厌于万机，又专精佛戒，每断重罪，则终日不怿。

（胡三省注）梁武帝断重罪则终日不怿，此好生恶杀之意也。夷考帝之终身，自襄阳举兵以至下建康，犹曰事关家国，伐罪救民。洛口之败，死者凡几何人？浮山之役，死者凡几何人？寒山之败，死者又几何人？其间争城以战，杀人盈城，争地以战，杀人盈野，南北之人交相为死者，不可以数计也。至于侯景之乱，东极吴会，西抵江郢，死于兵、死于饥者，自典午南渡之后未始见也。驱无辜之人而就死地，不惟儒道之所不许，乃佛教之罪人，而断一重罪乃终日不怿，吾谁欺，欺天乎！（《资治通鉴》卷一百五十九）

5.（唐德宗贞元三年）泌（编者按：指李泌）又言："边地官多阙……"

（胡三省注）自李泌为相，观其处置天下事，姚崇以来未之有也。史臣谓其："出入中禁，事四君，数为权幸所疾，常以智免。好纵横大言，时时谠议，能寤移人主意。然常持黄老鬼神说，故为人所讥。"余谓泌以智免，信如史臣言矣，然其纵横大言，持黄老鬼神说，亦智也。泌处肃、代父子之间，其论兴复形势，言无不效；及张、李之间，所以保右代宗者，言无不行；元载之谗疾，卒能自免，可谓智矣。至其与德宗论天下事若指诸掌；以肃、代之信泌而泌不肯为相，以德宗之猜忌而泌夷然当之，亦智也。呜呼，仕而得君，谏行言听，则致身宰辅宜也。历事三世，洁身远害，筋力向衰，乃方入政事堂，与新贵人伍，所谓经济之略，向未能为肃、代吐者，尽为德宗吐之，岂德宗之度弘于祖父邪？泌盖量而后入耳。彼德宗之猜忌刻薄，直如萧、姜，谓之轻己卖直；功如李、马，忌而置之散地。而泌也，恣言无惮，彼其心以泌为祖父旧人，智略无方，弘济中兴，其敬信之也久矣。泌之所以敢当相位者，其自量亦审矣，庸非智乎？其持黄老鬼神说，则子房欲从赤松游之故智也。但子房功成后为之，泌终始笃好之耳。（《资治通鉴》卷二百三十二）

刘基文选

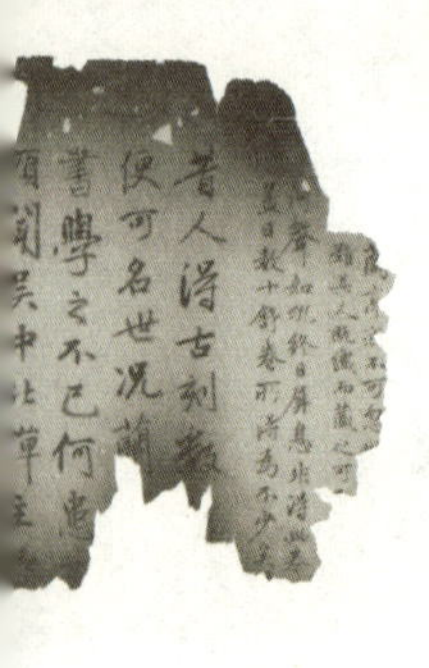

此处所据版本为林家骊点校本《刘基集》,浙江古籍出版社,1999 年版。

一、郁离子・八骏

穆天子得八骏，以造王母，归而伐徐偃王，灭之。乃立天闲、内、外之厩。八骏居天闲，食粟日石;其次乘居内厩，食粟日八斗；又次居外厩，食粟日六斗；其不企是选者为散马，散马日食粟五斗；又下者为民马，弗齿于官牧。以造父为司马，故天下之马无遗良，而上下其食者莫不甘心焉。

穆王崩，造父卒，八骏死，马之良驽莫能差，然后以产区焉。故冀之北土纯色者为上乘，居天闲，以驾王之乘舆；其尨为中乘，居内厩，以备乘舆之阙，戎事用之；冀及济河以北，居外厩，诸侯及王之公卿大夫及使于四方者用之；江淮以南为散马，以递传服百役，大事弗任也。其士食亦视马高下，如造父之旧。及夷王之季年，盗起，内厩之马当服戎事，则皆饱而骄，闻钲鼓而辟易，望旆而走。乃参以外厩。二厩之士不相能，内厩曰："我乘舆之骖服也。"外厩曰："尔食多而用寡，其奚以先我？"争而闻于王，王及大臣皆右内厩。既而，与盗遇，外厩先，盗北。内厩又先，上以为功，于是外厩之士马俱懈。盗乘而攻之，内厩先奔，外厩视而弗救，亦奔，马之高足骧首者尽没。王大惧，乃命出天闲之马。天闲之马实素习吉行，乃言于王而召散马。散马之士曰："戎事尚力，食充则力强。今食之倍者且不克荷，吾侪力少而恒劳，惧弗肩也。"王内省而惭，慰而遣之，且命与天闲同其食，而廪粟不继，虚名而已。于是四马之足交于野，望粟而取，农不得植，其老羸皆殍，而其壮皆逸入于盗，马如之。王无马不能师，天下萧然。

二、郁离子·灵丘丈人

灵丘之丈人善养蜂，岁收蜜数百斛，蜡称之，于是其富比封君焉。丈人卒，其子继之，未期月，蜂有举族去者，弗恤也。岁余，去且半;又岁余，尽去。其家遂贫。陶朱公之齐，过而问焉，曰："是何昔者之熇熇，而今之凉凉也？"其邻之叟对曰："以蜂。"请问其故，对曰:"昔者丈人之养蜂也，园有庐，庐有守。刳木以为蜂之宫，不罅不庮。其置也，疏密有行，新旧有次。坐有方，牖有乡，五五为伍，一人司之。视其生息，调其暄寒，巩其构架，时其墐发。蕃则从之、析之，寡则与之、裒之，不使有二王也。去其蛛蟊、蚍蜉，弥其土蜂、蝇豹。夏不烈日，冬不凝澌。飘风吹而不摇，淋雨沃而不渍。其取蜜也，分其赢而已矣，不竭其力也。于是故者安，新者息，丈人不出户而收其利。今其子则不然矣：园庐不葺，污秽不治，燥湿不调，启闭无节，居处臲卼，出入障碍，而蜂不乐其居矣。及其久也，蛄蟖同其房而不知，蝼蚁钻其室而不禁，鷯鸟掠之于白日，狐狸窃之于昏夜，莫之察也，取蜜而已。又焉得不凉凉也哉！"陶朱公曰："噫！二三子识之，为国有民者可以鉴矣！"

三、饮泉亭记

昔司马氏有廉臣焉，曰吴君隐之，出刺广州，过贪泉而饮之，赋诗曰："古人云此水，一歃怀千金。试使夷齐饮，终当不易心。"其后隐之，卒以廉终其身，

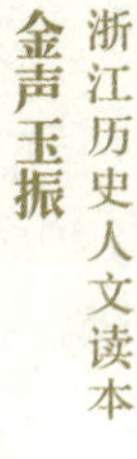

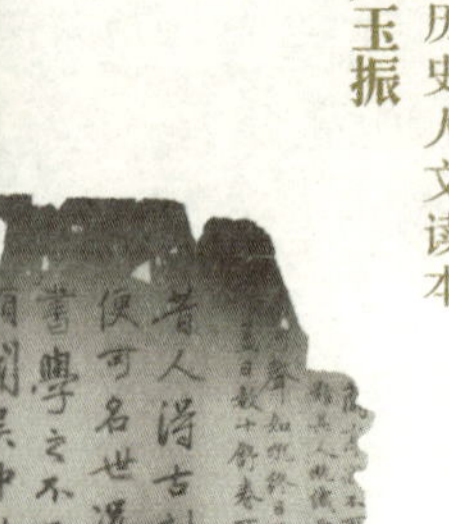

而后世之称廉者，亦必曰吴刺史焉。有元宪副吴君，为广西时，名其亭曰“饮泉”，慕刺史也，而宪副之廉，卒与刺史相先后。

至正十四年，宪副之孙以时，以故征士京兆杜君伯原所书“饮泉亭”三字征予言。予旧见昔人论刺史饮泉事，或病其为矫，心甚不以为然。夫君子以身立教，有可以植正道、遏邪说、正人心、扬公论，皆当见而为之，又何可病而讥之哉？人命之修短系乎天，不可以力争也；而行事之否臧由乎己，人心之贪与廉，自我作之，岂外物所能易哉！向使有泉焉，曰饮之者死，我乃奋其不畏之气，冒而饮之。死，非我能夺也，而容有死之理；而强饮焉，是矫也，是无益而沽名也，则君子病而不为之矣。大丈夫之心，仁以充之，礼以立之，驱之以刀剑而不为不义屈，临之以汤火而不为不义动，夫岂一勺之水所能幻而移哉！人之好利与好名，皆蛊于物者也，有一焉，则其守不固，而物得以移之矣。若刺史，吾知其决非矫以沽名者也。惟其知道明而自信笃也，故饮之以示人，使人知贪廉之由乎内而不假乎外，使外好名而内贪浊者，不得以藉口而分其罪。夫是之谓植正道、遏邪说、正人心、扬公论，真足以启愚而立懦，其功不在伯夷、叔齐下矣。

番禺在岭峤外，去天子最远，故吏于其地者，得以逞其贪。贪相承，习为故，民无所归咎，而以泉当之，怨而激者之云也。刺史此行，非惟峤外之民始获沾天子之惠，而泉亦得以雪其冤。夫民，天民也；泉，天物也。一刺史得其人，而民与物皆受其赐。呜呼，伟哉！以时尚气节，敢直言，见贪夫疾之如仇，故凡有禄位者，多不与相得。予甚敬其有祖风也，是为记。

王阳明文选

此处节选的王阳明作品片段出自吴光、钱明、董平、姚延福编校的《王阳明全集》，浙江古籍出版社，2010年版。

1. 凡人言语正到快意时，便截然能忍默得；意气正到发扬时，便翕然能收敛得；愤怒嗜欲正到腾沸时，便廓然能消化得。此非天下之大勇不能也。然见得良知亲切时，其工夫又自不难。(《王阳明全集》卷六《与黄宗贤》)

2. 孟源有自是好名之病……（先生）喻之曰："此是汝一生大病根，譬如方丈地内种此一大树，雨露之滋，土脉之力，只滋养得这个大根。四傍纵要种些嘉谷，上面被此树叶遮覆，下面被此树根盘结，如何生长得成？须用伐去此树，纤根勿留，方可种植嘉种。不然，任汝耕耘培壅，只滋养得此根。"(《王阳明全集》卷一《传习录上》)

3. 澄问："有人夜怕鬼者，奈何？"先生曰："只是平时不能集义，而心有所慊，故怕。若素行合于神明，何怕之有？"子莘曰："正直之鬼，不须怕；恐邪鬼不管人善恶，故未免怕。"先生曰："岂有邪鬼能迷正人乎？只此一怕，即是心邪，故有迷之者，非鬼迷也，心自迷耳。如人好色，即是色鬼迷；好货，即是货鬼迷；怒所不当怒，是怒鬼迷；惧所不当惧，是惧鬼迷也。"（同上）

4. "与其为数顷无源之塘水，不若为数尺有源之井水，生意不穷。"时先生在塘边坐，傍有井，故以之喻学云。（同上）

5. 来书云："所喻知行并进，不宜分别前后，即《中庸》尊德性而道问学

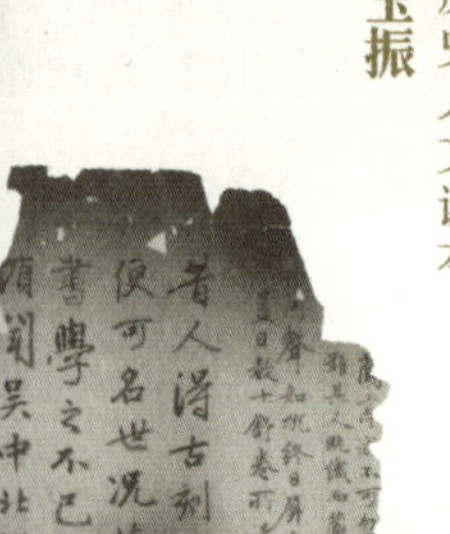

之功交养互发、内外本末一以贯之之道。然工夫次第不能无先后之差，如知食乃食，知汤乃饮，知衣乃衣，知路乃行，未有不见是物，先有是事。此亦毫厘倏忽之间，非谓有等今日知之而明日乃行也。”既云：“交养互发、内外本末一以贯之”，则知行并进之说无复可疑矣。又云“工夫次第不能不无先后之差”，无乃自相矛盾已乎？“知食乃食”等说，此尤明白易见，但吾子为近闻障蔽，自不察耳。夫人必有欲食之心然后知食：欲食之心即是意，即是行之始矣。食味之美恶必待入口而后知，岂有不待入口而已先知食味之美恶者邪？必有欲行之心然后知路：欲行之心即是意，即是行之始矣。路歧之险夷必待身亲履历而后知，岂有不待身亲履历而已先知路歧之险夷者邪？“知汤乃饮”，“知衣乃服”，以此例之，皆无可疑。若如吾子之喻，是乃所谓不见是物而先有是事者矣。吾子又谓“此亦毫厘倏忽之间，非谓截然有等今日知之而明日乃行也”，是亦察之尚有未精。然就如吾子之说，则知行之为合一并进，亦自断无可疑矣。(《王阳明全集》卷二《传习录中·答顾东桥书》)

6. 知之真切笃实处，即是行；行之明觉精察处，即是知，知行工夫本不可离。只为后世学者分作两截用功，失却知行本体，故有合一并进之说。“真知即所以为行，不行不足谓之知”，即如来书所云“知食乃食”等说可见，前已略言之矣。此虽吃紧救弊而发，然知行之体本来如是，非以己意抑扬其间，姑为是说以苟一时之效者也。“专求本心，遂遗物理”，此盖失其本心者也。夫物理不外于吾心，外吾心而求物理，无物理矣；遗物理而求吾心，吾心又何物邪？心之体，性也；性即理也。故有孝亲之心，即有孝之理，无孝亲之心，即无孝之理矣。有忠君之心，即有忠之理，无忠君之心，即无忠之理矣。理岂外于吾心邪？晦庵谓："人之所以为学者，心与理而已。"心虽主乎一身，而实管乎天下之理，理虽散在万事，而实不外乎一人之心。是其一分一合之间，而未免已启学者心理为二之弊。此后世所以有专求本心，遂遗物理之患，正由不知心即理耳。夫外心以求物理，是以有暗而不达之处；此告子"义外"之说，孟子所以谓之不知义也。心，一而已。以其全体恻怛而言谓之仁，以其得宜而言谓之义，以其条理而言谓之理；不可外心以求仁，不可外心以求义，独可外心以求理乎？外心以求理，此知行之所以二也。求理于吾心，此圣门知行合一之教，吾子又何疑乎？（同上）

7. 有一属官，因久听讲先生之学，曰："此学甚好。只是簿书讼狱繁难，不得为学。"先生闻之曰："我何尝教尔离了簿书讼狱，悬空去讲学？尔既有官司之事，便从官司的事上为学，才是真格物。如问一词讼，不可因其应对无状，起个怒心；不可因他言语圆转，生个喜心；不可恶其嘱托，加意治之；不可因其请求，屈意从之；不可因自己事务烦冗，随意苟且断之；不可因旁人谮毁罗织，随人意思处之：这许多意思皆私，只尔自知，须精细省察克治，惟恐此心有一毫偏倚，杜人是非，这便是格物致知。簿书讼狱之间，无非实学；若离了事物为学，却是着空。"(《王阳明全集》卷三《传习录下》)

8. 先生曰："我辈致知，只是各随分限所及。今日良知见在如此，只随今日所知扩充到底；明日良知又有开悟，便从明日所知扩充到底。如此方是精一功夫。与人论学，亦须随人分限所及。如树有这些萌芽，只把这些水去灌溉。萌芽再长，便又加水。自拱把以至合抱，灌溉之功皆是随其分限所及。若些小萌芽，有一桶水在，尽要倾上，便浸坏他了。"（同上）

9. 问"知行合一"。先生曰："此须识我立言宗旨。今人学问，只因知行分作两件，故有一念发动，虽是不善，然却未曾行，便不去禁止。我今说个

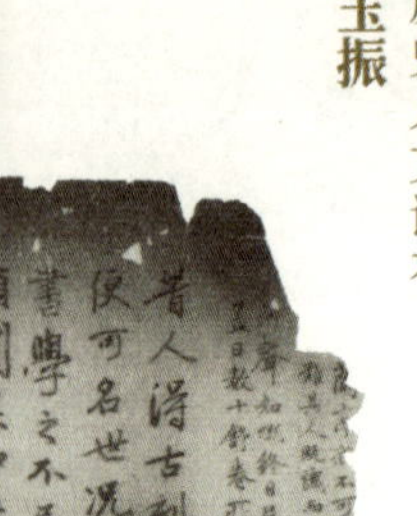

知行合一，正要人晓得一念发动处，便即是行了。发动处有不善，就将这不善的念克倒了。须要彻根彻底，不使那一念不善潜伏在胸中。此是我立言宗旨。”（同上）

10. 先生锻炼人处，一言之下，感人最深。一日，王汝止出游归，先生问曰：“游何见？”对曰：“见满街人都是圣人。”先生曰：“你看满街人是圣人，满街人到看你是圣人在。”又一日，董萝石出游而归，见先生曰：“今日见一异事。”先生曰：“何异？”对曰：“见满街人都是圣人。”先生曰：“此亦常事耳，何足为异？”盖汝止圭角未融，萝石恍见有悟，故问同答异，皆反其言而进之。洪与黄正之、张叔谦、汝中丙戌会试归，为先生道途中讲学，有信有不信。先生曰：“你们拿一个圣人去与人讲学，人见圣人来，都怕走了，如何讲得行。须做得个愚夫愚妇，方可与人讲学。”洪又言：“今日要见人品高下最易。”先生曰：“何以见之？”对曰：“先生譬如泰山在前，有不知仰者，须是无目人。”先生曰：“泰山不如平地大，平地有何可见？”先生一言剪裁，剖破终年为外好高之病，在座者莫不悚惧。（同上）

11. 教约。

每日清晨，诸生参揖毕，教读以次。遍询诸生：在家所以爱亲敬长之心，得无懈忽，未能真切否？温凊定省之仪，得无亏缺，未能实践否？往来街衢，步趋礼节，得无放荡，未能谨饬否？一应言行心术，得无欺妄非僻，未能忠信笃敬否？诸童子务要各以实对，有则改之，无则加勉。教读复随时就事，曲加诲谕开发。然后各退就席肄业。

凡歌《诗》，须要整容定气，清朗其声音，均审其节调；毋躁而急，毋荡而嚣。毋馁而慑。久则精神宣畅，心气和平矣。每学量童生多寡，分为四班，每日轮一班歌《诗》；其余皆就席，敛容肃听。每五日则总四班递歌于本学。每朔望，集各学会歌于书院。凡习礼，须要澄心肃虑，审其仪节，度其容止；毋忽而惰，毋沮而怍，毋径而野；从容而不失之迂缓，修谨而不失之拘局。久则体貌习熟，德性坚定矣。童生班次，皆如歌《诗》。每间一日，则轮一班习礼。其余皆就席，敛容肃观。习礼之日，免其课仿。每十日则总四班递习于本学。每朔望，则集各学会习于书院。凡授书不在徒多，但贵精熟。量其资禀，能二百字者，止可授以一百字。常使精神力量有余，则无厌苦之患，而有自得之美。讽诵之际，务令专心一志，口诵心惟，字字句句紬绎反覆，抑扬其音节，宽虚其心意。久则义礼浃洽，聪明日开矣。

每日工夫，先考德，次背书诵书，次习礼，或作课仿，次复诵书讲书，次歌《诗》。凡习礼歌《诗》之数，皆所以常存童子之心，使其乐习不倦，而无暇及于邪僻。教者知此，则知所施矣。虽然，此其大略也；神而明之，则存乎其人。(《王阳明全集》卷二)

刘宗周文选

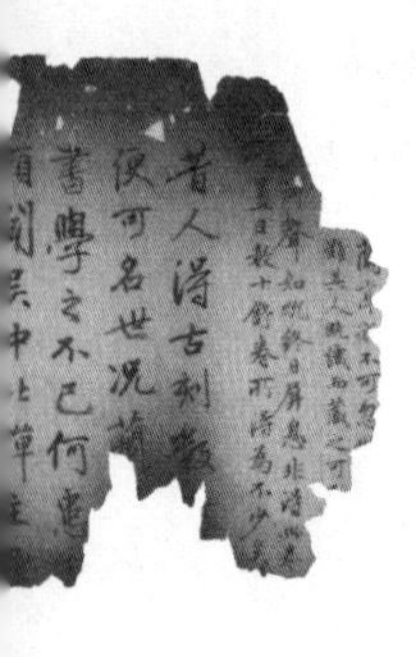

此处所选刘宗周作品片段选自吴光主编《刘宗周全集》，浙江古籍出版社，2007 年版。

1. 凡刚者易摧，摧之而刚乃见；直者易枉，枉之而直乃见；洁者易污，污之而洁乃见；信者易欺，欺之而信乃见。(《刘宗周全集》第二册《语类十二・学言上》)

2. 学者先于自知，其次以知人，其次以知天下事。三知，君子之全知也。(同上)

3. 情动而溢者，昏于性也；事过而留者，歉于理也。(同上)

4. 湛然寂静中，常见诸缘就摄，诸事就理。虽簿书鞅掌、金革倥偬，一齐俱了，此静中真消息。若一事不理，可知一心忙乱在，用一心，错一心，理一事，坏一事，即竖得许多功能，亦是沙水不成团。如吃饭穿衣，有甚奇事，才忙乱，已从脊梁过。学无本领，漫言主静，无益也。(同上)

5. 三十年克一“私”字不去，背城借一，定在何日？古人云“一日用力”，思之汗颜。失今不力，堕落百年。一旦挟以俱尽，形销骨化，此垢犹存。尘土借以无光，狌

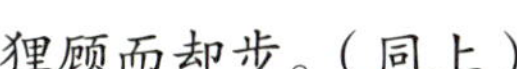
狸顾而却步。(同上)

6. 清明以养吾之神，湛一以养吾之虑，沉警以养吾之识，刚大以养吾之气，果断以养吾之才，凝重以养吾之器，宽裕以养吾之量，严冷以养吾之操。(同上)

7. 凡人一言过，则终日皆辗转而文此一言之过。一行过，则终日皆辗转而文此一行之过。盖人情文过之态如此，几何而不堕禽兽也？（同上）

8. 日用之间，漫无事事。或出入闹閧，或应接宾客，或散步庭除，或静观书册，或谈说无根，或思想已往未来，或料理药饵，或拣择衣饮，或诟童仆，或量米盐，恁他捱排，莫可适莫。自谓颇无大过，杜门守拙，祸亦无生。及夫时移境改，一朝患作，追寻所自，多坐前日无事甲里。如前日妄起一念，此一念便下种子，前日误读一册，此一册便成附会。推此以往，不可胜数。故君子不以闲居而肆恶，不以造次而违仁。(同上)

9. 每念当世无忠告之友，吾无从抉吾过焉，幸而人言有及我者矣，则遽抵之曰："此嫉忌我者，无顾也。"则亦弗思之甚矣！试反而思之，此嫉忌我者，胡为乎来哉？苟有以当我之过，无往而非忠告也。使吾于忌口之外求忠告，幸而一当，又安知非谗谄面谀之人乎？（同上）

10. 人言有及我者盖亦寡矣，幸而及之，亦隐而不发。讥称进反之间，使人思而自得之。良工苦心，吾自不察耳。甚者，或示以意，意不可匿而征于色，吾目击焉而亦以意喻之。意喻之而后意阻之，使人抱意而来者，转失意而往。拒谏饰非之态，亦何所不至哉。(同上)

11. 忽有告我者曰："或谤汝。"则将应之曰："某未之闻也。果有之，吾反吾罪焉。"又有告我者曰："或欲聚众而辱汝。"则将应之曰："夫夫也亦何至于是？果有之，吾反吾罪焉。"忽遇谤且辱我者于前，则何如？曰："敢请某之罪。"不得，则回车而避。既解仇焉，则如何？曰："择其善者而与之，其不善者而去之。"然则唾面自干者，是乎？刘子（编者按：刘宗周自称）怃然曰："非谓此也。吾将砺人以进吾学也。"(同上)

12. 只做向上人，只问向上路。只此一路，更无旁蹊曲径可托。才一跌足，

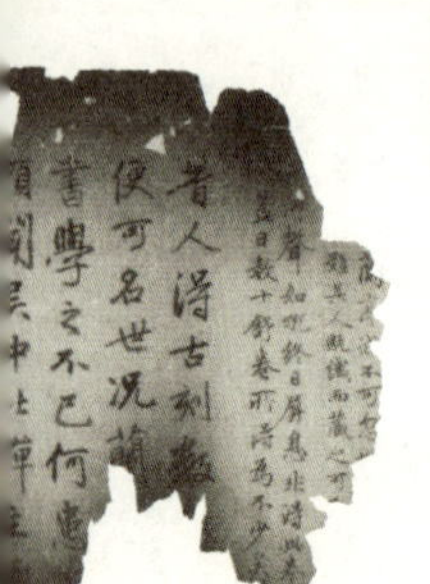

堕落千仞。（同上）

13. 一味退藏，一味暗澹，寡言以抱吾之愚，省事以守吾之拙，亦可以寡过矣乎？（同上）

14. 有胜己者，有憎己者，有疑己者，有异己者，皆吾师也。有胜己者，知我之不若。有憎己者，知我之不肖。有疑己者，知我之未信于人。有异己者，知我之尚未同于人。（同上）

15. 学不可不讲，尤不可一时不讲。如在父便当与子讲，在兄便当与弟讲，在夫便当与妇讲，在主即当与仆讲，在门以内与家人讲，在门以外与乡里、亲戚、朋友讲。（《刘宗周全集》第二册《语类十二·学言中》）

16. 讦似直，佞似忠，谄似恭，曲似慎，刻似公，巧似智，此人臣之六贼也。以察为明，以猛为威，以愎为断，以自用为厉精，以私智小术为作用，此人君之五穷也。挟五穷之术，而攻之以六贼，必无幸矣。（《刘宗周全集》第二册《语类十二·学言上》）

17. 王道本乎人情，又曰："人情即天理。"今之所大患者，在人臣有私交而废公义，谓之情面，正为以私交废公义也。而今者绝人情以徇一己之情，反谓之无情面乎？上积疑其臣而畜以奴隶，下积畏其君而视同秦越，则君臣之情离矣，此《否》之象也。卿大夫不谋于士庶而独断独行，士庶不谋于卿大夫而人趋人诺，则寮采之情离矣，此《睽》之象也。如是则亦可谓绝情面矣，而欲国无危亡，得乎？大抵情面与人情不同，人情本乎天而致人，有时拂天下之公以就一己而不为私，如周公、孔子之过，吾党之直是也。情面去其心而从面，有时忍一己之私以就天下而不为公，

如起杀妻、牙食子之类是也。(同上)

18. 古人“恐惧”二字常用在平康无事时，及至利害当前，无可回避，只得赤体承当。世人只是倒做了。(同上)

19. 人心如谷种，满腔都是生意。物欲锢之而滞矣，然而生意未尝不在也，疏之而已耳。又如明镜，全体浑是光明，习染薰之而暗矣。然而明体未尝不存也，拂拭而已耳。(同上)

20. 居官之病，一曰轻，轻当矫之以重，如山不可移。一曰嫩，嫩当出之以老，如石不可破。一曰猾，猾当守之以介，如霜不可犯。一曰浅，浅当用之以深，如渊不可测。药此病以治此官，其几乎？不然，鲜有不败乃公事者。(《刘宗周全集》第四册《文编九·官总宪自警》)

21. 应事说。学者静中既得力，又有一段读书之功，自然遇事能应。若静中不得力，所读之书又只是章句而已，则且教之就事上磨炼去。自寻常衣饮以外，感应酬酢，莫非事也。其间千变万化，不可端倪，而一一取裁于心，如权度之待物然，权度虽在我，而轻重长短之形仍听之于物，我无与焉，所以情顺万事而无情也。故事无大小皆有理存，劈头判个是与非。见得是处，断然如此，虽鬼神不避；见得非处，断然不如此，虽千驷万钟不回。又于其中条分缕析，铢铢两两，辨个是中之非，非中之是，似是之非，似非之是。从此下手，沛然不疑，所行动有成绩。又凡事有先着，当图难于易，为大于细。有要着，一着胜人千万着，失此不着，满盘败局。又有先后着，如低棋以后着为先着，多是见小欲速之病。又有了着，恐事至八九分便放手，终成决裂也。盖见得是非后，又当计成败，如此方是有用学问。世有学人，居恒谈道理井井，才与言世务，便疏，试之以事，或一筹莫展。此疏与拙，正是此心受病处，非关才具。谚云：“经一跌，长一识。”且须熟察此心受病之原果在何处，因痛与之克治去，从此再不犯跌，庶有长进。学者遇事不能应，只有练心法，更无练事法。练心之法，大要只是胸中无一事而已，无一事乃能事事，便是主静工夫得力处。又曰：“多事不如少事，省事不如无事。”(《刘宗周全集》第二册《语类十》)

黄宗羲文选

此处所选辑的黄宗羲作品片段，版本为沈善洪主编、吴光执行主编《黄宗羲全集》，浙江古籍出版社，2005年版。

一、原君

有生之初，人各自私也，人各自利也，天下有公利而莫或兴之，有公害而莫或除之。有人者出，不以一己之利为利，而使天下受其利，不以一己之害为害，而使天下释其害。此其人之勤劳必千万于天下之人。夫以千万倍之勤劳而己又不享其利，必非天下之人情所欲居也。故古之人君，量而不欲入者，许由、务光是也；入而又去之者，尧、舜是也；初不欲入而不得去者，禹是也。岂古之人有所异哉？好逸恶劳，亦犹夫人之情也。

后之为人君者不然，以为天下利害之权皆出于我，我以天下之利尽归于己，以天下之害尽归于人，亦无不可，使天下之人不敢自私，不敢自利，以我之大私为天下之大公。始而惭焉，久而安焉，视天下为莫大之产业，传之子孙，受享无穷。汉高帝所谓"某业所就，孰与仲多"者，其逐利之情不觉溢之于辞矣。此无他，古者以天下为主，君为客，凡君之所毕世而经营者，为天下也。今也以君为主，天下为客，凡天下之无地而得安宁者，为君也。是以其未得之也，屠毒天下之肝脑，离散天下之子女，以博我一人之产业，曾不惨然！曰“我固为子孙创业也”。其既得之也，敲剥天下之骨髓，离散天下之子女，以奉我一人之淫乐，视为当然，曰“此我产业之花息也”。然则为天下之大害者，君而已矣。向使无君，人各得自私也，人各得自利也。呜呼，岂设君之道固如是乎！

古者天下之人爱戴其君，比之如父，拟之如天，诚不为过也。今也天下之人怨恶其君，视之如寇雠，名之为独夫，固其所也。而小儒规规焉以君臣之义无所逃于天地之间，至桀、纣之暴，犹谓汤、武不当诛之，而妄传伯夷、叔齐无稽之事，使兆人万姓崩溃之血肉，曾不异夫腐鼠。岂天地之大，于兆人万姓之中，独私其一人一姓乎？是故武王，圣人也，孟子之言，圣人之言也。后世之君，欲以如父如天之空名禁人之窥伺者，皆不便于其言，至废孟子而不立，非导源于小儒乎！

虽然，使后之为君者，果能保此产业，传之无穷，亦无怪乎其私之也。既以产业视之，人之欲得产业，谁不如我？摄缄縢，固扃𫓩，一人之智力不能胜天下欲得之者之众，远者数世，近者及身，其血肉之崩溃在其子孙矣。昔人愿世世无生帝王家，而毅宗之语公主，亦曰：“若何为生我家！”痛哉斯言！回思创业时，其欲得天下之心，有不废然摧沮者乎！是故明乎为君之职分，则唐、虞之世，人人能让，许由、务光非绝尘也；不明乎为君之职分，则市井之间，人人可欲，许由、务光所以旷后世而不闻也。然君之职分难明，以俄顷淫乐不易无穷之悲，虽愚者亦明之矣。(《明夷待访录》)

二、原法

三代以上有法，三代以下无法。何以言之？二帝、三王知天下之不可无养也，为之授田以耕之；知天下之不可无衣也，为之授地以桑麻之；知天下之不可无

教也，为之学校以兴之，为之婚姻之礼以防其淫，为之卒乘之赋以防其乱。此三代以上之法也，固未尝为一己而立也。

后之人主，既得天下，唯恐其祚命之不长也，子孙之不能保有也，思患于未然以为之法。然则其所谓法者，一家之法，而非天下之法也。是故秦变封建而为郡县，以郡县得私于我也；汉建庶孽，以其可以藩屏于我也；宋解方镇之兵，以方镇之不利于我也。此其法何曾有一毫为天下之心哉！而亦可谓之法乎？

三代之法，藏天下于天下者也：山泽之利不必其尽取，刑赏之权不疑其旁落，贵不在朝廷也，贱不在草莽也。在后世方议其法之疏，而天下之人不见上之可欲，不见下之可恶，法愈疏而乱愈不作，所谓无法之法也。后世之法，藏天下于筐箧者也：利不欲其遗于下，福必欲其敛于上；用一人焉则疑其自私，而又用一人以制其私；行一事焉则虑其可欺，而又设一事以防其欺。天下之人共知其筐箧之所在，吾亦鳃鳃然日唯筐箧之是虞，故其法不得不密。法愈密而天下之乱即生于法之中，所谓非法之法也。

论者谓一代有一代之法，子孙以法祖为孝。夫非法之法，前王不胜其利欲之私以创之，后王或不胜其利欲之私以坏之。坏之者固足以害天下，其创之者亦未始非害天下者也。乃必欲周旋于此胶彼漆之中，以博宪章之余名，此俗儒之剿说也。即论者谓天下之治乱不系于法之存亡。夫古今之变，至秦而一尽，至元而又一尽。经此二尽之后，古圣王之所恻隐爱人而经营者荡然无具，苟非为之远思深览，一一通变，以复井田、封建、学校、卒乘之旧，虽小小更革，生民之戚戚终无已时也。即论者谓有治人无治法，吾以谓有治法而后有治人。自非法之法桎梏天下人之手足，即有能治之人，终不胜其牵挽嫌疑之顾盼，有所设施，亦就其分之所得，安于苟简，而不能有度外之功名。使先王之法而在，莫不有法外之意存乎其间。其人是也，则可以无不行之意；其人非也，亦不至深刻罗网，反害天下。故曰有治法而后有治人。(《明夷待访录》)

三、《明儒学案自序》（节选）

盈天地皆心也，变化不测，不能不万殊。心无本体，工夫所至，即其本体。故穷理者，穷此心之万殊，非穷万物之万殊也。是以古之君子宁凿五丁之间道，不假邯郸之野马，故其途亦不得不殊！奈何今之君子，必欲出于一途，使美厥灵根者，化为焦芽绝港。夫先儒之语录，人人不同，只是印我之心体变动不居，若执定成局，终是受用不得。此无他，修德而后可讲学。今讲学而不修德，又何怪其举一而废百乎？时风愈下，兔园称儒，实老生之变相；坊人诡计，借名母以行书。谁立庙庭之中正，九品参差；大类释氏之源流，五宗水火。遂使杏坛块土为一閧之市，可哀也夫！（中略）羲为《明儒学案》，上下诸先生，深浅各得，醇疵互见，要皆功力所至，竭其心之万殊者，而后成家，未尝以懵懂精神冒人糟粕。于是为之分源别派，使其宗旨历然，由是而之焉，固圣人之耳目也。间有发明，一本之先师，非敢有所增损其间。此犹中衢之罇，后人但持瓦瓯樿杓，随意取之，无有不满腹者矣。（下略）

四、明儒学案发凡（节选）

（前略）大凡学有宗旨，是其人之得力处，亦是学者之入门处。天下之义理无穷，苟非定以一二字，如何约之使其在我？故讲学而无宗旨，即有嘉言，是无头绪之乱丝也。学者而不能得其人之宗旨，即读其书，亦犹张骞初至大夏，不能得月氏要领也。是编分别宗旨，如灯取影。杜牧之曰："丸之走盘，横斜圆直，

不可尽知。其必可知者，是知丸不能出于盘也。”夫宗旨亦若是而已矣。（中略） 学问之道，以各人自用得着者为真。凡倚门傍户、依样葫芦者，非流俗之士，则经生之业也。此编所列，有一偏之见，有相反之论，学者于其不同处，正宜着眼理会，所谓一本而万殊也。以水济水，岂是学问！（下略）

五、《宋元学案》按语四则

《艮斋学案 · 文宪薛艮斋先生季宣》按语

永嘉之学，教人就事上理会，步步着实，言之必使可行，足以开物成务。盖亦鉴一种闭眉合眼，矇瞳精神，自附道学者，于古今事物之变，不知为何等也。夫岂不自然而驯致其道，以计较亿度之私，蔽其大中至正之则，进利害而退是非，与刑名之学殊途而同归矣。此在心术，轻重不过一铢，茫乎其难辨也。(《宋元学案》卷五十二）

《水心学案上 · 水心习学记言》按语

黄溍言：“叶正则推郑景望、周恭叔以达于程氏，若与吕氏同所自出。至其根柢六经，折衷诸子，凡所论述，无一合于吕氏。其传之久且不废者，直文而已，学固勿与焉。”盖直目水心为文士。以余论之，水心异识超旷，不假梯级，谓“洙泗所讲，前世帝王之典籍赖以存，开物成务之伦纪赖以著”;“《易》《彖》《象》，夫子亲笔也，《十翼》则讹矣”；“《诗》《书》，义理所聚也，《中庸》《大学》则后矣”;“曾子不在四科之目，曰参也鲁”;“以孟子能嗣孔子，未为过也；舍孔子而宗孟子，则于本统离矣”。其意欲废

后儒之浮论，所言不无过高，以言乎疵则有之，若云其概无所闻，则亦堕于浮论矣。(《宋元学案》卷五十四)

《龙川学案·陈同甫集》按语

止斋谓“功到成处，便是有德；事到济处，便是有理，此同甫之说也。如此，则三代圣贤，枉作工夫。功有适成，何必有德；事有偶济，何必有理，此晦庵之说也。如此，则汉祖、唐宗贤于仆区不远”。盖谓二家之说，皆未得当。然止斋之意，毕竟主张龙川一边过多。夫朱子以事功卑龙川，龙川正不讳言事功，所以终不能服龙川之心。不知三代以上之事功，与汉、唐之事功迥乎不同。当汉、唐极盛之时，海内兵刑之气必不能免。即免兵刑，而礼乐之风不能浑同。胜残去杀，三代之事功也，汉、唐而有此乎？其所谓“功有适成，事有偶济”者，亦只汉祖、唐宗一身一家之事功耳。统天下而言之，固未见其成且济也。以是而论，则言汉祖、唐宗不远于仆区，亦未始不可。(《宋元学案》卷五十六)

《象山学案·文安陆象山先生九渊》按语

且夫讲学者，所以明道也。道在撙节退让，大公无我，用不得好勇斗狠于其间，以先自居于悖戾。二先生同植纲常，同扶名教，同宗孔、孟。即使意见终于不合，亦不过仁者见仁，知者见知，所谓“学焉而得其性之所近”。原无有背于圣人，矧夫晚年又志同道合乎！奈何独不睹二先生之全书，从未究二先生之本末，糠秕眯目，强附高门，浅不自量，妄相诋毁！彼则曰“我以助陆子也”，此则曰“我以助朱子也”，在二先生岂屑有此等庸妄无谓之助己乎！昔先子尝与一友人书：“子自负能助朱子排陆子与？亦曾知朱子之学何如，陆子之学何如也？假令当日鹅湖之会，朱、陆辩难之时，忽有苍头仆子历阶升堂，捽陆子而殴之曰：‘我以助朱子也。’将谓朱子喜乎？不喜乎？定知朱子必且挞而逐之矣。子之助朱子也，得无类是？”(《宋元学案》卷五十八)

章学诚文选

此处所据版本为《文史通义校注》，中华书局，1985年版。

一、浙东学术（节选）

（前略）天人性命之学，不可以空言讲也。故司马迁本董氏天人性命之说，而为经世之书。儒者欲尊德性，而空言义理以为功，此宋学之所以见讥于大雅也。夫子曰："我欲托之空言，不如见诸行事之深切著明也。"此《春秋》之所以经世也。圣如孔子，言为天铎，犹且不以空言制胜，况他人乎？故善言天人性命，未有不切于人事者。三代学术，知有史而不知有经，切人事也。后人贵经术，以其即三代之史耳。近儒谈经，似于人事之外，别有所谓义理矣。浙东之学，言性命者必究于史，此其所以卓也。

朱陆异同，干戈门户，千古桎梏之府，亦千古荆棘之林也。究其所以纷纶，则惟腾空言而不切于人事耳。知史学之本于《春秋》，知《春秋》之将以经世，则知性命无可空言，而讲学者必有事事，不特无门户可持，亦且无以持门户矣。浙东之学，虽源流不异，而所遇不同。故其见于世者，阳明得之为事功，蕺山得之为节义，梨洲得之为隐逸，万氏兄弟得之为经术史裁。授受虽出于一，而面目迥殊，以其各有事事故也。彼不事所事，而但空言德性，空言问学，则黄茅白苇，极面目雷同，不得不殊门户，以为自见地耳。故惟陋儒则争门户也。

或问事功气节，果可与著述相提并论乎？曰：史学所以经世，固非空言著述也。且如六经，同出于孔子，先儒以为其功莫大于《春秋》，正以切合当时人事耳。后之言著述者，舍今而求古，舍人事而言性天，则吾不得而知之矣。学者不知斯义，不足言史学也。

二、史德

才、学、识三者，得一不易，而兼三尤难，千古多文人而少良史，职是故也。昔者刘氏子玄，盖以是说谓足尽其理矣。虽然，史所贵者义也，而所具者事也，所凭者文也。孟子曰："其事则齐桓、晋文，其文则史，义则夫子自谓窃取之矣。"非识无以断其义，非才无以善其文，非学无以练其事，三者固各有所近也，其中固有似之而非者也。记诵以为学也，辞采以为才也，击断以为识也，非良史之才、学、识也。虽刘氏之所谓才、学、识，犹未足以尽其理也。夫刘氏以谓有学无识，如愚估操金，不解贸化。推此说以证刘氏之指，不过欲于记诵之间，知所决择，以成文理耳。故曰：古人史取成家，退处士而进奸雄，排死节而饰主阙，亦曰一家之道然也。此犹文士之识，非史识也。能具史识者，必知史德。德者何？谓著书者之心术也。夫秽史者所以自秽，谤书者所以自谤，素行为人所羞，文辞何足取重。魏收之矫诬，沈约之阴恶，读其书者，先不信其人，其患未至于甚也。所患夫心术者，谓其有君子之心，而所养未底于粹也。夫有君子之心，而所养未粹，大贤以下，所不能免也。此而犹患于心术，自非夫子之《春秋》，不足当也。以此责人，不亦难乎？是亦不然也。盖欲为良史者，当慎辨于天人之际，尽其天而不益以人也。尽其天而不益以人，虽未能至，苟允知之，亦足以称著述者之心术矣。而文史之儒，竞言才、学、识，而不知辨心术以议

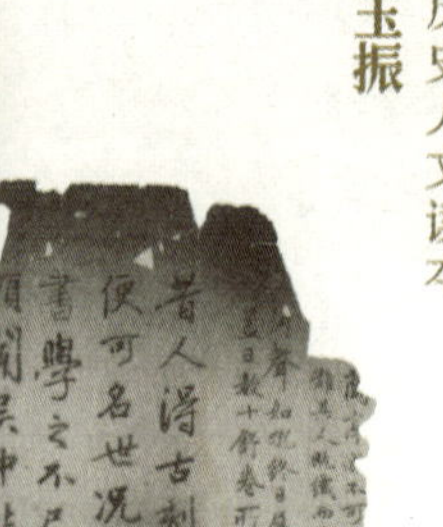

史德，乌乎可哉？

夫是尧、舜而非桀、纣，人皆能言矣。崇王道而斥霸功，又儒者之习故矣。至于善善而恶恶，褒正而嫉邪，凡欲托文辞以不朽者，莫不有是心也。然而心术不可不虑者，则以天与人参，其端甚微，非是区区之明所可恃也。夫史所载者事也，事必藉文而传，故良史莫不工文，而不知文又患于为事役也。盖事不能无得失是非，一有得失是非，则出入予夺相奋摩矣。奋摩不已，而气积焉。事不能无盛衰消息，一有盛衰消息，则往复凭吊生流连矣。流连不已，而情深焉。凡文不足以动人，所以动人者，气也。凡文不足以入人，所以入人者，情也。气积而文昌，情深而文挚；气昌而情挚，天下之至文也。然而其中有天有人，不可不辨也。气得阳刚，而情合阴柔。人丽阴阳之间，不能离焉者也。气合于理，天也；气能违理以自用，人也。情本于性，天也；情能汩性以自恣，人也。史之义出于天，而史之文，不能不藉人力以成之。人有阴阳之患，而史文即忤于大道之公，其所感召者微也。夫文非气不立，而气贵于平。人之气，燕居莫不平也。因事生感，而气失则宕，气失则激，气失则骄，毗于阳矣。文非情不深，而情贵于正。人之情，虚置无不正也。因事生感，而情失则流，情失则溺，情失则偏，毗于阴矣。阴阳伏沴之患，乘于血气而入于心知，其中默运潜移，似公而实逞于私，似天而实蔽于人，发为文辞，至于害义而违道，其人犹不自知也。故曰心术不可不慎也。

夫气胜而情偏，犹曰动于天而参于人也。才艺之士，则又溺于文辞，以为观美之具焉，而不知其不可也。史之赖于文也，犹衣之需乎采，食之需乎味也。采之不能无华朴，味之不能无浓淡，势也。华朴争而不能无邪色，浓淡争而不能无奇味。邪色害目，奇味爽口，起于华朴浓淡之争也。文辞有工拙，而族史方且以是为竞焉，是舍本而逐末矣。以此为文，未有见其至者。以此为史，岂可与闻古人大体乎？

韩氏愈曰："仁义之人，其言蔼如。"仁者情之普，义者气之遂也。程子尝谓："有《关雎》《麟趾》之意，而后可以行《周官》之法度。"吾则以谓通六义比兴之旨，而后可以讲春王正月之书。盖言心术贵于养也。史迁百三十篇，《报任安书》，所谓"究天地之际，通古今之变，成一家之言"。自序以谓"绍名世，正《易传》，本《诗》《书》《礼》《乐》之际"，其本旨也。所云发愤著书，不过叙述穷愁，而假以为辞耳。后人泥于发愤之说，遂谓百三十篇，皆为怨诽所激发，王允亦斥其言为谤书。于是后世论文，以史迁为讥谤之能事，以微文为史职之大权，或从羡慕而仿效为之；是直以乱臣贼子之居心，而妄附《春秋》之笔削，不亦悖乎！今观迁所著书，如《封禅》之惑于鬼神，《平准》之算及商贩，孝武之秕政也。后世观于相如之文，桓宽之论，何尝待史迁而后著哉？《游侠》《货殖》诸篇，不能无所感慨，贤者好奇，亦洵有之。余皆经纬古今，折衷六艺，何尝敢于讪上哉？朱子尝言，《离骚》不甚怨君，后人附会有过。吾则以谓史迁未敢谤主，读者之心自不平耳。夫以一身坎轲，怨诽及于君父，且欲以是邀千古之名，此乃愚不安分，名教中之罪人，天理所诛，又何著述之可传乎？夫《骚》与《史》，千古之至文也。其文之所以至者，皆抗怀于三代之英，而经纬乎天人之际者也。所遇皆穷，固不能无感慨。而不学无识者流，且谓诽君谤主，不妨尊为文辞之宗焉，大义何由得明，心术何由得正乎？

夫子曰："《诗》可以兴。"说者以谓兴起好善恶恶之心也。好善恶恶之心，惧其似之而非，故贵平日有所养也。《骚》与《史》，皆深于《诗》者也。言婉多风，皆不背于名教，而梏于文者不辨也。故曰必通六艺比兴之旨，而后可以讲春王正月之书。

马一浮文选

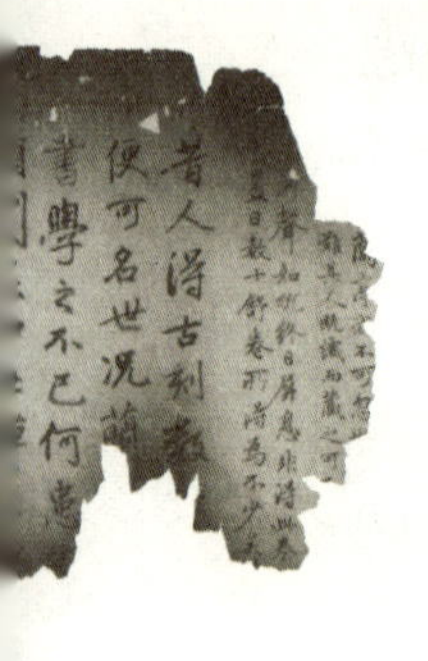

此处所选马一浮作品片段，版本为《马一浮集》，浙江教育出版社、浙江古籍出版社，1996 年版。

一、说忠信笃敬

某尝谓读书而不穷理，只是增长习气；察识而不涵养，只是用智自私。凡人心攀缘驰逐，意念纷飞，必至昏昧。以昏昧之心应世接物，动成差忒。守一曲之知，逞人我之见，其见于行事者，只是从习气私欲出来。若心能入理，便有主宰。义理为主，此心常存，无有放失，气即安定，安定则清明。涵养于未发以前，察识于事为之际，涵养愈深醇，则察识愈精密。见得道理明明白白，胸中更无余疑，一切计较利害之私自然消失，逢缘遇境，随处皆能自主，皆有受用。然后方可以济艰危，处患难，当大任，应大变，方可名为能立。能立才能行，学不至于能立，不足以为学。《学记》曰：古之学者，“九年知类通达，强立而不反，谓之大成”。“然后足以化民易俗。”故曰“己欲立而立人，己欲达而达人”。立以体言，达以用言。体立而后用有以行，未有不能立而能行者。己立己达是立身行己，立人达人是化民成俗。先体而后用，故先立而后达。浅言之，立只是见得义理端的，站得住，把得定，不倾侧，不放倒，不为习俗所动，不为境界所移。自己无有真实见地，只是随人起倒，一味徇人，名为流俗。不能自拔于流俗者，不足与立。境界不出顺逆二种，如富贵、贫贱、夷狄、患难、毁誉、得失、忧喜、苦乐，皆能移人。以仕宦夺志，以饥渴害志者，不足与立。程子曰："教学者如扶醉人，扶得东来西又倒。"此言最善形容不能立之病。到此田地，方可以言致用。"举而措之天下之民"，谓之事业，不是知识技能边事可以当得的。如今一般为学方法，只知向外求事物上之知识，不知向内求自心之义理。不能明体，焉能达用？侈谈立国而罔顾立身，不知天下国家之本在身，身尚不能立，安能立国？今谓欲言立国，先须立身，欲言致用，先须明体。体者何？自心本具之义理是也。义理何由明？求之六艺乃可明。六艺之道不是空言，须求实践。实践如何做起？要学者知道自己求端致力之方，只能将圣人吃紧为人处尽力拈提出来，使合下便可用力。(《泰和宜山会语·宜山会语》)

二、治国学先须辨明四点

一、此学不是零碎断片的知识，是有体系的，不可当成杂货；

二、此学不是陈旧呆板的物事，是活鲜鲜的，不可目为骨董；

三、此学不是勉强安排出来的道理，是自然流出的，不可同于机械；

四、此学不是凭藉外缘的产物，是自心本具的，不可视为分外。

由明于第一点，应知道本一贯，故当见其全体，不可守于一曲；

由明于第二点，应知妙用无方，故当温故知新，不可食古不化；

由明于第三点，应知法象本然，故当如量而说，不可私意造作，穿凿附会；

由明于第四点，应知性德具足，故当向内体究，不可徇物忘己，向外驰求。(《泰和宜山会语·泰和会语》)

三、对毕业诸生演词

诸君学业终了，便是事业开始。将来行其所学，对于国家社会能尽其在己之责任，这是学校全体师友所期望的。某以校长之属，使向诸君贡献一言，以相勉励，写得一篇小文奉赠，不用赘言。如诸君不以老生常谈为厌，其间所引《大戴礼》孔子之言“知不务多而务审其所知，行不务多而务审其所由，言不务多而务审其所谓”这三句话的意义，今略为申说，或者于诸君不是无益的。

国家生命所系，实系于文化，而文化根本则在思想。从闻见得来的是知识，由自己体究，能将各种知识融会贯通，成立一个体系，名为思想。孔子所谓知，即是指此思想体系而言。人生的内部是思想，其发现于外的便是言行。故孔子先说知，后说言行。知是体，言行是用也。依今时语便云思想、行为、言论，思想之涵养愈深厚、愈充实，斯其表现出来的行为言论愈光大，不是空虚贫乏。今时国人皆感觉物质之贫乏而思求进，至于思想之贫乏须求充实，似乎尚少注意，关于此点今略为分疏。孔子说“不务多而务审”者，多是指杂乱而无统系，审则辨别分明之称。所知是思想主要点，所由是行为所从出的动机，所谓是言论之意义。此本通三世说，今为易于明了，故不妨以三世分说之。吾人对于过去事实，贵在记忆、判断，是纯属于知。对于现在，不仅判断，却要据自己判断去实行，故属于行的多。对于未来所负责任较重，乃是本于自己所知所行，以为后来作先导，是属于言的较多。故学者须具有三种力量。

1. 认识过去

历史之演变，只是心理之表现。因为万事皆根于心，其动机往往始于一二人，其后遂成为风俗。换言之，即成为社会一般意识。故一人之谬误，可以造成举世之谬误。反之，一人思想正确，亦可影响到群众思想，使皆归于正确。吾人观察过去之事实，显然是如此，所以要“审其所知”，就是思想要正确，不可陷于谬误。

2. 判别现在（勿重视现实）

近来有一种流行语，名为现实主义，其实即是乡原之典型。乡原之人生哲学曰：“生斯世也，为斯世也，善斯可矣。”他只是人云亦云，于现在事实盲目的予以承认，更不加以辨别。此种人是无思想的，其唯一心理就是崇拜势力。势力高于一切，遂使正义公理无复存在，于是言正义公理者便成为理想主义。若人类良知未泯，正义公理终不可亡，不为何等势力所屈服，则必自不承认现实主义而努力于理想主义始。因现实主义即是势力主义，而理想主义乃理想主义也。所以要“审其所由”，就是行为要从理性出发，判断是非不稍假借，不依违两可，方有刚明气分，不堕柔暗。宁可被人目为理想主义，不可一味承认现实，为势力所屈。尤其是在现时，吾国家民族方在被侵略中，彼侵略国者正是一种现实势力。须知势力是一时有的，有尽的，正义公理是永久的，是必申的。吾人在此时，尤须具此坚强之信念，以为行为之标准，这是“审其所由”。

3. 创造未来

凡自然界、人事界一切现象，皆不能外于因果律，决无无因而至之事。现在事实是果，其所以致此者必有由来，非一朝一夕之故，这便是因。因有远有近，近因在十年、二十年前，远因或在一二百年以上。由于过去之因，所以成现在之果；现在为因，未来亦必有果。吾人于现实社会如已认为满意，则无复可言，如或感觉其尚有不善或不美，必须发愿创造一较善较美之未来社会，这不是空想，是实理。未来之果如何，即系于现在吾人所造之因如何，因果是决不相违的。此种思想表现出来的，就是言论，所以要“审其所谓”。《易传》曰“辞也者，各指其所之”，就是“审其所谓”之意，所之即是所向往的。吾人今日言论，皆可影响未来，故必须选择精当，不可轻易出之，因其对于未来所负之责是最重的，这是“审其所谓”。

诸君明此三义，便知认识过去要“审其所知”，判别现在要“审其所由”，创造未来要“审其所谓”。具此三种能力，方可负起复兴民族之责任。《易》曰：“唯深也，故能通天下之志”，是审其所知之至也；“唯几也，故能成天下之务”，是审其所行之至也。诸生勉之，如此，不独为一国之善士，可以为领导民众之君子矣。（《泰和宜山会语·泰和会语·附录》）

四、养生四诀（1945年2月17日）

食要少：甘淡薄，远厚味，随分有节，不贪不过，此却病之要。

睡要早：以时宴息，身心轻安，不昏不昧，不杂不扰，此养气之要。

心要好：常存爱人，不起瞋恚，与物无忤，自保太和，此调心之要。

事要了：“了”有二义。一“了达”义，谓洞达人情，因物付物，无有滞碍。二“了当”义，谓敏于作务，事至立办，无有废顿，此治事之要。

世之善言养生者多矣，今卑之无甚高论。四事虽浅而易知，然行之有常，亦可得少受用。智者或不以其近而遗之。乙酉正月，蠲戏老人。（《马一浮集·杂著》）

（本附录由王宇编校）

后　记

2011 年 9 月 1 日，习近平同志在出席中央党校 2011 年秋季学期开学典礼时，发表了《领导干部要读点历史》的讲话，强调领导干部不管处在哪个层次和岗位，都应该读点历史，从中汲取有益于加强修养、做好工作的智慧和营养，不断提高认识能力和精神境界，不断提升领导工作水平。

为贯彻落实习近平同志讲话精神，服务省委、省政府中心工作，传承和弘扬浙江优秀历史文化，浙江省社科院发挥自身优势，及时启动了《浙江历史人文读本》(以下简称《读本》) 课题研究和编写论证工作。2011 年 12 月至 2012 年 1 月，我们走访了省委办公厅、省委组织部、省委宣传部、省委党校等相关单位及领导、专家，多次座谈论证，大家一致认为，启动《读本》课题研究非常必要，也很有意义，在贯彻落实习近平同志讲话精神、提供省级区域历史人文读本等方面，走在了全国前列。2012 年 2 月，省社科院将此课题列为本院 2012 年重大课题，以本院历史所为主，组织院内骨干科研人员和浙江文化艺术研究院、杭州师范大学历史系等单位的专家学者，成立课题组，并正式开展研究和编写工作。2012 年 10 月，本课题正式立项为浙江省哲学社会科学规划课题。

《读本》由八个分册组成，每个分册分为若干专题，每一专题由若干子目组成。在体例上，《读本》不是“纵不断线”的通史书写，也不是专一的史料考证或理论论述，而是重在根据有鲜明特色、有重大意义、有突出影响、有重要成就的“四有”原则选取和设立各个子目，撷取浙江历史文化中最灿烂夺目的片断、最精华的材质，尤其是能在中国历史文化中称得上“第一”或“第一流”的人、事与历史场景，经深入探究、浓缩淬炼、精心构思，书写成一个个清新简明、意蕴深长且兼具历史气息和时代特质的“浙江意象”，为广大读者揭示浙江历史上的璀璨人文。

省社科院党委自始至终高度重视本课题的实施，从人员组织、经费落实、书稿审阅、出版发行等各个方面、各个环节精心组织，严格把关，确保质量。院领导及时关注课题进展，全程参加课题研讨，解决面临的各种困难。院学术委员会详细评审了课题方案，各分册评审专家精心审阅了全部书稿，提出了大量真知灼见。课题组成员本着对历史、对社会高度负责的使命感和责任心，精诚合作，全力投入，反复打磨，精益求精，力求学术基础扎实规范、内容选择主题突出、文字表达生动可读，着力创作优秀历史文化当代传承的精品。

省委书记夏宝龙十分重视关心《读本》编撰工作，于百忙之中亲自为《读本》作序，充分体现了省委领导对贯彻落实习近平同志讲话精神、对优秀历史文化及其当代应用的重视以及对我院工作的指导、关怀和支持。

省委组织部、省委宣传部、省社科联、省出版联合集团、省文化厅、省委党校、省委党史研究室等部门和单位的相关领导、专家对《读本》编写给予大力支持。特别是省委宣传部高度重视本课题，要求我院以省级礼品书为目标，精心编写，重视质量，打造精品佳作。省委常委、省委宣传部部长葛慧君亲自担任《读本》编撰指导委员会主任，常务副部长胡坚亲自担任编辑委员会主任，副部长鲍洪俊给予《读本》出版以大力支持。省委组织部干教处，省委宣传部理论处、党教处，省文化厅非遗处负责人积极谋划，多方协调，给予我们极大帮助。

浙江古籍出版社的负责人和各位责任编辑、美术编辑，认真负责，精心编校，为《读本》的出版做了大量增光添色的工作。

在此，我们对以上单位、领导和专家，表示衷心的感谢和诚挚的敬意！

由于浙江历史悠久厚重，《读本》所涉内容面广量大，作者水平有限，编写时间较紧，书稿中难免存在一些不尽如人意之处，敬请各位读者批评指正！

课题组

2013 年 5 月

图书在版编目（CIP）数据

金声玉振 / 王宇等著．— 杭州：浙江古籍出版社，2013.5

（浙江历史人文读本）

ISBN 978-7-5540-0051-9

Ⅰ．①金… Ⅱ．①王… Ⅲ．①文化史—浙江省②文化—名人—介绍—浙江省 Ⅳ．① K295.5 ② K825.4

中国版本图书馆 CIP 数据核字（2013）第 097448 号

金声玉振

王宇　等著

出版发行　浙江古籍出版社

（杭州体育场路 347 号　电话：0571-85176986）

网　　址　www.zjguji.com

责任编辑　徐晓玲

责任校对　余　宏

封面设计　刘　欣

责任印务　贾　敏

照　　排　杭州立飞图文制作有限公司

印　　刷　浙江海虹彩色印务有限公司

开　　本　787 × 1092　1/16

印　　张　20.25

字　　数　270 千字

版　　次　2013 年 7 月第 1 版

印　　次　2013 年 7 月第 1 次印刷

书　　号　ISBN 978-7-5540-0051-9

定　　价　50.00 元